PÉCHÉ DE CHAIR

DU MÊME AUTEUR

«Les enquêtes de l'inspecteur Delmonico»

Le Dernier Banquet, L'Archipel, 2014; Archipoche, 2016.
Fleurs sanglantes, L'Archipel, 2012; Archipoche, 2013.
Douze de trop, L'Archipel, 2011; Archipoche, 2012.
Corps manquants, L'Archipel, 2007; Archipoche, 2008.

Les Quatre Filles du docteur Latimer, L'Archipel, 2016.
La Maison de l'Ange, coll. «Trio», L'Archipel, 2011.
Les Caprices de Miss Mary, L'Archipel, 2010; Archipoche, 2011.
La Maison de l'Ange, L'Archipel, 2006; Archipoche, 2007.
Le Temps de l'amour, Presses de la Cité, 2004.
L'espoir est une terre lointaine, Presses de la Cité, 2002.
Le Cheval de Troie, L'Archipel, 1999.
Les Dames de Missalonghi, Belfond, 1987.
La Passion du Dr Christian, Archipoche, 2015.
Un autre nom pour l'amour, Archipoche, 2015.
Tim, Archipoche, 2015.
Les oiseaux se cachent pour mourir, Belfond, 1977.

«Les Maîtres de Rome»
  1. *Les Lauriers de Marius,* L'Archipel, 2002.
  2. *La Revanche de Sylla,* L'Archipel, 2002.
  3. *La Couronne d'herbe,* Belfond, 1992.
  4. *Le Favori des dieux,* L'Archipel, 1996.
  5. *La Colère de Spartacus,* L'Archipel, 1997.
  6. *Jules César, la violence et la passion,* L'Archipel, 1998.
  7. *Jules César, le glaive et la soie,* L'Archipel, 1999.
  8. *La Conquête gauloise,* L'Archipel, 2000.
  9. *César Imperator,* L'Archipel, 2001; Archipoche, 2006.
10. *César et Cléopâtre,* Presses de la Cité, 2004.
11. *Antoine et Cléopâtre: le serpent d'Alexandrie,*
    L'Archipel, 2009; Archipoche, 2010.
12. *Antoine et Cléopâtre: le festin des fauves,*
    L'Archipel, 2009; Archipoche, 2010.

COLLEEN McCULLOUGH

PÉCHÉ DE CHAIR

traduit de l'anglais (Australie)
par Daniel Lemoine

l'Archipel

Ce livre a été publié sous le titre
Sins of the Flesh
par Simon & Schuster, New York, 2013.

Notre catalogue est consultable à l'adresse suivante :
www.editionsarchipel.com

Éditions de l'Archipel
34, rue des Bourdonnais
75001 Paris

ISBN 978-2-8098-1897-0

Minuit, dimanche 3 - lundi 4 août 1969

Il ne savait pas qu'il était minuit. En fait, il ignorait si le soleil brillait ou si les étoiles scintillaient. En l'absence de tout repère, il ne pouvait pas davantage déterminer depuis combien de temps il était là. Libre, souriant et heureux, au centre d'un univers qui l'avait accueilli les bras ouverts, il avait été soudain plongé dans un sommeil si profond qu'il ne se souvenait pas du plus minuscule fragment de rêve.

À son réveil, il était là et une vie différente avait commencé. Là, dans une vaste pièce nue contenant une cuvette de toilettes à abattant capitonné et une fontaine d'où jaillissait un mince filet d'eau quand il posait le pied sur le bouton situé devant elle, sur le plancher. Il pouvait boire et disposait d'un endroit propre où déposer ses excréments. Il n'y avait, dans cet endroit, qu'une couleur : un beige sale qui n'était pas dû à la crasse, mais à la faible lumière d'une ampoule chétive placée au centre du plafond, derrière une vitre épaisse protégée par un grillage métallique.

Il était nu, mais n'avait pas chaud… ni froid. Tout était étrangement souple… le plancher et les murs cédaient, lorsqu'il les touchait, comme les sièges en cuir d'une voiture. Il crut tout d'abord qu'il n'y avait qu'une simple jointure au pied des murs, mais s'aperçut vite que ce n'était pas le cas : les deux parties de ce revêtement souple étaient enfoncées dans une rainure. Malgré tous ses efforts, il ne parvint pas à déplacer le tissu d'un millimètre.

Bientôt, la faim devint l'alpha et l'oméga de son existence car, s'il pouvait boire à volonté, il ne recevait aucune nourriture. Parfois, en s'endormant ou en se réveillant, il se souvenait vaguement du goût des aliments et croyait avoir absorbé quelque chose qui emplissait son estomac comme une braise d'une chaleur et d'un réconfort si merveilleux que le souvenir le plus imprécis de ce bien-être lui tirait des larmes.

Ses angoisses se manifestaient pendant des périodes vagues et indistinctes au cours desquelles il criait, se jetait contre les murs, frappait des poings ces surfaces malléables, hurlait à la mort comme un vieux chien, bramait, vociférait, mugissait, braillait. Personne, jamais, ne réagissait. Il n'entendait que lui-même. Sortant épuisé de ces crises, il buvait avidement et s'endormait du sommeil sans relief des morts, sa dernière pensée étant l'espoir de manger.

Il n'y avait rien à faire, rien à regarder… pas même un miroir! Rien pour passer le temps, lui qui avait toujours consacré des heures à contempler son reflet, à s'émerveiller de la perfection de sa beauté. Pour obtenir ce qu'il voulait, il lui suffisait de sourire. Mais, ici, il ne pouvait sourire à personne. L'occasion de sourire, c'était tout ce dont il avait besoin! Un sourire lui permettrait de s'échapper… nul ne pouvait résister à son sourire! Avec un sourire, il obtiendrait à manger. Elle apparaissait toujours pendant son sommeil, la nourriture, et il devait donc s'endormir en souriant.

Il s'affaiblit, comme s'il était devenu un escargot rampant avec une lenteur désespérante et d'énormes difficultés; le simple fait de maintenir sa maison au-dessus de sa tête était un dur labeur et, si elle glissait, il disparaîtrait telle une goutte d'eau sur un poêle chauffé à blanc. Il ne voulait pas renoncer à sa beauté. Pas encore! Ni à son sourire!

— Pourquoi tant de cruauté?

Il sourit et ajouta :

— Qui êtes-vous?

Cette fois, son réveil apporta des changements : il avait toujours faim, mais en plus il souffrait.

Plus la moindre braise rougeoyante de nourriture dans son estomac… le sommeil ne l'avait pas nourri. Mais, au moins, la douleur montrait qu'il était encore en vie, et elle n'était pas forte… sourde, plutôt, à l'entrejambe. Il ne parvenait pas à comprendre pourquoi elle s'attaquait à son entrejambe, désormais dépourvu de poils, parce qu'il n'avait jamais, à sa connaissance, fait subir le moindre outrage à ce dernier. Cette douleur au réveil le fit douter et il tendit la main vers son pénis ; il était là, intact. Non, la douleur se situait derrière lui, dans ses bourses. *Quelque chose clochait!* Les testicules auraient dû rouler sous ses doigts, libres dans leur sac, mais il n'y avait pas de testicules. Ses bourses étaient vides. *Vides!*

Il poussa un cri strident et une voix répondit, émanant de tous les recoins de la pièce, impossible à localiser.

— Pauvre eunuque, roucoula-t-elle. Ça s'est bien passé, mon pauvre eunuque. Pas de sang. Ils sont tombés aussi facilement que le noyau d'un avocat bien mûr. Clic, clic! Clic, clic! Plus de noix.

Il hurla et continua de hurler, longues plaintes stridentes de tristesse et de désespoir auxquels succédèrent des mots sans suite ; puis ce fut un silence proche de la catatonie, tous les muscles demeurant immobiles. La douleur s'estompa presque jusqu'à disparaître, plus supportable que celle que suscitait la faim, mais cela n'avait pas l'importance que cela aurait revêtu avant son émasculation. Sans virilité, il n'y avait plus de raison de sourire. Un désespoir lourd de lassitude pénétra dans son âme et s'y installa.

Même s'il ignorait qu'il était minuit, le coup impitoyable de la faux du temps avait projeté le dimanche 3 dans le passé et le lundi 4 dans le présent, et il comprit soudain qu'il ne mangerait plus jamais. Tassé sur lui-même, les bras autour des jambes, il contempla, au-delà du plancher immense, une éternité d'un beige sale.

La chaise descendit du plafond derrière lui, silencieusement, et s'arrêta alors que la plate-forme qui la soutenait se trouvait à un mètre du sol. S'il avait tourné la tête, il l'aurait vue, ainsi que la personne qui l'occupait, mais il ne tourna pas la tête. Ce qu'il restait de son être était concentré sur sa contemplation de l'éternité, cependant la mort était encore très loin. La personne qui le regardait, une autorité en la matière, estimait que la dernière étincelle de vie s'éteindrait dans une quarantaine de jours. Quarante jours de conversation enivrante et d'étude… mais combien intéressants ! Il esquissait *encore* un sourire…

La chaise disparut dans le plafond tandis que le mourant, sur le plancher, continuait de sonder l'éternité qui le guettait.

Lundi 4 août 1969

— Je vous ai avertis, Abe, je vous ai avertis, dit Delia, mais vous avez eu, Carmine et toi, une attitude typiquement masculine… Vous n'écoutez pas les femmes, bien sûr que non !

Ils étaient au Malvolio, où ils attendaient leur déjeuner, et Abe avait mal choisi son moment : il avait estimé que la tenue de Delia – mousseline jaune moutarde et rose corail – était relativement neutre et indiquait que sa collègue, aujourd'hui, s'ennuyait un peu. Mais sa réaction à la nouvelle qu'il lui annonça démontra l'inverse : Abe soupira intérieurement et rouvrit, dans son esprit, le dossier intitulé DELIA CASTAIRS.

— Il a fallu celui-ci pour me convaincre, dit-il sur un ton ferme. Avant, les preuves étaient insuffisantes.

— Pas de preuves, et pas de cran non plus, dit-elle, dégoûtée.

— Je ne vois pas pourquoi tu fais tout ce foin.

— Minnie apporte nos omelettes, dit-elle d'une voix sèche de maîtresse d'école, et je propose de manger avant de discuter.

Et voilà ! Delia avait faim, tout bêtement ! Soumis, Abe mangea. Le cuisinier engagé par Luigi pour l'été préparait de formidables omelettes western et Delia ne s'en était pas encore lassée. Mais cela ne signifiait pas que le dossier d'Abe sur Delia pouvait rester en l'état. Le vrai

problème était : fallait-il modifier VÊTEMENTS, COU-
LEUR, OU NOURRITURE… et que fallait-il indexer ? Le
dossier de Delia était très complexe.

Après avoir mangé, Delia se pencha sur la table,
et les pierres précieuses marron clair de ses yeux
pétillèrent.

— Éclaire-moi, ordonna-t-elle.

Abe obéit.

— Même chose que pour James Doe. Gus l'a bap-
tisé Jeb Doe[1] en attendant qu'il soit identifié… si ça
arrive un jour. Je sais que, selon toi, James Doe était lié
à quatre cadavres précédents et que la décomposition
ne permettait pas de conclure positivement, mais cette
possibilité existe dans le cas de Jeb Doe.

Il alluma une cigarette, avala la fumée et reprit :

— Gus n'a pas encore procédé à l'autopsie, mais
l'examen préliminaire rappelle étrangement James.
Le corps était sur Willard, deux blocs après le carrefour de Caterby, où les habitants de Little San Juan ont
pris l'habitude de jeter leurs ordures. Pas de cause de
la mort apparente, mais la faim a joué à coup sûr un
rôle. Ses testicules ont été prélevés plusieurs semaines
avant son décès.

— Il est mort de faim, dit Delia avec assurance, et le
coupable est un tueur en série, tu dois l'admettre maintenant. Quatre John Doe, dont nous avons trouvé les
ossements, ont précédé James et Jeb Doe. À mon avis,
il y en a beaucoup plus que quatre.

— Pas à Holloman, si c'est le cas. On est remontés
vingt ans en arrière et on n'a rien trouvé avant le premier John Doe, en 1966.

Abe souffla voluptueusement un nuage de fumée,
puis regarda tristement sa cigarette.

---

1. Les services officiels nomment les cadavres non identifiés John
ou Jane Doe, selon le sexe. *(Toutes les notes sont du traducteur.)*

— Pourquoi se consument-elles si vite ? demanda-t-il.

— Parce que tu es en train d'arrêter, mon cher Abe, et que tu ne pourras fumer une nouvelle clope qu'après le dîner. Es-tu sûr qu'il n'y a pas d'autres John Doe dans le Connecticut ?

— Pour le moment, oui, mais je vais charger Liam et Tony de réexaminer nos recherches.

Abe eut un sourire sans joie et ajouta :

— Au moins, on peut être pratiquement sûrs de ne pas trouver de cadavres dans des environnements ruraux idylliques.

— Oui, ce type considère de toute évidence ses victimes comme des ordures dès l'instant où elles sont mortes.

Quand Abe se leva dans l'intention de partir, Delia posa une main sur son bras.

— Non, restons encore une minute, s'il te plaît. J'adore l'air conditionné.

Abe se rassit avec l'alacrité d'un mari bien dressé.

— Il fait frais, c'est vrai, mais l'envie de fumer me tourmente, dit-il sur un ton plaintif.

Elle poussa un soupir d'exaspération.

— Je t'aime beaucoup, Abraham Samuel Goldberg, mais tu dois réussir à te débarrasser de cette habitude et il y a un plan sur lequel les juifs sont comme les catholiques : ils trouvent plus facile de supporter une torture quand ils doivent en affronter plusieurs. Bon : je ne cuirai pas au siège du comté simplement pour que tu puisses a, cuire et b, cesser du même coup de fumer. Remets ton esprit sur le droit chemin : pense à Jeb Doe, pas au cow-boy Marlboro.

— Désolé, marmonna-t-il avec un sourire forcé. Si Jeb Doe est mort de faim, il s'ensuit que les deux derniers Doe ont bien succombé à la faim et ont été émasculés. On peut en déduire que le mode opératoire est le même dans tous les cas. Horrible !

— Oui, tout à fait épouvantable, admit Delia avec une grimace. C'est un moyen très inhabituel de commettre un meurtre parce que le degré de préméditation est véritablement colossal… Ça prend des semaines, sinon des mois, et on peut interrompre le processus à tout moment. Ce n'est pas sanglant et c'est assurément à l'opposé de la majorité des meurtres.

— Plus froid que la glace et plus dur que l'acier, c'est ça ?

— Oui, alors que la nature même du meurtre suggère la passion et la fureur, dit Delia, les sourcils froncés.

— Comment en arrive-t-on à choisir un mode opératoire tel que la faim ? Il faut un cachot.

Le visage parsemé de taches de rousseur d'Abe exprima la consternation et il ajouta :

— Nous avons eu notre lot de souterrains, à Holloman, ces derniers temps.

— Exactement, s'écria Delia, enthousiaste. La faim est une forme moyenâgeuse de meurtre. Disposant de plein de cachots, les monarques pouvaient se permettre de laisser les gens mourir de faim. Ma tante Sophonisba a offensé le roi et le roi l'a jetée dans un cachot où – oh, comment cela a-t-il pu arriver ? – on a oublié de lui donner à manger. Cependant, les victimes étaient presque toujours des femmes. Meurtre par procuration, plus ou moins, ce qui réduit la culpabilité.

Intrigué, Abe, qui avait oublié les cigarettes, la dévisagea.

— J'entends bien, mais ai-je compris le message ? Suggères-tu que le meurtrier des Doe est une femme ? Ou que les victimes devraient être des femmes ?

La pensée de Delia devint oblique.

— Restreignant le terme «homosexuel» au mâle de l'espèce tout en repoussant les lesbiennes au second plan, peut-on affirmer que, même si de nombreux homosexuels ont la sensation d'être des femmes

14

enfermées dans un corps d'homme, ce n'est pas selon moi le cas de la majorité? Après tout, l'homosexualité n'est pas le domaine réservé des êtres humains. Les animaux la pratiquent aussi.

Les yeux d'Abe, d'un gris lumineux, reflétèrent la confusion de son esprit.

— Tu veux dire que ce sont des meurtres homosexuels? C'est bien ce que tu dis?

— Je dis que le meurtrier n'est assurément pas homosexuel.

Fasciné, Abe ne l'avait pas quittée des yeux. Comment l'esprit de Delia fonctionnait-il? Des intellects supérieurs au sien avaient échoué à répondre à cette question et il put donc considérer sa défaite avec sérénité.

— Selon toi, les quatre John Doe, James Doe et Jeb Doe sont l'œuvre du même meurtrier hétérosexuel?

— Exactement. Allons, Abe, tu es du même avis!

— Après Jeb, c'est le même meurtrier, d'accord. Hétérosexuel? Je ne vois pas.

— La vraie question est: de quand datent ses premières tentatives?

— Tu penses à l'élaboration du mode opératoire?

— Absolument, répondit-elle, frissonnant à la perspective du plaisir à venir. James Doe était ton affaire, Abe, et il faut que tu me mettes au parfum.

— Tout le monde considérait, à l'époque, que c'était purement et simplement un meurtre homosexuel. Mais on a eu un entretien avec le professeur Eric Soderstern, Liam et moi, et on a dû jeter cette idée à la poubelle, dit Abe.

Un service de police mineur dans une petite ville, pensa Delia, peut parfois compter sur des avantages exceptionnels. La police d'Holloman pouvait disposer des ressources et des compétences d'une des plus grandes universités du monde; celles-ci incluaient les professeurs de psychiatrie de la faculté de médecine de Chubb. Ayant besoin d'informations, Abe avait consulté Eric Soderstern, spécialiste réputé de la psychologie de l'homosexualité.

— D'après le prof, la castration montrait que le viol était le facteur déclencheur du meurtre, pas l'homosexualité. Nos enquêtes au sein de la communauté homosexuelle d'Holloman n'ont abouti à rien.

Le beau sourire d'Abe apparut et il poursuivit :

— On nous a aussi dit qu'à l'approche de la nouvelle décennie, de très nombreux types sortant du placard, l'homosexualité prenait un nouveau départ grâce au terme «gay». Nous devons apprendre à employer gay de préférence à homosexuel.

— J'ai entendu gay par-ci, par-là, admit Delia. Ça remonte au moins à Oscar Wilde. Mais continue.

— Quoi qu'il en soit, ça nous a permis d'expliquer l'ignorance de la communauté gay… James Doe n'était apparemment pas homosexuel et le meurtre ne présentait pas d'aspects gays. Nous avons donc dû nous demander s'il avait violé quelqu'un.

— Peut-être était-il homosexuel et avait-il violé un homme ?

— Delia ! Cette déduction ne fait que jeter le trouble ! s'emporta Abe. La chaleur ne te réussit pas. J'ai besoin d'une clope.

— Ridicule, tu peux t'en passer. Tu es découragé, mon cher Abe, parce que la découverte de Jeb Doe envoie dans les cordes toutes les théories liées au viol. Le meurtrier vit pour tuer et doit être considéré comme un tueur en série. Les causes de la castration se révéleront radicalement individuelles, très éloignées d'une généralisation freudienne.

Delia se leva dans une cascade de moutarde et de corail.

— Viens, allons voir si Gus a terminé l'autopsie.

Ils sortirent dans l'humidité d'août qui, atteignant presque le point de saturation, leur coupa le souffle.

— Ma folie n'est pas totalement dépourvue de méthode, dit Delia tandis qu'ils descendaient à la morgue, située au sous-sol. Tous les locaux du légiste bénéficient de l'air conditionné.

Son visage exprima la tristesse et elle ajouta :

— Je ne me suis pas complètement faite à l'idée de ne plus voir le visage espiègle de Patrick. J'ai l'impression qu'il a démissionné du jour au lendemain.

— On ne peut pas le lui reprocher.

— Non, bien sûr. Mais il me manque.

Gustavus Fennell avait été nommé médecin légiste après la démission de Patrick O'Donnell, décision qui avait satisfait tout le monde à la suite de la maladie soudaine de Patrick, une arthrite exceptionnellement virulente. Le remplacement d'un homme volontaire, énergique et en avance sur son temps, tel que Patrick, par une personne de la même trempe aurait provoqué toutes sortes de guerres, internes et externes, alors que ce bon vieux Gus (qui n'était en fait ni très vieux ni très bon) connaissait toutes les ficelles et serait en mesure d'assurer le bon fonctionnement du service. Dépourvu de l'élégance et du charme de son chef parti à la retraite, Gus avait assumé son statut d'adjoint en jouant délibérément le second rôle, ce dont le directeur, John Silvestri, était parfaitement informé. Désormais, trois mois après avoir été nommé légiste, Gus se dévoilait peu à peu dans une sorte de danse complexe qui, Silvestri en était certain, finirait par révéler un autocrate doux mais implacable, qui développerait le service avec une efficacité extrême.

Comme Patrick, Gus aimait réaliser les autopsies criminelles, surtout quand elles étaient compliquées ou mystérieuses. Lorsque Delia et Abe entrèrent, en blouse blanche et bottes, dans la salle d'autopsie, il venait d'enlever ses gants et laissait un assistant refermer. Si la cause de la mort était inconnue ou risquait de présenter un risque de contagion, il portait un masque, ce qu'il avait fait dans le cas de Jeb Doe.

Ayant ôté le masque, il conduisit ses visiteurs jusqu'à des chaises métalliques installées dans un coin tranquille de la salle et s'assit avec un soupir de soulagement. Son visage et ses cheveux, maintenant visibles, étaient – il n'y a pas d'autre mot – ordinaires. Monsieur Moyen-en-tout, qui passe complètement inaperçu. Cependant, son corps fluet recelait une force que ses proportions démentaient et son visage inspirait la confiance. Il avait quelques manies que Delia et Abe connaissaient : il était strictement végétarien, interdisait de fumer dans son service et, si les circonstances le privaient de ses deux sherrys d'avant-dîner et des portos qui suivaient ce dernier, le docteur Fennell, généralement affable, se muait en un horrible Mister Hyde. Il se passionnait pour le bridge, dont il était un maître reconnu.

— Sauf si l'analyse des liquides et des tissus montre la présence d'une toxine – ce dont je doute –, il est tout simplement mort de faim, dit Gus en ôtant ses galoches. J'ai mal aux pieds aujourd'hui, et je ne sais pas pourquoi. Les testicules ont été amputés environ six semaines avant la mort par quelqu'un qui savait parfaitement comment s'y prendre. Les voies digestives ne contenaient rien qu'on puisse qualifier de résidu alimentaire, mais il n'était pas déshydraté.

— De l'eau, Gus? Ou du jus de fruits, peut-être? demanda Abe.

— Seulement de l'eau, selon moi. Assurément pas un liquide contenant des fibres ou produisant des matières impossibles à digérer. S'il recevait de l'eau, le métabolisme de l'inanition pouvait se poursuivre sans encombre et c'est ce qui est arrivé. Il n'y avait rien sous ses ongles.

— Peut-on jeter un coup d'œil sur lui? s'enquit Delia.

— Bien sûr.

Delia et Abe s'approchèrent de la table de dissection sur laquelle gisait le cadavre.

Épaisse chevelure brune ondulée, couvrant les oreilles et le cou, mais pas assez longue, constatèrent-ils, pour l'attacher sur la nuque; c'était presque le seul aspect normal du corps, tant les ravages d'un métabolisme contraint à se digérer lui-même pour se nourrir étaient extrêmes. La peau était jaune et cireuse, très tendue sur le squelette, dont on distinguait tous les détails.

— Ses dents sont parfaites, dit Delia.

— Bonne alimentation et du fluor dans l'eau du robinet. Cela montre qu'il n'a pas été élevé dans le Connecticut.

Contrarié, Abe secoua la tête avec colère et ajouta :

— Je vais demander à Ginny Toscano de reconstituer le visage de ce crâne, même si ça doit la mettre dans tous ses états. J'aurai besoin d'un portrait de Jeb.

— Tu n'es pas au courant? Nous avons un nouveau dessinateur, dit Delia, qui venait elle aussi d'apprendre la nouvelle. Il s'appelle Hank Jones et c'est un jeune tout juste sorti des Beaux-Arts. Il a le cœur bien accroché, ignore tout de la subtilité des sentiments et aime l'humour macabre.

— Un jeune? s'exclama Abe avec un sourire.

— Dix-neuf ans, quelle bénédiction! Origine ethnique… il les rassemble toutes. Pendant son temps libre, il dessine des cadavres à la faculté de médecine, mais j'ai fait sa connaissance sur notre parking, où il croquait le roadster Mercedes de 1937 de Paul Bachman. Il est magnifique!

— Je me fiche qu'il soit magnifique mais il vaut la peine d'être connu si le spectacle d'un cadavre mutilé ne le gêne pas, dit Abe.

— Selon ceux qui ont vu son travail, il est bon.

La voix de Delia se fit plus forte et elle ajouta :

— Gus, l'inanition provoque-t-elle la chute des poils ou bien a-t-on épilé ce pauvre gars?

— La deuxième solution, Delia, indiqua Gus. Il n'était pas velu, mais on a arraché tous ses poils. En outre, pour en rester à la pilosité, on a teint ses cheveux en noir, ce qui était également vrai dans le cas de James Doe. James et Jeb étaient plutôt blonds. Ils étaient tous les deux bronzés et avaient les yeux bleus. Structure osseuse : européenne.

Sur sa chaise, Gus continuait de secouer les pieds.

Delia et Abe poursuivirent leur tour de la table, curieusement troublés par Jeb Doe qui n'était pas, et de loin, le cadavre le plus horrible qu'ils eussent vu, mais qui les impressionnait davantage que la plupart des victimes de mort violente. Son odeur était étrangement insolite et Abe, mieux informé que Delia en matière de science, l'attribua à un début de décomposition dépouillée des marques habituelles du meurtre : sang, vomi, plaies putréfiées. Delia y voyait un meurtre totalement dépourvu de sang, un meurtre à petites doses, étalé sur plusieurs mois. Le corps de Jeb ne semblait ni humide ni mouillé et la tête, avec sa tignasse brune, offrait un spectacle terrifiant : crâne parfaitement visible sous la couche de peau parcourue de veines, lèvres marron étirées dévoilant les dents en un rictus. Épouvantable! Les paupières étaient fermées mais Jeb avait bénéficié de cils noirs longs et épais ainsi que de sourcils courbes et nets. Rien n'indiquait une momification… Abe et Delia en avaient vu de nombreuses.

Finalement, convaincus que Jeb Doe ne pouvait plus rien leur apprendre, Abe et Delia remercièrent Gus puis s'en allèrent.

Le service des inspecteurs était un peu éparpillé dans les vastes locaux de la police, mais les bureaux de Carmine et Delia étaient faciles d'accès depuis le domaine du légiste : il suffisait de prendre le premier escalier ou l'ascenseur ; elle monta en adressant un geste de la main à Abe, le laissant gagner seul les locaux qu'il occupait, ce qui lui convenait parfaitement... avec Delia, on ne pouvait prévoir le tour que prendrait la conversation et il voulait prolonger tranquillement sa réflexion. Sa technique était oblique ou tangentielle parce qu'elle ne voyait rien comme le font les simples mortels mais, bien entendu, c'était justement pour cette raison que Carmine l'appréciait. Et, reconnut-il, sois juste, Abe Goldberg. Tu l'apprécies tout autant.

Carmine avait emmené Desdemona et leurs fils à Beverly Hills, chez son vieux pote Myron Mendel Mandelbaum, le magnat du cinéma, et ne rentrerait que dans trois semaines. Il avait amadoué Delia en l'autorisant à travailler sur une série de disparitions de femmes qui la tracassait depuis des mois, ajoutant qu'Abe pourrait se charger des crimes et des suspects ordinaires... donc ne t'en mêle pas, sauf si Abe te le demande, compris? Comme elle n'avait jamais rêvé de pouvoir consacrer un mois entier à son dada, Delia prit la conséquence implicite avec philosophie et laissa Abe tranquille. Les victimes non identifiées, quel que fût leur nombre, deviendraient sans doute une grosse affaire mais qui ferait du surplace pendant quelque temps encore : elle ne serait d'aucune utilité.

Abe demanda à Liam Connor et Tony Cerutti de l'accompagner puis, installé dans le fauteuil de son bureau, leur apprit que la famille de John et James Doe comptait un nouveau membre, Jeb.

— Il semble que la théorie du viol, proposée par le professeur Soderstern, ne soit plus d'actualité, constata tristement Liam. Allons-nous en revenir aux homosexuels?

— Si c'est le cas, pas de tantouses ou de pédés, pigé? Homosexuels ou gays, le mot qu'emploie le prof, dit Abe avec sévérité. Mais la castration exclut cette idée, sauf si le coupable est un homophobe fanatique.

— Dans ce cas, la théorie ne peut pas être écartée, fit remarquer Tony Cerutti.

Il était jeune, séduisant, célibataire, apparenté au directeur Silvestri et au capitaine Delmonico, ainsi qu'à environ un tiers de la police d'Holloman. Quoique parfois impatient et brutal, c'était un excellent inspecteur spécialisé dans les délits commis sur la voie publique.

— Les homophobes, poursuivit-il, haïssent ceux qui cachent leurs préférences sexuelles parce qu'ils se marient et ont des mômes. Puis, dix ans plus tard, la femme s'aperçoit qu'elle a épousé une fiotte… ce mot est interdit, lui aussi? De toute façon, la femme est complètement déboussolée, les mômes sont déboussolés… ouais, la castration pourrait faire partie du tableau si le père ou le frère de la femme est… euh… offensé. Puis-je employer offensé?

— Ne fais pas le malin, Tony, dit calmement Abe.

— C'était une autre génération, Tony, intervint Liam, dont le calme et la discrétion contrastaient avec la personnalité de Tony.

Marié, il ne parlait jamais de ses difficultés familiales – à supposer qu'il en rencontre – et avait peu de préjugés.

— Les Doe sont trop jeunes pour avoir des femmes et des enfants, déclara-t-il. Mais cet aspect doit rester sur la liste des possibilités. Si une femme sait que son mari est homosexuel et l'accepte, d'accord, mais s'il l'a abusée, les conséquences, quand elle découvre la réalité, risquent de déraper de toutes sortes de façons.

— Au point de provoquer des meurtres en série? demanda Abe, sceptique. Je propose d'enquêter sur les mouvements homophobes militants, y compris les néo-nazis et autres crétins racistes. Le préjugé racial est souvent lié à d'autres préjugés.

— On ne peut pas exclure un psychopathe solitaire, suggéra Liam, les sourcils froncés. Les meurtres se succèdent et on peut en déduire qu'il n'y a qu'un coupable.

— Absolument.

Tony avait fermé les yeux, ce qu'il faisait toujours quand il réfléchissait.

— Il ne sera pas facile de découvrir *qui*, dit-il de sa belle voix grave, ni *où* il pourrait être. Gus a-t-il pu établir que le dernier Doe avait été bâillonné pendant de longues périodes ?

— Les tissus buccaux n'étaient pas meurtris.

— Donc l'endroit où on l'a détenu était insonorisé vingt-quatre heures sur vingt-quatre. Ça rappelle Kurt von Fahlendorf, hein ? Une grande partie du travail relatif au lieu a été faite récemment, pendant qu'on recherchait Kurt, dit Tony avec enthousiasme. Il faut jeter un coup d'œil sur ces dossiers et nous aurons une liste de possibilités.

— Les Doe ont dû hurler à faire trembler les murs, admit Liam.

— Mais nous avons une liste d'endroits à visiter, dit Abe, satisfait. Comme Delia suit la piste des Ombres, elle acceptera de nous prêter ses plans et diagrammes d'Holloman… et ils nous seront très utiles. S'il s'agissait d'étudier des documents, je ferais appel à elle, mais c'est une affaire de compartiment secret.

Abe se frotta les mains : la localisation des compartiments secrets était sa spécialité.

Carmine Delmonico avait une fille, Sophia, assez âgée pour fréquenter la classe préparatoire de Paracelse, la faculté de médecine de Chubb, mais il ne la voyait pas pendant les vacances universitaires. Sa mère avait quitté Carmine et épousé Myron Mendel

Mandelbaum, le magnat du cinéma, alors que Sophia était encore petite ; le mariage s'était rapidement révélé un échec, mais Myron et sa belle-fille étaient restés très liés, Sophia grandissant de ce fait avec deux pères qui l'adoraient. Il était généralement entendu que la jeune femme hériterait de l'empire de Myron mais, pour le moment, ses goûts la portaient vers la médecine ; pendant les semestres de cours, elle vivait à Holloman, avec Carmine et sa deuxième famille et, pendant les vacances, chez Myron, sur la côte Ouest. Jeune femme brillante, intelligente et pragmatique, elle ne subissait plus l'influence de son père biologique et pouvait donc déterminer comment lui venir en aide, et elle s'attela à cette tâche.

Après la naissance de leur second fils, Alex, quinze mois après celle de son frère Julian, Carmine et Desdemona avaient été confrontés à un problème : Desdemona souffrit d'une dépression postnatale aggravée par l'aspect légèrement obsessionnel de sa personnalité. Directrice d'un établissement de santé – Carmine avait fait sa connaissance pendant une affaire –, Desdemona refusa d'admettre sa faiblesse et mit de ce fait longtemps à se rétablir. Ce fut à ce moment-là que Sophia intervint. Sa femme, dit Sophia à Carmine, avait besoin d'un long répit pendant lequel on serait aux petits soins pour elle et, comme elle refusait de se séparer de ses fils, ces derniers devraient prendre part à ces vacances consacrées au repos et à la détente. En conséquence, fin juillet, Carmine emmena Julian, Alex et Desdemona en Californie ; ils vivraient dans l'immense propriété de Myron aussi longtemps que Sophia l'estimerait nécessaire, même si Carmine devrait rentrer à Holloman à la fin de son congé annuel. Desdemona consentit à ce bouleversement et cela démontra qu'elle savait, au plus profond d'elle-même, qu'elle avait besoin d'une longue période de tranquillité. Les garçons ne poseraient pas de problème dans l'univers d'illusions dans lequel Myron pouvait puiser à volonté ; grâce aux très nombreuses distractions, excursions et personnes à leur dévotion, ils n'auraient pas de raison d'ennuyer maman, qui pourrait ainsi profiter d'eux sans risque d'être agressée ou dominée, comme elle l'avait été à Holloman.

Rassurée sur ce point, Delia pouvait s'atteler tranquillement à sa tâche. Les Ombres étaient fugaces et défiaient toujours l'analyse. Six affaires considérées comme toujours en cours, en tout cas théoriquement, et en aucun cas urgentes ; des affaires qui lui permettraient de quitter son travail à l'heure tous les jours et d'être libre pendant le week-end. C'était important, en ce moment, parce que Delia avait deux nouvelles amies et espérait bien pouvoir profiter de ses heures de loisir.

Delia avait fait la connaissance de Jessica Wainfleet et d'Ivy Ramsbottom début juin, près de la plage de Millstone, le jour où elles avaient réuni leurs forces pour sauver un chat qui, coincé dans un arbre, miaulait pitoyablement. Naturellement, une fois convaincu que les trois femmes avaient véritablement risqué leur vie pour le sauver, l'animal était descendu avec élégance et avait disparu. Jess et Ivy avaient ri aux larmes ; Delia rit si fort qu'elle eut un point de côté. Cette mésaventure féline s'était produite près de l'appartement de Delia et les trois femmes s'y étaient rendues pour boire du sherry, commander une pizza et faire plus ample connaissance. Jess et Ivy étaient amies depuis de nombreuses années. Elles habitaient la région ; Jess avait une petite maison à un bloc de l'immeuble de Delia et Ivy habitait Little Busquash, un cottage dans le parc de Busquash Manor, bâtisse énorme au sommet de la presqu'île de Busquash, à l'ouest de l'appartement de Delia.

— Mais tu nous dépasses toutes les deux, Delia, soupira Jess. Je tuerais pour avoir un appartement donnant sur la plage… au dernier étage, en plus !

— Un legs d'une tante fortunée que je ne connaissais pas, de la chance, et l'aide de membres de ma famille, expliqua joyeusement Delia. J'ai tout ce que je désire.

— Sauf un mari ? demanda sournoisement Jess.

— Grand Dieu non ! Je n'ai pas envie de mari. J'aime ma vie telle qu'elle est… mais j'ai besoin de deux nouvelles copines.

Les trois femmes étaient vieilles filles : très rare en Amérique, même pour les lesbiennes. Mais Delia ne perçut aucun sous-entendu de ce type, Dieu merci ! Cela avait brisé plusieurs amitiés naissantes parce que l'attitude sociale de Delia était conservatrice et qu'elle détestait l'intrusion laide et destructrice du sexe ; en tout cas tel était son point de vue sur la question. Elle comptait simplement au nombre de ces femmes dont les désirs sexuels ne sont ni puissants ni fréquents. Elle se considérait comme une excentrique et cultivait cette image, aidée en cela par son origine anglaise patricienne, sur laquelle elle capitalisait aussi. Elle considérait que plus ses nouvelles relations la classaient tôt dans la catégorie des excentriques, mieux c'était.

Ivy Ramsbottom était exceptionnellement grande, mais pas du tout obèse ; elle refusait de donner sa taille exacte, cependant Delia estimait qu'elle était aussi grande que Desdemona – un mètre quatre-vingt-huit – et tout aussi athlétique. La comparaison s'arrêtait là : les cheveux d'Ivy étaient blonds et frisés, ses traits fins et ses yeux du même bleu que les bleuets. Elle était si élégante que seule Gloria Silvestri pouvait l'éclipser. L'ensemble décontracté qu'elle portait pour une promenade sur la plage au début de l'été était si parfait que la mésaventure du chat elle-même n'était pas parvenue à le froisser.

— Je travaille dans la mode, dit-elle à Delia, levant sa part de pizza si adroitement qu'elle ne risquait en aucun cas de goutter sur son pull. Je dirige les boutiques de vêtements de mon frère.

— Quel genre de vêtements? s'enquit Delia, qui adorait s'habiller presque autant que travailler au sein de la police.

— Tous les genres aujourd'hui, mais il a commencé par les oubliées, comme il les appelle… les femmes trop grandes, trop grosses ou mal proportionnées. Pourquoi seraient-elles condamnées aux tenues tristes et démodées? De toute façon, il n'y a qu'un pour cent des femmes qui portent bien les vêtements. Je pense notamment à Gloria Silvestri, Mme William Paley Jr[1] et la duchesse de Windsor, mais de nombreuses femmes les portent passablement et quelques-unes atteignent presque la perfection. La plupart sont fichues comme l'as de pique.

— Je suis tout à fait d'accord! s'écria Delia.

— Mais surtout, poursuivit Ivy, il tire sa célébrité de ses robes de mariage. Je dirige personnellement Rha Tanais Bridal.

— Rha Tanais est ton frère? s'extasia Delia.

— Oui, répondit Ivy, amusée.

— Un nom différent?

— Ramsbottom ne sonne pas bien, expliqua Ivy avec un sourire. Robes Ramsbottom manque un peu de cachet.

— Robes Rha Tanais est beaucoup plus insolite.

— Et Rha Tanais *est* insolite, dit Jess dans un rire. Mais, Delia, pourquoi un simple créateur de vêtements serait-il plus passionnant qu'une psychiatre, comme moi, ou un inspecteur, comme toi?

---

1. Barbara «Babe» Paley.

— La célébrité, tout simplement. La célébrité est passionnante.

— Je te le concède. C'est un bon argument.

Jess Wainfleet avait quarante-cinq ans. Elle était mince et portait les vêtements avec élégance parce qu'elle avait peu de poitrine ; malgré ses traits délicats, fins et réguliers, la majorité des hommes ne l'auraient pas considérée comme jolie ou belle, mais plutôt comme séduisante. Ses cheveux noirs étaient très courts, son maquillage discret mais efficace, et sa peau blanche crémeuse lui conférait une certaine allure. Son attrait principal était ses yeux grands et doux, si foncés qu'ils semblaient noirs.

Logiquement, Delia aurait dû croiser Jess mais, bizarrement, ce n'était pas arrivé. Le docteur Jessica Wainfleet dirigeait l'Institut psychiatrique pénitentiaire d'Holloman, qu'on appelait simplement l'Institut d'Holloman (IH). Créé cent cinquante ans plus tôt et destiné aux fous meurtriers et dangereux, il se trouvait à l'écart, au nord de la route 133, sur sept hectares entourés d'une muraille de neuf mètres de haut surmontée, à intervalles réguliers, de tours de guet la dominant de quatre mètres. Les autochtones le surnommèrent bientôt l'Asile et, malgré quelques tentatives pour anéantir ce surnom, il était resté l'Asile. Il avait fait l'objet d'importantes rénovations pendant l'explosion de construction d'infrastructures ayant suivi la Seconde Guerre mondiale et abritait désormais deux activités distinctes mais liées : la prison proprement dite, conçue en vue de la détention d'individus trop instables pour purger leur peine dans un établissement ordinaire, et un centre de recherche disposant de son propre bâtiment. Jess Wainfleet dirigeait le centre de recherche.

— Brrr, fit Delia en feignant de frissonner. Comment peut-on rester saine d'esprit quand on travaille dans un tel endroit ?

— Je m'occupe principalement de gestion, répondit modestement Jess. Listes, emplois du temps, horaires. Bizarre, tout de même, que nous travaillions toutes les deux dans le domaine du crime! Je reçois des tas d'étudiants en doctorat souhaitant des entretiens avec un détenu ou un autre, et quelques-uns se révèlent être des journalistes.

Elle eut un bref rire ironique et conclut:

— Pourquoi les gens supposent-ils qu'on est idiot quand on est assis derrière un bureau?

— Parce qu'ils assimilent le bureau à l'esprit bureaucratique, affirma Delia avec un sourire. En réalité, poursuivit-elle sur un ton neutre, je pense que tu es en train de te dévaloriser. L'IH a publié des articles de grande qualité... Les inspecteurs eux-mêmes se tiennent informés de la littérature consacrée à certains types de fous criminels. Désolée, mon amie, je t'ai percée à jour! Des listes et des emplois du temps? Connerie! Tu étudies les détenus et tu suis leurs progrès.

Jess éclata de rire et leva les mains en signe de capitulation.

— Je me rends!

— Un de mes boulots, au sein de mon service, consiste à traquer des bouts de papier. Rien de sexiste dans cette affectation que j'ai choisie. Les statistiques, les projets, les calculs... l'écrit en général... parlent à mon esprit, continua Delia, résolue à expliquer. Mon patron, le capitaine Carmine Delmonico, lit, lui aussi, mais les gros ouvrages sont sa spécialité. Nous nous intéressons au travail d'établissements tels que l'IH et je suis très heureuse, Jess, d'avoir fait ta connaissance.

Fin juin, les trois femmes étaient très proches et projetaient de partir, en 1970, en vacances ensemble dans un endroit captivant dont elles pourraient discuter avec animation pendant des mois. Elles se voyaient au moins deux fois par semaine, en général chez

Delia, et parlaient à bâtons rompus. Little Busquash se trouvait en haut d'une côte que les deux autres trouvaient éprouvante et Jess reconnaissait que, chez elle, les revues scientifiques occupaient presque toute la place.

Les raisons pour lesquelles elles ne s'étaient pas mariées n'étaient jamais évoquées, mais Delia soupçonnait que c'était parce que, comme elle, ses amies privilégiaient l'esprit. Si Delia s'était interrogée sur ses goûts vestimentaires, peut-être se serait-elle demandé pourquoi les vêtements n'apparaissaient pas davantage dans leurs conversations, mais l'idée que Jess et Ivy évitaient ce sujet par affection pour leur nouvelle copine, qui semblait parfaitement en paix avec sa façon de s'habiller, ne lui traversa pas l'esprit.

Ayant sorti les photos des six minces dossiers, Delia les disposa sur son bureau en deux rangées de trois, afin de pouvoir les regarder toutes en même temps. C'étaient des portraits professionnels, ce qui n'était pas habituel : la majorité des photos de personnes disparues étaient des agrandissements de clichés ordinaires. Dans des circonstances normales, le nom du photographe ou du studio aurait été indiqué au dos : tampon, signature ou, au moins, un logo quelconque. Mais ces photos ne comportaient aucun indice sur l'identité du photographe et ne présentaient, au dos, qu'une trace montrant qu'une marque au crayon avait été effacée, mais jamais au même endroit... deux se trouvaient près du centre, une autre près du coin supérieur gauche, sans logique apparente. Paul Bachman et son équipe n'avaient pu isoler aucun résidu.

1963 : TENNANT, Margot. La trentaine. Cheveux châtains, yeux marron. Taille et corpulence moyennes. 3/23 Persimmon Street, Carew.

1964 : WOODROW, Donna. La trentaine. Cheveux roux, yeux verts. Taille et corpulence moyennes. 222c Sycamore Street, Holloman.

1965 : SILBERFEIN, Rebecca. La trentaine. Cheveux blonds, yeux bleus. Taille et corpulence moyennes. Appartement 12, Nutmeg Insurance Building.

1966 : MORRIS, Maria. La trentaine. Cheveux bruns, yeux noirs. Taille et corpulence moyennes. 6 Craven Lane, Science Hill, Holloman.

1967 : BELL-SIMONS, Julia. La trentaine. Cheveux blonds, yeux bleus. Taille et corpulence moyennes. 21/18 Dominic Road, The Valley.

1968 : CARBA, Elena. La trentaine. Cheveux blonds décolorés, yeux marron. Taille et corpulence moyennes. 5b Paterson Road, North Holloman.

Hormis leur taille et leur corpulence moyennes, ainsi que leur âge approximatif, les six disparues avaient peu de points communs sur le plan physique. Les cheveux s'échelonnaient du presque noir au presque blanc en passant par le roux et le châtain… c'était du moins ce qu'indiquaient les portraits. Rebecca Silberfein, disparue en 1965, était la plus blonde ; ses cheveux étaient naturellement très clairs et ses yeux si pâles, délavés, qu'ils paraissaient blanchâtres. Son nez n'était pas long, mais large et crochu. Maria Morris, aux cheveux et aux yeux presque noirs, avait la peau foncée, le nez plat et tordu. Donna Woodrow avait les yeux très verts – celui des feuilles au printemps et pas celui, plus fréquent, des tenues de combat – et le roux de sa chevelure était visiblement naturel : pas de reflets de henné. Elle avait aussi de nombreuses taches de rousseur. Aucune d'entre elles ne pouvait être qualifiée de belle, mais toutes étaient relativement séduisantes et aucune n'avait mauvais genre. La mode de l'époque expliquait les coiffures bouffantes et l'abondance de rouge à lèvres cachait la forme naturelle de la bouche, mais tous les protagonistes de l'enquête avaient de bonnes raisons de remercier ces femmes d'avoir fait faire un beau portrait d'elles-mêmes. Mais pourquoi les avaient-elles laissés derrière elles?

La forme du crâne était similaire dans les six cas, suggérant une origine européenne, celte ou germanique. Pour autant que les cheveux pouvaient permettre d'en juger, le crâne semblait très rond, le front large et haut, le menton ni proéminent ni fuyant. En raison des différences de poids et, sans doute, de l'absence de molaires, il était plus difficile de distinguer la forme des pommettes. Delia soupira et rassembla les photos.

On ignorait tout de ces six femmes, hormis leur nom, leur âge approximatif, leur visage et leur dernière adresse connue. La notification de leur statut de personne disparue avait pris très longtemps parce qu'elle dépendait d'individus exerçant une activité où il est déconseillé de faire des vagues : les propriétaires.

Delia soupira une nouvelle fois, consciente du fait qu'une trop grande familiarité avec une affaire comportait, en elle-même, des risques très particuliers.

À commencer par Margot Tennant, en 1963, toutes les disparitions avaient connu des développements identiques. Tennant avait loué le dernier étage d'une vieille villa de Persimmon Street, à Carew, dans les premiers jours de janvier ; elle signa un bail d'un an et paya en liquide le premier mois de loyer, le dernier mois, et une caution de cent dollars. Si elle avait une voiture, celle-ci devait être garée dans la rue parce que personne ne la connaissait ou n'était au courant de son existence. En tant que locataire, elle ne se fit remarquer que sur un point : elle était extrêmement discrète. Personne n'entendit sa musique, sa télé, ni les bruits de ses déplacements ; dans l'escalier, elle croisait ses voisins en silence et semblait ne jamais recevoir de visite. Les informations fournies par l'agence immobilière étaient peu nombreuses : elle avait dit qu'elle était secrétaire, avait fourni deux lettres de référence et un permis de conduire pour le prouver, et elle présentait si bien, quoique d'une façon caractérisée par la discrétion, que l'agence ne prit pas la peine de vérifier. Dans la plupart des villas divisées en appartements, le propriétaire habitait sur place, mais Carew était un quartier résidentiel d'étudiants : le propriétaire de Tennant possédait quinze villas et son agence immobilière se chargeait de la location des logements. Quand le loyer de juillet arriva à échéance, le premier du mois, Mlle Tennant ne paya pas et laissa les rappels de l'agence sans réponse. Ceci permit de découvrir qu'elle n'avait pas le téléphone… Stupéfiant ! Plusieurs visites de l'employé chargé de l'affaire se révélèrent infructueuses et la situation n'avait pas évolué début août. La locataire était désormais véritablement en retard et personne ne se souvenait de l'avoir vue depuis juin.

La situation revêtit alors une certaine urgence, car les premiers jours de septembre correspondaient au début de l'année universitaire et de très nombreux étudiants à la recherche d'appartements meublés prenaient d'assaut les agences immobilières : Mlle Tennant devait vider les lieux, et vite. À la mi-août, l'agent immobilier se rendit au siège de la police d'Holloman et demanda le renfort d'un policier quand il irait chez Mlle Tennant parce qu'elle n'avait pas payé son loyer et que, selon ses informations, on ne l'avait pas vue depuis juin.

Le service des personnes disparues arriva à la même conclusion que l'agent immobilier, à savoir qu'on trouverait le cadavre de Margot Tennant dans l'appartement ; mais tel ne fut pas le cas. Il s'avéra que la faible odeur nauséabonde émanait du réfrigérateur, où du poisson et de la viande vieux de deux mois pourrissaient lentement. Les effets personnels de Mlle Tennant furent déménagés et stockés en attendant une décision judiciaire permettant de les vendre aux enchères pour payer le loyer et les dégâts, ces derniers concernant le réfrigérateur. Ces effets étaient maigres : une radio ordinaire, un téléviseur en noir et blanc, quelques vêtements et une boîte à cigares de bijoux fantaisie... ni livres, ni revues, ni documents personnels. À cause du réfrigérateur, ces effets ne permirent pas de récupérer ce que devait Mlle Tennant.

Depuis, les mêmes événements s'étaient produits chaque année. Les lieux étaient éparpillés dans tout le comté d'Holloman, mais la location intervenait toujours quelques jours après le nouvel an et juin était toujours le dernier loyer payé par la locataire, dont la disparition n'était signalée que six à huit semaines plus tard. Les rares éléments communs transformaient la recherche de ces disparues en cauchemar parce que les différences ne faisaient que souligner les similitudes.

Le service des personnes disparues avait transmis les Ombres aux inspecteurs et à Carmine Delmonico lors de la disparition de la troisième femme, qui occupait un studio au douzième étage du Nutmeg Insurance Building ; elles étaient désormais six. «Fantôme» était le sobriquet d'une affaire célèbre et ne pouvait donc s'appliquer aux disparues, mais Delia avait suggéré qu'«Ombres» était tout aussi approprié et elles devinrent donc les «Ombres».

Il se passait quelque chose, mais quoi? Le directeur, John Silvestri, trouva l'affaire fascinante et se tint informé lors de ses petits-déjeuners réguliers en compagnie de ses inspecteurs ; étant sa nièce, Delia brûlait d'envie de pouvoir lui apporter un élément nouveau, mais il n'y avait aucun indice.

L'épouse de Silvestri, Gloria, la femme la plus élégante du Connecticut, avait proposé une hypothèse prometteuse. Selon elle, ces femmes subissaient des opérations de chirurgie esthétique et, étant très connues, ne pouvaient se permettre d'être traquées ou mises dans l'embarras si la nouvelle des interventions se répandait. Elles devenaient donc des Ombres pendant six mois.

— Tu sais très bien, John, dit Gloria en caressant sa gorge lisse, dépourvue de rides, que, dans une telle situation, les femmes aimeraient mieux mourir qu'avouer, même si le prix à payer est une enquête sur un meurtre.

— Oui, ma chérie, répondit le directeur, dont les yeux noirs pétillèrent.

— Les flics n'ont pas trouvé de vêtements dignes d'être portés, n'est-ce pas?

— Non, ma chérie.

— Alors c'est clair. Ce sont des vedettes de cinéma ou des femmes du monde.

— Je te remercie de m'avoir soumis ta théorie par écrit, ma chère, mais pourquoi as-tu signé Maude Hathaway?

— Ce nom me plaît. Gloria Silvestri fait penser à un vieux spectacle de cabaret.

L'enquête établit qu'aucun spécialiste de la chirurgie esthétique n'était installé dans la région d'Holloman; de nombreux chirurgiens exerçaient cette spécialité à la faculté de médecine de Chubb, mais étaient affectés au service des grands brûlés. Cependant, la proposition de Maude Hathaway démontra qu'aucune possibilité ne serait négligée.

Delia avait depuis longtemps dépassé les considérations pratiques. Elle était obsédée par la raison pour laquelle une femme plutôt séduisante d'un peu moins ou un peu plus de trente ans s'isolerait volontairement du reste des êtres humains. Bien sûr, elle n'était pas assez stupide pour exclure que la possibilité de l'enlèvement d'un être aimé – femme, homme ou enfant – puisse expliquer cette attitude soumise, mais l'implication de personnes supplémentaires multipliait les risques de perdre le contrôle de la situation. À défaut de prise d'otage… une menace de mort? Mais une femme rongée d'inquiétude n'aurait-elle pas le téléphone? Les Ombres ne l'avaient pas. Étaient-elles assujetties à un ensemble de règles? Cela impliquait une vraie folie, une psychopathie, ainsi qu'une absence totale de morale, d'éthique et de principes. Très facile de les imposer pendant une courte durée, mais six mois sous l'emprise de la torture rigide, quasi mathématique, de règles constituait une très longue période, sauf si le sujet avait préalablement subi un lavage de cerveau, ce qui semblait impossible. Les Ombres avaient-elles purgé de longues peines de prison les ayant pratiquement transformées en zombies? Non, parce que les personnes qui les avaient croisées les avaient trouvées gentilles, aimables, *ordinaires*. La prison laisse des cicatrices.

Selon Delia, il existait un «facteur d'incohérence», mais seule Jess Wainfleet aurait complètement compris ce qu'elle entendait par cette expression. Pour elle, aucun être humain n'était véritablement inviolable, c'est-à-dire ne pouvait être brisé. Tout le monde avait un point de rupture au-delà duquel la torture psychologique terrassait l'esprit. L'être humain volait en éclats, incapable de résister. Dans l'univers de Delia, il devenait un «idiot incohérent» – l'expression était de son père – et renonçait à l'équilibre mental. Six mois de torture psychologique continue déclencheraient le facteur d'incohérence, Delia n'en doutait pas, mais qu'est-ce qui prouvait que les Ombres avaient subi six mois de torture psychologique continue? Réponse: rien. Les femmes, elle en était convaincue, avaient entamé volontairement leur étrange isolement de six mois et, dans ce qu'elles avaient laissé dans les appartements, rien ne permettait de supposer que juillet et début août aient été différents des mois précédents.

Cela permettait à Delia de conclure qu'elles étaient d'intelligence moyenne, que les programmes de leur radio et de leur télévision suffisaient à les distraire et que, si elles lisaient, c'était des journaux, des revues et de la littérature de gare en livre de poche. Si elles jouaient aux dominos, faisaient des réussites ou des mots croisés, il n'y en avait aucune trace et cela signifiait sans doute qu'elles ne se livraient pas à ces activités. Tout ce qu'elles avaient laissé dans leur logement était bon marché, ordinaire et sans intérêt : médicaments sans ordonnance, produits de beauté de supermarché. Après Margot Tennant, on n'avait plus trouvé d'aliments périssables et les six femmes n'avaient laissé ni produits d'entretien ni provision de sacs en plastique. Avait-on fait le ménage ? Si tel était le cas, on s'était désintéressé des empreintes digitales, car on n'en avait relevé qu'un ensemble dans chaque appartement, vraisemblablement celles de l'occupante. Aucune n'était connue des services de police… une impasse.

Beaucoup de gens disparaissaient pendant plusieurs mois, puis refaisaient surface et refusaient de s'expliquer ; le service des personnes disparues regorgeait de dossiers clos de cette façon – par le sujet –, qui étaient ensuite stockés aux archives de la police d'Holloman, dans Caterby Street. Mais, même dans le cas de ce type de disparition, le dossier clos était toujours épais en raison des informations biographiques accumulées au cours de l'enquête, laquelle progressait toujours trop lentement au goût des familles. Les dossiers des Ombres, en revanche, étaient minces, dépourvus d'informations biographiques ; elles n'avaient pas de passé et, selon toute apparence, pas d'avenir. Personne ne s'était proposé pour donner des renseignements sur les

Ombres et la date à laquelle la victime de 1969 ferait son apparition approchait rapidement.

Elles louaient début janvier, payaient le premier et le dernier mois de loyer, disparaissaient fin juin et l'agent immobilier reprenait possession des lieux à la mi-août, deux semaines après l'expiration du mois de caution. C'était pour cette raison que Carmine avait confié l'affaire à Delia. Août. Qui serait-ce en 1969? Tous les agents immobiliers du comté connaissaient l'existence des Ombres et vérifiaient soigneusement les informations fournies lors des locations conclues début janvier. Deux femmes avaient attiré l'attention, à cette époque, mais aucune ne s'était révélée être une candidate possible ; la location concernant la victime suivante devait être passée entre les mailles du filet. C'était généralement ce qui arrivait. Lundi 4 août… encore dix ou quinze jours…

Delia jeta un coup d'œil sur sa montre. Dans une heure, elle pourrait filer. Elle devait remettre les photos dans leurs pitoyables dossiers, mais elle décida soudain de les montrer au nouveau dessinateur de la police, Hank Jones.

Puis elle vit un dossier que Carmine avait sorti des archives de Caterby Street et comprit qu'il l'avait laissé sur son bureau pour qu'elle le lise. Il y avait agrafé un mot : dossier de notre disparue la plus célèbre. Il était très vieux ! 1925. Intriguée, Delia le prit et l'ouvrit, dévoilant le portrait en noir et blanc d'une très belle jeune femme : Eleanor (Nell) Carantonio, médecin. Jeune et prometteuse anesthésiste de l'hôpital d'Holloman, le docteur Carantonio ne s'était pas présentée, un matin, à une anesthésie programmée et on ne l'avait jamais revue.

Un visage hautain, blanc, encadré de cheveux bruns courts à la mode de l'époque, un regard noir qui semblait, même sur la photo, enflammé… Rien à voir avec

38

une Ombre! La lecture de ce dossier vieux de quarante-quatre ans, qui dévoilait des informations sans lien avec celles qui caractérisaient les Ombres, confirma cette conclusion. La profession de Nell était connue, sa vie aussi limpide et incontestable qu'un livre… et elle était riche. Elle n'avait pas laissé de testament et sa parente la plus proche, Fenella (Nell) Carantonio, dut attendre sept ans pour prendre possession de deux millions de dollars et d'une villa énorme sur la presqu'île de Busquash. Eleanor… Nell. Fenella… Nell. Le corps de la jeune femme n'était pas réapparu depuis 1925. Elle avait vingt-sept ans lors de sa disparition. La seconde Nell avait neuf ans de moins qu'elle et était sa seule famille connue.

Rien d'exploitable, se dit Delia, qui prit les photos des Ombres et se leva. Elle se rendit à l'institut médico-légal, qui bénéficiait de l'air conditionné, pour voir le dessinateur que partageaient l'institut et la police. En chemin, Delia ne cessa pas de réfléchir au mystère le plus troublant : pourquoi les Ombres possédaient-elles des portraits professionnels d'elles-mêmes? Et pourquoi ces portraits étaient-ils restés dans leurs appartements respectifs?

Elle était convaincue que ces femmes étaient mortes, mais les corps n'avaient jamais refait surface et elle avait d'excellentes raisons de savoir que les techniques permettant de faire disparaître un cadavre, même les plus bizarres, avaient été explorées avec soin. Un corps se composant de plus de cinquante kilos de chair, de graisse et d'os, le moyen de s'en débarrasser est le cauchemar de tous les meurtriers.

Malheureusement (alors que Delia adorait le spectaculaire), l'affaire se résumait à un cas banal. Un meurtrier rôdant en quête de femmes ordinaires, timides, discrètes et, les ayant trouvées, leur faisant subir ce que lui dictaient ses obsessions puis les tuant et parvenant à faire disparaître les cadavres. Les locations d'appartement étaient une activité pratiquée pendant toute l'année et, dans une ville universitaire, les logements étaient presque tous meublés. Les dates étaient le fruit de son obsession et n'avaient aucun lien avec les victimes. Delia fut obligée d'admettre que, dans les rares affaires apparemment inexplicables, elle était automatiquement attirée par les solutions les plus extravagantes. Dans le courant d'air froid qui l'assaillit quand elle franchit la porte à tambour de l'institut médico-légal, elle songea que l'affaire des Ombres trouverait une issue banale, sordide, affligeante, qui ne satisferait personne. Ses adjectifs étaient en eux-mêmes des jugements. Banal, sordide, affligeant. Quelqu'un tuait et elle s'intéressait à la fascination exercée par sa façon de tuer! Elle savait pourquoi: cela maintenait Delia l'inspecteur en état d'alerte, stimulait son énergie, son enthousiasme. La technique était peut-être scabreuse, mais elle avait fait ses preuves.

Ginny Toscano, à l'approche de la soixantaine, partit à la retraite et les flics se réjouirent en silence; quand elle avait pris ses fonctions de dessinatrice de police, le travail était, selon son expression, «plus civilisé». Ce qu'on lui demandait, depuis plusieurs années, excédait ce qu'elle pouvait supporter, ainsi que son talent, car le monde et son travail étaient devenus pratiquement méconnaissables. Dès qu'un nouveau dessinateur fut engagé, Ginny prit ses vacances en attendant son soixantième anniversaire.

Le vaste atelier et le laboratoire/cuisine attenant avaient été décorés avec goût en rose pâle, marron clair et blanc cassé, mais Delia, à son arrivée, ne trouva pratiquement plus trace de Ginny. J'espère, pensa-t-elle, qu'elle profite à fond de son merveilleux séjour à Florence.

Les murs étaient presque entièrement couverts d'affiches représentant des paysages sans lien avec ceux de la Terre : ciels barrés de courbes évoquant les anneaux de Saturne ou présentant deux soleils ainsi que plusieurs lunes, les premiers plans étant occupés par de hauts cristaux multicolores, des montagnes étranges, des volcans en éruption ou des cascades de liquide aux couleurs de l'arc-en-ciel. L'une d'entre elles représentait un guerrier-robot monté sur un tyrannosaure au grand galop et une autre la Statue de la Liberté partiellement ensablée de *La Planète des singes*. Fabuleux ! pensa Delia, séduite.

Dans cet environnement extraterrestre, un jeune homme maigre travaillait sur la première feuille d'une pile, un crayon à la main ; ses modèles étaient agrafés à la partie supérieure de sa table d'architecte : des photos de Jeb Doe entre deux portraits de James Doe.

— Mince, s'écria Delia. Le lieutenant Goldberg est passé avant moi.

Il leva la tête et sourit.

— Salut, Delia.

— Tu pourrais t'occuper aussi de moi, Hank ?

— Pour toi, chérie, je suis toujours prêt à tout laisser tomber.

Il posa son crayon et, sans quitter son haut tabouret pivotant, se tourna vers elle.

— Prends un siège, ajouta-t-il.

Delia estimait que son visage était le plus sympathique qu'elle eût jamais vu – espiègle, joyeux, plein de vie – et que ses yeux étaient inoubliables : jaune-vert, grands, bien espacés et grands ouverts, entourés de longs cils d'un noir profond. Ses cheveux bouclés comme ceux d'un Noir étaient roux et la couleur de sa peau rappelait celle des Chinois du Sud. Sa tête était grosse mais son visage, aux traits très fins, allait en s'amincissant de son front haut à son menton pointu ;

ses deux joues étaient creusées d'une fossette, caracté-ristique qui faisait fondre Delia. *Il* faisait fondre Delia… platoniquement, bien entendu.

S'il était impossible de deviner quels types de sang coulaient dans ses veines, c'était également vrai de sa voix, étonnamment grave et totalement dépourvue d'accent susceptible de dévoiler ses origines ; il ne rou-lait pas les *r* comme les Américains, ne mangeait pas la fin des mots comme un diplômé d'Oxford, ne traînait pas sur les *a* comme un Australien, n'inversait pas *o* et *ou* comme un habitant du Lancaster, ne prolongeait pas les syllabes comme un paysan du Sud… elle aurait pu continuer ainsi indéfiniment sans trouver de réponse. Sa façon de parler présentait des traces de tous les accents et n'en manifestait aucun. Hank Jones était un mystère.

Delia posa ses six clichés sur la table qui se trouvait près d'elle. Hank fit rouler son tabouret jusqu'à elle et les examina.

— Je n'ai pas besoin d'un dessin, dit Delia, mais plutôt de l'opinion d'un spécialiste. Il est difficile de discerner la forme du crâne des trois premières, en raison des coiffures ridicules à la mode à cette époque, mais il me semble qu'il est probablement très rond. En fait, je suis arrivée à la conclusion que, si l'on s'en tient à la structure osseuse, je suis face au même crâne dans les six cas, même si les nez, les sourcils et les joues sont différents. En réalité, je voudrais que tu réfutes une de mes idées les plus baroques… à savoir que ces six femmes sont en fait une seule et même femme, une personne extrêmement compétente en matière de pro-thèses et de maquillage de scène. Si ses yeux sont clairs, elle peut obtenir n'importe quelle couleur grâce à des lentilles de contact et se procurer une perruque ou se faire teindre les cheveux est un jeu d'enfant. Alors, s'il te plaît, dis-moi que je fais fausse route ! Descends-moi en flammes !

Il quitta les six photos des yeux et la considéra, songeur et aussi avec une considérable affection. Il ne savait pas pourquoi elle lui avait plu immédiatement, quand il l'avait croisée sur le parking, mais sans doute son esprit excentrique avait-il reconnu une âme sœur. Elle portait ce jour-là une robe en organdi à motifs psychédéliques, d'un écarlate éclatant agrémenté de mauve et de jaune ; la minijupe dévoilait jusqu'à mi-cuisse ses jambes formidables, en pied de piano, gainées d'un collant bleu clair si finement tissé qu'il semblait opalescent. Mais, du point de vue d'Hank, le clou de cet accoutrement était les chaussures noires à lacets qui, expliquait-elle, étaient à la fois confortables et pratiques lorsqu'il fallait poursuivre un suspect. Un jour, se promit-il, il serait assez bon peintre pour capturer la personnalité et les lignes de force de son visage : tignasse couleur de cuivre, cils raidis par le mascara et nez charnu ; mais comment pourrait-il rendre la bouche, couverte d'une couche de rouge qui, débordant dans les rides entourant les lèvres, semblait de ce fait cousue avec du fil ensanglanté ? Elle flirtait avec le grotesque mais la force de sa personnalité lui permettait de l'esquiver. Oui, c'était sans aucun doute une excentrique telle qu'il les appréciait… mais où se situait la frontière entre la réalité et le rêve ? Hank soupçonnait qu'il n'était pas près de le découvrir. Cependant, le chemin à parcourir pour y parvenir serait amusant.

Ce jour-là, elle semblait déprimée. Il ne l'avait jamais vue vêtue d'une façon aussi terne. Perdait-elle le goût à la vie en l'absence du capitaine ?

Au bout d'un quart d'heure, Hank rassembla les photos et les rendit à Delia.

— Des crânes très similaires mais tous différents, déclara-t-il. Je comprends pourquoi tu as conclu qu'il s'agissait du même crâne et je vais donc commencer par les points communs. Elles sont originaires du nord-ouest de l'Europe : même écartement des yeux et orbites presque identiques. J'ai dû utiliser ma vision aux rayons X pour déterminer le vrai bord de l'orbite, mais j'y suis arrivé, ma jolie, j'y suis arrivé ! Les yeux étant les fenêtres de l'âme… tu fondais ton hypothèse d'un seul crâne sur les orbites et les arcades zygomatiques. Mais – *mais* – l'os nasal et la structure du cartilage sont différents d'un crâne à l'autre, ainsi que la largeur de la bouche, la position du conduit auditif externe et le maxillaire portant les dents supérieures. Plus on descend sur l'axe vertical du visage, plus les différences sont marquées. Les tendons et les ligaments se fixent sur les points du crâne qui leur sont réservés d'une façon extrêmement individualisée. Au bout du compte, les différences entre les visages remontent toutes jusqu'à l'os. Je déteste l'idée de piloter le Spitfire qui t'a descendue en flammes, ma jolie, mais tu es une carcasse fumante dans la plaine des Flandres.

Il approcha son visage du sien et murmura :

— Je t'ai peut-être abattue sur la question du crâne, mais je suis prêt à jurer sur ma collection de bandes dessinées que tous ces clichés ont été pris par le même type… Il utilise toujours l'appareil exactement de la même façon.

— Vraiment ?

— Même ma collection de *Captain Marvel*. Je suis certain que c'est le même type et que ce n'est pas un professionnel. Bon appareil, pas d'autre éclairage que celui de la nature.

— Personne n'a remarqué ça, dit Delia, très reconnaissante. On était convaincus que les femmes avaient été photographiées par un nul, mais les photographes sont très nombreux et on croyait qu'ils étaient tous différents.

— Pas sur les points les plus importants, affirma Hank.

— Oh, c'est merveilleux ! C'est vraiment très, très utile.

— Comment? demanda Hank, qui voulait apprendre le plus vite possible.

— Je ne vais pas t'ennuyer en t'exposant toutes nos théories… on avait parfois l'impression d'être des chiens courant après leur queue. Seules des conjectures qu'un avocat mettrait une minute à réfuter lient ces six disparitions. Il y a des éléments communs : toutes se sont produites à la même période, toutes les victimes ont été vues pendant six mois puis ont disparu en abandonnant des objets personnels sans valeur et en devant un mois de loyer à leur propriétaire. C'est tout !

Delia gémit, se tira les cheveux et reprit :

— Mais, Hank, tout ça suggère la possibilité d'un lien entre les Ombres, de l'existence de crimes et l'éventualité d'un seul coupable. En réalité, ce sont six crimes distincts qu'aucun élément tangible ne permet de lier. Les femmes n'ont laissé derrière elles qu'un objet remarquable : un portrait réalisé par un professionnel. Hank, tu nous as fourni une nouvelle piste en établissant que les photos des Ombres ont été prises par la même personne. Elle ne donnera peut-être rien, mais ce n'est pas le plus important. Ce qui compte, c'est qu'elle relie définitivement les six affaires entre elles et démontre que les similitudes ne sont ni un accident ni une coïncidence.

Elle brandit triomphalement les photos et conclut :

— Mon garçon, tu es un vrai chef ! Un photographe amateur utilisant toujours l'appareil de la même façon, en plus ! Merci, merci, merci.

Et elle s'en alla.

Hank la suivit du regard, vaguement en état de choc, comme tous ceux qui croisaient le chemin de Delia. Il sourit, haussa les épaules, puis fit rouler son tabouret jusqu'à sa table de travail et sa pile de feuilles. Travaillant sur le crâne de Jeb Doe parce que c'était le cadavre le plus récent, Hank prit le crayon 6B, dont la mine était usée conformément à ses besoins, et eut un rire étouffé.

De A à Z en une seconde, songea-t-il : ôter la chair des crânes de Delia pour atteindre l'os et, maintenant, placer de la chair sur le crâne de Jeb. Quelle chouette façon de gagner sa vie ! Rien à voir avec blanchir des dents pour le compte d'une agence de publicité et il n'en était pas passé loin, hein ? Qui prétend qu'on perd son temps quand on apprend l'anatomie sur des cadavres alors qu'on peut bénéficier de modèles vivants ? S'il ne s'était pas introduit discrètement dans les salles de dissection de la faculté de médecine, il ne serait pas là !

Mardi 5 août 1969

Le noir était trop profond pour qu'on puisse se faire une idée de la taille de la pièce mais Abe Goldberg, dont les perceptions, sur ce point, étaient aiguisées, perçut qu'elle était immense. Il était assis sur un siège appartenant à une rangée semblable à celles qu'on trouve dans les théâtres, où il avait été installé par le jeune homme gracile qui l'avait accueilli à la porte ; celui-ci l'avait précédé dans une villa incroyable, avait ouvert une porte donnant sur cette nuit puis soufflé :

— Attendez !

Une voix s'éleva, lasse et résignée :

— Allume.

Une partie du noir se mua en une flaque violette éclairant un trône doré occupé par un mannequin asexué et nu, dévoilant un canapé à sa périphérie.

Silence. Un soupir forcé retentit, puis la voix lasse s'éleva à nouveau :

— Ça va peut-être te surprendre, Peter, mais tu ne serais pas capable d'éclairer ma lanterne.

D'autres cordes vocales émirent une protestation stridente couverte par Sa Lassitude, qui poursuivit comme si elle n'avait pas entendu :

— Je sais que c'est une comédie musicale, Peter, mais cette chanson clôt le premier acte. C'est le tube du spectacle... en tout cas, les auteurs l'affirment. (La voix se fit plus forte.) Le roi, Cophetua, est fou amoureux, Peter chéri, fou amoureux. *Fou amoureux!* Servilia, l'esclave, vient de lui dire d'aller se faire foutre, de s'éloigner en appelant son jeune berger sans imaginer un instant, dans sa petite tête vide, que c'est en réalité un loup assyrien qui se sert d'elle pour attaquer le troupeau de Cophetua. Tu me suis? Tu saisis l'ambiance? Cophetua a le blues, le blues, *le blues* ! Ça ne signifie pas qu'il faille l'éclairer en bleu mais pourquoi, par Ishtar, te crois-tu obligé de l'éclairer en violet? Ce que tu as créé ressemble au boudoir de Belzébuth baignant dans du vomi de jus de raisin! L'ambiance, Peter chéri, l'ambiance! Ce n'est pas de l'éclairage, c'est du sabotage! Et je suis vert de rage!

Les protestations s'étaient muées en sanglots, la voix dominante paraissant se nourrir d'eux et perdant toute lassitude. Soudain, elle cria :

— Lumière!

Et l'espace dans lequel Abe était naufragé apparut soudain dans une clarté aveuglante.

Abe fixa ce qui était selon lui une scène, nue et en désordre, d'une bonne douzaine de mètres de haut; la moitié supérieure présentait un enchevêtrement de barres, rails, perches, rangées de projecteurs sur de minces poutres en acier, passerelles et murs couverts de placards, machines et poutrelles. Il s'aperçut, fasciné, que les coulisses communiquaient, ne formant qu'un seul espace avec l'arrière du plateau. Son œil accoutumé aux machines identifia des béliers hydrauliques… onéreux! Pas une salle d'amateurs, mais un vrai théâtre construit sans regarder à la dépense et mieux équipé, de ce fait, que quelques-unes des plus grandes salles de Broadway. Mais ce n'était pas un théâtre : l'espace destiné au public ne comportait qu'une cinquantaine de places.

Le propriétaire de la voix se dirigeait vers lui, en compagnie de l'homme gracile, sans doute pour lui donner des explications. Abe fut très impressionné.

Il faisait facilement un mètre quatre-vingt-quinze et portait un kimono japonais noir et blanc à motifs d'oiseaux aquatiques et d'étangs parsemés de nénuphars, ainsi que des mules ; les bords du kimono, s'écartant sous l'effet de sa démarche énergique, dévoilaient un pantalon noir moulant. Son aspect, massif, ne pouvait être qualifié de splendide, pourtant il n'était en rien obèse. Ce que ma nounou aurait appelé «robuste», songea Abe : un joueur de basket, pas de football américain. Pieds aussi grands que des barques. Cheveux blonds très frisés, courts, et Abe se sentit un peu jaloux : Betty avait fini par le convaincre de laisser pousser ses cheveux, blonds et de plus en plus clairsemés, sur ses oreilles et sa nuque et il haïssait cette coiffure moderne. Et voilà que ce type à la renommée internationale portait les cheveux très courts ! Il n'était pas marié, aucun doute là-dessus. Les traits de son visage étaient réguliers et leur expression exprimait la gentillesse… mais il faut se méfier des expressions. Abe s'abstint de juger. Les yeux étaient beaux et grands, d'un bleu ciel évoquant l'innocence.

Comment, se demanda Abe, concilier cette aura de gentillesse et sa langue de vipère ? Mais, bien sûr, les règles du comportement dans le monde du théâtre sont sans doute très différentes de celles qui régissent les autres milieux. Le tempérament des artistes !

Monsieur Gracile se dirigeait vers Peter, le saboteur d'éclairage, en larmes, le rassurant et le consolant.

Debout, Abe tendit la main droite.

— Lieutenant Abe Goldberg, police d'Holloman, dit-il.

Une main énorme serra chaleureusement la sienne, puis la Voix fit pivoter une rangée de sièges pour s'asseoir face à lui. Quelque chose brilla ; ébloui, Abe battit des paupières. Le géant portait un diamant de la plus belle eau au lobe de l'oreille droite, mais aucun autre bijou, pas même la chevalière de son université.

— Rha Tanais, dit-il.

— Pardonnez la curiosité de l'inspecteur, monsieur, mais vous appelez-vous Rha Tanais depuis votre naissance?

— Quelle façon originale de poser la question! Non, lieutenant, c'est mon pseudonyme professionnel. Mon nom de baptême est Herbert Ramsbottom.

— Votre nom de baptême?

— Rite orthodoxe russe. Avant Ellis Island, Ramsbottom était peut-être Raskolnikov, qui sait? Mais Herbert *Ramsbottom*? Au lycée, j'ai eu de nombreux surnoms, mais celui que tout le monde préférait était Herbie Sheep's Ass[1]. Heureusement, je ne comptais pas au nombre de ces malheureux isolés et méprisés qu'on tourmente parfois jusqu'à la mort.

Ses yeux bleus brillèrent d'un éclat espiègle et il poursuivit:

— J'étais grand, j'avais le sens de la repartie, de l'humour… et Rufus. Les pires brutes elles-mêmes étaient assez intelligentes pour comprendre que j'étais capable de retourner les rieurs contre elles. Je me suis creusé la tête à la recherche d'un nouveau nom, mais en vain; puis, un jour, à la bibliothèque, je suis tombé par hasard sur un atlas du monde antique. Problème résolu.

— Comment? demanda Abe, heureux d'être pour une fois (ce qui est rare dans l'exercice de la profession d'inspecteur) en présence d'un véritable conteur très érudit.

— Selon la tradition familiale, nous sommes originaires du pays des cosaques, autour de la Volga et du Don. En me penchant sur le territoire des barbares de l'Antiquité, je me suis aperçu que la Volga s'appelait la Rha et le Don, le Tanais. Rha Tanais… parfait. Et c'est ainsi que j'ai trouvé mon nouveau nom, conclut Rha Tanais.

---

1. *Ramsbottom*: derrière de bélier. *Sheep's Ass*: cul de mouton.

— Il faudrait être professeur de lettres classiques pour deviner, monsieur.

— Oui, c'est un mystère pour tout le monde, admit Rha Tanais.

Abe jeta un bref coup d'œil sur Monsieur Gracile, qui finissait de rassurer Peter le saboteur d'éclairage et semblait sur le point de les rejoindre. L'intensité de l'éclairage démentit l'impression de jeunesse qu'Abe avait eue lors de leur rencontre : même très bien conservé, Monsieur Gracile avait la quarantaine. Il faisait un mètre quatre-vingts et ne semblait petit que près de Rha Tanais, mais seul «gracile» pouvait décrire son corps et ses mouvements. Cheveux cuivrés, yeux vert foncé, maquillage discret mais efficace des yeux. Belles mains qui bougeaient comme celles d'un danseur classique. Ce qu'il avait probablement été.

— Viens faire la connaissance du lieutenant Abe Goldberg ! cria Tanais, qui baissa la voix à l'arrivée de Monsieur Gracile. Lieutenant, voici ma moitié irremplaçable, Rufus Ingham.

Soudain, il entonna une mélodie de baryton-basse, que Rufus ponctua d'un pur déchant.

— Nous sommes ensemble depuis quarante ans et nous n'en regrettons pas un jour !

Désorienté, Abe rit. Que pouvait-il faire d'autre ?

— Rufus, lui non plus, n'est pas venu au monde avec un nom aussi mélodieux, dit Tanais, mais son vrai nom est un secret.

Rufus intervint, fermement quoique sans colère... qui était le patron ?

— Allons, Rha, ce n'est pas Walter Winchell, ce crétin d'éditorialiste d'extrême droite, c'est un lieutenant de police. Vraiment ! Je m'appelais Antonio Carantonio.

— Pourquoi avoir essayé de cacher ça, monsieur Tanais ?

— Rha, je m'appelle Rha ! Vous n'êtes pas au courant ?

— Au courant de quoi?

— C'est la *maison*! Carantonio est le *nom*! Abe – je peux vous appeler Abe? –, l'histoire fait désormais partie de la mythologie de Busquash : les guides la racontent même dans les autocars de touristes. Je suis sûr que la police d'Holloman a de nombreux dossiers sur cette affaire. En 1925, alors que Rufus et moi n'étions même pas un projet, la propriétaire de ce manoir et de deux millions de dollars a disparu sans laisser de trace, dit Rha Tanais d'une voix inquiétante. Sept ans plus tard, sa mort a été officialisée et la mère de Rufus a hérité. La propriétaire s'appelait Nell Carantonio, elle était médecin, et la mère de Rufus se nommait aussi Nell Carantonio.

— Je m'appelle Carantonio parce que je suis illégitime, intervint Rufus. J'ignore qui est mon père… sur mon acte de naissance, ma mère a indiqué : prénom : In, nom : Connu.

Rha continua le récit :

— Fenella – la mère de Rufus – est morte en 1950 mais, contrairement à la première Nell, elle avait laissé un testament. Antonio Carantonio IV – Rufus – a hérité de tout.

Il poussa un profond soupir, leva les mains et poursuivit :

— Vous rendez-vous compte, Abe? Deux jeunes hommes bien élevés à la tête d'une maison énorme et de tonnes d'argent! Fenella avait multiplié par cinq la fortune de Nell *et* bien entretenu la maison. Nos têtes avaient toujours été pleines de rêves et nos débuts de carrière étaient prometteurs mais, soudain, nous avions le capital et le local nous permettant d'entreprendre tout ce qui nous faisait envie.

— Et de quoi aviez-vous envie? demanda Abe.

— De couture. Dans un premier temps, des vêtements élégants destinés aux femmes considérées comme laides. Puis des robes de mariée. Ensuite, il y a eu les costumes de scène et, enfin, la production de spectacles. Merveilleux ! s'écria Rha.

— Merveilleux, répéta Rufus dans un souffle.

— Allons boire un expresso, décida Rha.

Peu après, Abe buvait un café exceptionnel dans une petite pièce attenante à une cuisine digne de celle d'un restaurant ; les chaises étaient capitonnées de fausse peau de léopard et ornées de sculptures dorées, les rideaux étaient en brocart à rayures noir et or, le sol en marbre beige moucheté de noir. Il ne manque plus que Mae West, pensa Abe.

— Ce qu'il y avait de bien chez Fenella – la seconde Nell –, c'est qu'elle acceptait les gays, dit Rufus. C'était une bonne mère.

— Cesse de bavarder, Rufus. Laisse ce monsieur exposer la raison de sa visite.

Abe le fit, succinctement, se demandant si la rumeur concernant les cadavres des Doe s'était répandue jusqu'aux strates homosexuelles supérieures telles que celle-ci ; son équipe et lui n'avaient jamais pris contact avec Rha et Rufus, mais on colporte des potins dans tous les milieux.

— Je disposerai bientôt d'au moins deux portraits récents des Doe et je suis venu vous demander si vous accepteriez de les voir, conclut Abe. Une constatation s'est imposée : les Doe étaient, selon l'expression de ma nièce, beaux à tomber par terre. D'après les spécialistes, ils n'étaient pas… euh… gays, mais ils avaient tous une vingtaine d'années et cherchaient sans doute à faire carrière dans le théâtre, le cinéma ou, peut-être, la mode. Mme Gloria Silvestri m'a conseillé de vous rencontrer.

Rha eut un large sourire.

— Elle est extraordinaire ! Elle fait tous ses vêtements elle-même et je l'accompagne dans les boutiques de tissus. Un goût exceptionnellement sûr !

— Laisse ce monsieur s'expliquer, Rha, intervint Rufus, qui poursuivit : Je sais à quoi elle pensait. Des tas de jeunes passent chez nous pour apprendre le métier. À cent kilomètres de New York, Holloman est le tremplin idéal avant le plongeon dans le cauchemar de la grande ville. On reçoit des garçons et des filles. Ils restent entre une semaine et un an avec nous et je suis heureux que vous ayez pensé à nous. Nous pourrons peut-être vous aider mais, dans le cas contraire, nous pouvons ouvrir les yeux et les oreilles.

Abe posa sa tasse vide sur la table et se leva.

— Puis-je venir vous montrer les portraits quand le dessinateur de la police les aura terminés ?

— Bien sûr, dit Rha avec enthousiasme.

Sur le chemin de la porte, une idée traversa l'esprit d'Abe.

— Euh… Peter le saboteur d'éclairage va-t-il bien ?

— Évidemment, dit Rufus, visiblement étonné qu'on puisse se souvenir du saboteur d'éclairage. Il sirote un scotch sec.

— Avez-vous ajouté le théâtre au manoir ?

— On n'a pas eu besoin de le faire, répondit Rufus en ouvrant la porte. Il y avait, sur l'arrière, une salle de bal presque aussi grande que celle du Waldorf… vous vous rendez compte, une salle de bal ! Les débutantes faisant la fête à Busquash !

— À mon avis, c'était le cas à la fin du XIXe et au début du XXe siècle, dit Abe avec un sourire, mais je comprends pourquoi vous préférez une scène de théâtre. Merci pour votre temps et pour le café.

Par la fenêtre, les deux associés regardèrent la silhouette fluette d'Abe gagner une voiture banalisée en bon état.

— Il est très intelligent, constata Rufus.

— Assez pour distinguer les paillettes des sequins. Je propose, Rufus, mon amour, de nous montrer extraordinairement coopératifs et astronomiquement utiles.

— Ce qui m'inquiète, c'est que nous ne pourrons rien pour lui! dit sèchement Rufus. Et les gays n'ont pas bonne presse.

— Ça ne date pas d'hier. Peu importe, il faudra essayer.

Rha poussa un de ces puissants soupirs qui le caractérisaient et sa voix redevint lasse :

— Pour le moment, Rufus, on doit s'occuper d'une flaque de vomi de jus de raisin.

Il se tut, ébahi, puis rugit :

— Or! Or, or, or! Quand le roi le plus riche du monde a le blues parce que son amour n'est pas partagé, il se transforme en oncle Picsou et se roule dans ses pièces d'or.

— Des coffres ouverts, pleins de bijoux partout.

— Une cascade de guirlandes dorées!

— Il faudra qu'il se roule sur un pouf monstrueux de pièces d'or et il ne sera pas facile de rendre ça convaincant…

— Non, pas un pouf, idiot! Le bassin de poussière d'or au pied de la cascade de guirlandes dorées! Il nage dans son chagrin!

Rufus rit.

— Il devra porter un justaucorps, sinon la guirlande dorée risque de pénétrer dans tous les orifices.

Rha éclata de rire.

— Ça changera Roger Dartmont! Il vaut mieux nager dans l'or que dans la fange.

Souriant de l'avis qu'ils partageaient sur la star vieillissante de Broadway, l'immortel Roger Dartmont, Rha Tanais et Rufus Ingham se remirent au travail animés d'un enthousiasme tout neuf.

— Ça avance, Hank?

Le crayon ne s'arrêta pas.

— Une proposition, lieutenant ?

— J'écoute !

Hank posa le crayon et, de la main gauche, montra deux dessins de crâne posés côte à côte sur sa table de travail.

— Les dessins au crayon en noir et blanc ne conviendront pas, lieutenant. Les visages de James et Jeb ne seront pas identiques, mais la similitude de la technique atténuera les différences et accentuera beaucoup les similarités. Ils relèvent du même type, ce que j'appelle le visage à la Tony Curtis. Il faut faire ressortir l'individualité de chacun des deux ! Vous me suivez, lieutenant ? Le type Tony Curtis ?

— Abe fera l'affaire, Hank. Vous êtes aussi professionnel dans votre domaine que moi dans le mien et les titres ne sont pas nécessaires.

En fait, il ne pouvait pas reconnaître explicitement qu'il commençait à comprendre qu'ils avaient eu une chance incroyable de pouvoir embaucher Hank Jones, dont la compétence dépassait largement le salaire et le statut du poste qu'il occupait. Ce n'était pas seulement un dessinateur exceptionnellement talentueux, c'était aussi un jeune homme qui réfléchissait. En septembre, il discuterait avec Carmine et Gus, puis ils demanderaient à Silvestri d'augmenter Hank et de donner un intitulé plus prestigieux à son poste.

— Qu'est-ce que vous suggérez ? demanda-t-il.

— De les peindre, répondit Hank avec enthousiasme. Pas à l'huile… l'acrylique suffira, elle sèche immédiatement. Les Doe auraient la couleur naturelle de leurs cheveux, la coupe à la mode l'année en question et les bonnes teintes de peau. Leurs yeux seraient bleus, comme ceux de Jeb.

Hank prit une profonde inspiration puis ajouta :

— Je sais que la rapidité est essentielle dans mon travail, mais, franchement, je vais vite, même quand je peins. Avec des portraits en couleurs de Jeb et James, au moins, la mémoire des témoins serait plus efficacement stimulée, j'en suis sûr. Mais j'aurai besoin de quelques jours de plus.

Abe tapota l'épaule du dessinateur, geste exprimant son approbation et son respect.

— En plein dans le mille, Hank. Excellente idée.

Il sourit, de petites rides se formant aux coins de ses yeux gris, puis reprit :

— Quand on a un pur-sang, on ne l'attelle pas à un chariot. Utilisez votre talent, c'est sa raison d'être. Prenez tout le temps qu'il vous faut.

— Vous aurez Jeb vendredi, déclara Hank, ravi.

Sur le front du cachot, la situation était moins brillante. Liam et Tony répertoriaient les endroits possibles mais, après la visite d'Abe à Busquash Manor, ils rayèrent ce dernier de leur liste ; ces toits immenses ne cachaient pas des cellules souterraines, mais une scène de théâtre avec trappes et fosse d'orchestre. Tout l'espace était utilisé, l'acoustique superbe… non, Busquash Manor n'était pas une possibilité. Après l'enlèvement de Kurt von Fahlendorf, ils avaient fouillé le comté d'Holloman de fond en comble en quête d'une cave insonorisée et cette nouvelle recherche était donc plus facile. Toutes ces structures étaient répertoriées, avaient fait l'objet d'une visite et pouvaient être à nouveau visitées. La cave où l'on avait enfermé Fahlendorf avait été comblée depuis. Les entrepreneurs de la région n'avaient pas construit de pièces insonorisées et les caves récemment creusées n'étaient que des sous-sols ordinaires. Les vestiges de la guerre, tels que les postes d'artillerie, n'avaient pas changé et les théâtres, dans une ville d'avant-garde comme Holloman, qui comptait trois compagnies et une école supérieure d'art dramatique, étaient, comme Busquash Manor, continuellement utilisés.

— Ça craint, dit Tony à Abe.

— Il est forcément quelque part, répondit Abe, entêté.

— L'aiguille dans la botte de foin, soupira Liam, aussi découragé que Tony.

— Peins, Hank Jones, marmonna Abe.

Samedi 9 août 1969

Ivy Ramsbottom avait invité Delia à une réception à Busquash Manor, «de la fin de l'après-midi à la fin de la soirée», et Delia ne savait que penser. L'invitation était arrivée le jeudi, ce qui ne laissait pas beaucoup de temps pour choisir une tenue, sachant que les hôtes étaient Rha Tanais et Rufus Ingham. Bizarrement, ce fut Jess Wainfleet qui expliqua tout, la veille, pendant un déjeuner au Lobster Pot.

— Non, Delia, tu ne dois pas refuser, dit Jess.

— Je crois qu'il le faut. Je ne connais le frère d'Ivy et son ami ni d'Ève ni d'Adam… Si j'y allais, on croirait qu'une basse curiosité m'a poussée à m'y rendre.

— Pas du tout, fais-moi confiance. Tu as été prévenue au dernier moment, c'est vrai, mais, d'après Ivy, la comédie musicale que Rha met en scène est un navet. Lui et Rufus adorent les réceptions, en organisent une sous le premier prétexte venu et ils aiment réunir des invités appartenant à tous les milieux, dit Jess avant de boire une gorgée d'eau minérale gazeuse. J'ai fait leur connaissance à l'occasion d'une de leurs fêtes et Rufus, en hommage à ma profession, je suppose, m'a dit que toutes les réceptions ont besoin d'un peu d'antagonisme pour que l'ambiance soit bonne. La recette nécessite un inconnu et plusieurs invités capables d'agacer un peu les gens.

Quand on les ajoute au mélange, selon Rufus, on est sûr d'obtenir une fête mémorable.

Jess grimaça et reprit :

— Mes proches collaborateurs constituent presque inévitablement le groupe capable d'agacer un peu les autres invités... ce sont des gens sérieux qui ne viennent que pour me faire plaisir.

— Extraordinaire ! dit Delia, intriguée, les yeux rivés sur son amie. Si tu sais tout cela, pourquoi accordes-tu cette faveur à tes hôtes ?

— Parce que ce sont les deux gars les plus gentils du monde, que je les aime beaucoup et que j'aime Ivy plus encore.

L'expression de ses grands yeux noirs était plus tendre que de coutume ; Jess tenait visiblement à ce que ses motivations soient comprises.

— Je connais très bien, poursuivit-elle, les aspects les moins enviables de ma personnalité, le pire étant un degré anormal de détachement émotionnel... fréquent chez les personnes atteintes, comme moi, de troubles obsessionnels compulsifs. Mon affection pour Ivy, Rha et Rufus compte à mes yeux et j'aime mieux les voir heureux que me faire plaisir. Je pousse donc mes proches collaborateurs à assister aux festivités de Busquash Manor, même si cela leur déplaît.

— J'ai plutôt l'impression que tu n'apprécies pas tes proches collaborateurs, dit Delia, fine mouche.

Jess rit et ses yeux s'emplirent de gaieté.

— Bravo, Delia ! Tu as tout à fait raison. En plus, les fêtes de Rha et Rufus sont très joyeuses et, une fois sur place, la bande de l'IH ne boude pas son plaisir. Ce qu'ils haïssent, c'est être dérangés dans leurs petites habitudes.

— Ils souffrent donc eux aussi de troubles obsessionnels compulsifs ?

— Évidemment ! Mais il faut que tu viennes, Delia.

— Comment dois-je m'habiller?

— Comme tu veux. Ivy et moi, on sera plus ou moins en robe de soirée… Busquash Manor bénéficie de l'air conditionné. Rha et Rufus seront en pantalon et pull noirs, mais Nicolas Greco aura l'air d'une publicité pour Savile Row et Bob Tierney portera un nœud papillon. Ma bande préférera des tenues décontractées et le blanc… contestation muette de l'obligation d'être présent.

Après ce déjeuner, la curiosité de Delia fut si fortement stimulée qu'elle téléphona et dit à la secrétaire qui prit son appel qu'elle acceptait l'invitation ; ensuite, elle fit une razzia dans ses placards à la recherche d'une tenue adaptée à ce qui promettait d'être une débauche de toilettes. Elle avait *besoin* de se distraire.

Les Ombres n'avaient récompensé en rien le travail assidu qu'elle leur avait consacré. Le photographe était resté un mystère : signe des temps, l'époque où ces professionnels avaient une boutique et un atelier était révolue, sauf pour quelques personnalités reconnues. Aujourd'hui, la prospérité était si largement répandue que tous les aspirants artistes pouvaient acheter un appareil reflex et placer une annonce dans les Pages jaunes. La différence de prix, sur les photos de mariage, entre ces photographes entreprenants et les professionnels établis excluait lentement ces derniers du marché. Delia avait consacré l'essentiel de son temps à téléphoner aux aspirants photographes des Pages jaunes. Quelques-uns étaient venus voir les clichés au siège du comté, mais aucun n'avait admis les avoir réalisés.

Arrivant au volant de sa Mustang rouge, Delia constata qu'elle pouvait se garer dans le parc de l'imposant manoir, sur une étendue goudronnée aux places délimitées par des lignes blanches et séparée par une haute haie d'un jardin paysager n'exigeant ni soins de spécialiste ni gros travail d'entretien : pelouses, arbustes, quelques arbres. Autrefois, Busquash Manor se dressait sur cinq hectares, au sommet de la presqu'île, entre Busquash Inlet et Millstone Beach mais, entre la fin du XIXe siècle et le début du XXe, la propriété avait été divisée et quatre hectares vendus par parcelles de cinq mille mètres carrés. Le manoir lui-même était énorme, mais les chiens-assis du deuxième étage laissaient supposer que c'était le domaine des domestiques, la famille disposant donc de deux niveaux. Le deuxième étage mis à part, Delia estima que le bâtiment comportait à l'origine au moins quinze chambres.

Elle connaissait mieux l'arrière de Busquash Manor, qui donnait sur Millstone, où se trouvait son appartement. Un spectacle beaucoup moins élégant parce qu'il comportait une étendue immense et laide de toits en pente évoquant un cinéma multisalles dans un centre commercial. Ivy lui avait expliqué que l'énormité des toits était due à la présence d'un théâtre à l'intérieur, essentiellement une scène gigantesque. Le manoir était en pierre de taille et comportait de nombreuses fenêtres hautes et larges ; sa vraie place, songea-t-elle, est à Newport, dans le Rhode Island.

L'intérieur témoignait de l'œil et du goût uniques de ses propriétaires, mais ce qu'un œil et un goût moins sûrs auraient tiré vers la vulgarité était ici élevé au rang de splendeur à couper le souffle. Elle l'ignorait, mais tous les meubles et tentures avaient autrefois orné une scène de Broadway à une époque où les décors étaient réalisés par de vrais artisans utilisant les meilleurs tissus. Les couleurs étaient profondes, somptueuses et toujours étrangement assorties ; il y avait des fauteuils en forme de sphinx, de lion ou de taureau ailé assyrien ; des murs se révélaient être des miroirs immenses se réfléchissant presque à l'infini ;

62

une pièce était complètement tapissée de cuivre martelé rosâtre. Bouche bée, Delia parcourut des sols en marbre ou mosaïque, admira des tapis persans inestimables et se demanda si, ayant franchi le miroir, elle se trouvait dans un autre univers. Les caprices des gens fortunés et les villas somptueuses ne lui étaient pas étrangers, mais elle eut l'impression que Busquash Manor était le comble de l'extravagance.

Son nez se trouvait à peu près à la hauteur du nombril de Rha Tanais ; elle dut pencher la tête très loin en arrière pour voir son visage, que des émotions positives et chaleureuses semblaient éclairer de l'intérieur. Il lui donna un verre en cristal plein de vin blanc ; une gorgée suffit : il était merveilleux.

— Chérie, vous êtes magnifique ! s'écria-t-il. Pourquoi Ivy vous cachait-elle ? Venez faire la connaissance de Rufus.

Lequel la fixait déjà, son beau visage exprimant la stupéfaction. Volants d'organdi magenta, jaune acide, orange et rose. Abasourdi, il se leva précipitamment.

— Delia chérie, voici ma moitié, Rufus Ingham. Rufus, je te présente Delia Castairs, l'amie d'Ivy. N'est-elle pas magnifique ?

— Ne changez jamais ! souffla Rufus en embrassant sa main. Cette robe est splendide.

Il l'entraîna jusqu'à un canapé Regency, s'assit près d'elle et reprit :

— Il faut que vous me disiez, ma chère, où vous achetez vos vêtements.

— À Manhattan, répondit-elle, flattée, mais, de retour chez moi, je les défais et les rends plus voyants.

— Ça marche toujours quand c'est plus voyant. Quel œil vous avez ! Totalement individuel ! Personne d'autre ne pourrait porter cette robe, mais vous la dominez comme Ethel Merman ses chansons.

Le regard caressant, il lui sourit et ajouta :

— Chère et délicieuse Delia, connaissez-vous nos invités?

— Ivy et Jess, mais il semble que je sois arrivée avant elles.

— Fabuleux! Dans ce cas, vous êtes à moi. Vous voyez le vieux monsieur décrépit qui prend la pose sous le portrait de Sarah Siddons?

Tombant rapidement et follement (quoique platoniquement) amoureuse de Rufus, Delia regarda l'homme d'âge mûr affable qui lui était désigné.

— J'ai l'impression que je devrais le connaître, mais son nom m'échappe.

— Roger Dartmont, qui chantera bientôt le rôle du roi Cophetua.

— *Le* Roger Dartmont? s'écria-t-elle, éberluée. Je ne savais pas qu'il était aussi… euh… âgé.

— C'est bien lui, délicieuse Delia. Dieu a cassé le moule en mille morceaux mais Lucifer l'a reconstruit, cependant comme Isis a reconstitué Osiris… Le phallus est resté introuvable.

Delia rit. Son regard dépassa Roger Dartmont et elle demanda :

— Qui est la dame qui ressemble à un cheval mangeant une pomme à travers un grillage?

— Olga Tierney… une épouse, chérie. Son mari produit des pièces à Broadway, dont le navet sur lequel nous travaillons en ce moment. C'est lui, avec le nœud papillon noir, qui a l'air d'un jockey. Ils habitaient Greenwich mais possèdent maintenant une île non loin de Busquash Point.

Levant ses sourcils bruns, Rufus poursuivit :

— C'est un endroit magnifique… enfin, il le serait si Olga n'était pas d'un ennui mortel.

Il baissa la voix et ajouta :

— On raconte que Bob Tierney est extrêmement friand des très jeunes filles.

— Une île serait pratique, fit Delia, songeuse.

Le ton de sa voix amena Rufus à se tourner vers elle, son visage exprimant la curiosité.

— Pratique? s'enquit-il.

— Oh, intimité, isolement, ce genre de trucs, répondit Delia avec indifférence.

— Délicieuse Delia, quelle profession exerce une dame merveilleusement habillée, à l'accent d'Oxford, dans une ville universitaire?

— Elle pourrait parler de Shakespeare avec les étudiants de Chubb, ou diriger un bordel de luxe, ou bien utiliser un microscope électronique, ou encore…

Elle se tut, un large sourire illuminant son visage, et conclut:

— Être inspecteur, avec le grade de sergent, au sein de la police d'Holloman.

— Fantastique! s'écria-t-il.

— Je ne suis pas en mission d'infiltration, cher Rufus, mais je reste discrète sur ma profession, dit-elle avec gravité. Vous pouvez avertir Rha, mais je préférerais rester, pour les autres… oh, cette patronne de bordel de luxe ou cette spécialiste de Shakespeare. Quand les gens savent que je suis flic, ils sont sur la défensive et censurent automatiquement leurs propos. Auriez-vous été aussi franc si vous aviez su?

Il esquissa un sourire.

— Sans doute, malheureusement. J'ai une regrettable tendance à exprimer ce que je pense… n'est-ce pas bien tourné? Je suis un perroquet: je collectionne les façons de dire les choses. Mais, sérieusement, motus et bouche cousue. Cependant, les bribes d'information que vous me confiez vous rendent de plus en plus désirable. J'adore les originaux!

L'expression de son visage changea et il demanda:

— Êtes-vous en service?

— Grand Dieu, non, répliqua Delia, ébahie. Je ne serais pas venue si je ne connaissais pas Ivy. Mes affaires en cours sont aussi décrépites que Roger, même si je dois reconnaître que les inspecteurs n'ôtent jamais leur chapeau à la Sherlock Holmes. Quand ce que j'entends me semble intéressant, je le retiens et le classe. Nous avons des tas de vieilles affaires que nous ne pouvons pas résoudre.

— L'âge, dit-il sur un ton solennel, est le plus grand criminel et échappe toujours au châtiment. Ah! les Kornblum font leur entrée! Ben et Betty. Elle porte un vison descendant jusqu'aux chevilles et lui une bague ornée d'un diamant énorme au petit doigt. Betty pourrait justifier l'interdiction de l'air conditionné... il lui permet de porter du vison à l'intérieur en août. Ce ne serait pas très grave si elle n'était pas accro au vison à deux couleurs... le portrait craché d'un chat siamois.

— A-t-elle des siamois? questionna Delia.

— Deux. Sun Yat-sen et Mme Tchang Kaï-chek.

— Qu'est-ce qui permet à Ben de s'offrir le gros diamant?

— Il produit des pièces et des films. C'est un commanditaire. Ils habitaient un penthouse dans Park Avenue, raconta Rufus, mais ils vivent maintenant dans la propriété des Smith... vous connaissez cet endroit, à l'écart dans la faille de North Rock.

Delia se redressa.

— La propriété des Smith, hein? Hmm! Très discret. M. Kornblum cache-t-il des secrets sordides?

— Il préfère de loin les jeunes danseuses aux chats siamois.

— Mais il n'y a pas beaucoup de jeunes danseuses à Holloman.

— C'est ce que croyait Betty. C'était sans compter sur les milliers de jolies filles des facultés d'Holloman.

Ben assiste aux cours de dactylographie, de danse et de photographie, entre autres.

La salle, très vaste, se remplissait. Une vingtaine de personnes l'occupaient et les conversations étaient émaillées de rires, de bons mots, ainsi que, Delia n'en doutait pas, de potins. Ils se connaissaient tous, mais quelques nouveaux arrivants se comportaient comme s'ils ne s'étaient pas vus depuis très longtemps.

Fidèle à l'idée qu'elle était à lui, Rufus Ingham présenta Delia aux invités, lui fournissant des informations si candidement que personne ne soupçonna qu'il orientait la conversation en vue d'apporter un maximum de renseignements à un inspecteur.

Peut-être en raison de sa petite taille, Delia n'était pas sûre de pouvoir jamais devenir une amie proche de Rha Tanais, mais savait qu'elle pourrait presque naturellement être l'amie intime de Rufus Ingham. S'adapter à une personne aussi imposante était simplement trop éprouvant. Les caricaturistes politiques représentaient parfois le général Charles de Gaulle avec un anneau de nuages autour du cou et tel était le sentiment que Rha inspirait à Delia. Alors que Rufus suscitait des émotions débordant d'une amitié aussi vieille que le temps ; ayant enfin fait sa connaissance, elle ne pouvait imaginer de vivre sans lui. Si Hank Jones, comme Rufus, avait eu quarante ans, il aurait été placé au même niveau que Rufus ; étrange qu'au cours d'un bref été elle ait rencontré deux hommes comptant beaucoup à ses yeux, alors que cela ne s'était pas produit depuis son installation à Holloman. Les amies étaient essentielles, mais il était plus difficile de se faire des amis, et Delia le savait très bien. Très heureuse, Delia laissa Rufus la présenter.

Simonetta Bellini (Shirley Nutt de son vrai nom) fit très forte impression sur Delia. Mannequin principal de Rha Tanais Bridal, elle était grande, mince et une grâce incomparable émanait de ses gestes ; sa blondeur scandinave authentique lui conférait une innocence virginale que sa robe moulante en lamé elle-même ne pouvait remettre en cause. Même vêtue d'un sac à patates, pensa Delia, elle aurait l'air d'une jeune mariée.

— Merde, la fête va être gâchée, gémit-elle alors que Rufus s'éloignait en quête d'une nouvelle proie.

— Pardon? murmura Delia, décontenancée.

— Les psys débarquent. Rha dit que les psys doivent assister à ce genre de fête, mais ils gâchent le plaisir, affirma Shirl. Ils nous regardent comme si on était des phénomènes de foire.

— C'est une tendance très répandue chez les psys, admit Delia, dont les antennes frémirent. Pourquoi sont-ils invités?

— Aucune idée, répondit Shirl, indifférente.

Selon Jess, Rha et Rufus insistaient sur la présence des psys parce qu'ils étaient capables d'agacer les autres invités et, selon Simonetta/Shirl, ils étaient effectivement considérés comme agaçants.

— Vous avez parlé de ce genre de fête, Shirl... y en a-t-il d'autres genres? interrogea Delia.

— Oh, des tas. Mais les psys n'assistent qu'à ce genre.

L'archétype de la jeune mariée, songea Delia, du tulle sur et dans la tête.

Tandis que Rufus l'entraînait d'un invité à un autre, Delia constata que l'aversion qu'inspiraient les «psys» était universelle. Si universelle, en fait, qu'elle se demanda dans quelle mesure l'explication de Jess était vraie. Ça semblait peu probable et Delia en déduisit que Rha et Rufus invitaient les psys à certaines fêtes pour faire plaisir à Ivy, laquelle sollicitait cette faveur pour faire plaisir à Jess. Jusqu'ici, c'était une réception ordinaire d'une cinquantaine de personnes; un buffet suivrait les apéritifs et les canapés, mais tout le monde n'était pas arrivé. Il y avait des mystères, mais ils semblaient concerner Ivy et Jess, alors qu'elles ne vivaient pas au manoir.

Tandis que le corps de Delia allait et venait et que sa langue prononçait des banalités acceptables, son esprit envisageait Ivy et Jess différemment, ce qu'il n'avait pas fait depuis le début de leur amitié, laquelle ne datait que de deux mois. Je vois Jess beaucoup plus souvent qu'Ivy, songea-t-elle ; c'est en partie mon choix, je sais, mais ça tient aussi au comportement d'Ivy… elle se rend fréquemment à New York, la famille et les affaires la lient étroitement à Rha et Rufus et elle habite tout près de chez eux. Jess vit près de chez moi, nos professions sont vaguement apparentées et nos emplois du temps nous permettent de déjeuner ensemble une ou deux fois par semaine. Et même si Ivy n'est pas gigantesque au point de mettre une naine telle que moi dans l'embarras, c'est manifestement une Desdemona… enfin presque. Si terriblement élégante ! Bizarre que tante Gloria Silvestri ne m'intimide pas sur le plan des vêtements, alors qu'Ivy le fait. Il y a un côté hautain, chez elle… non, ce n'est pas le bon mot. Opaque convient mieux. Pourtant, je l'apprécie beaucoup et cela signifie que la vraie Ivy se cache derrière un personnage qu'elle n'est pas. Ivy connaît la douleur ; elle a souffert. Je ne perçois pas cela chez Jess, dont les souffrances ont sans doute été liées à la vie professionnelle… son sexe militant contre ses aptitudes. Les souffrances d'Ivy ont été celles de l'esprit, de l'âme…

Des doigts minces claquèrent sous son nez et Rufus rit.

— Revenez sur Terre, délicieuse Délia ! Je voudrais vous présenter notre chorégraphe, Todo Satara.

Il plaisantait avec Roger Dartmont et sa contrepartie féminine en matière de célébrité théâtrale, Dolores Kenny ; ils s'éloignèrent et Todo resta. Sans doute un nom de scène, décida-t-elle, parce que son physique n'est pas oriental : taille moyenne, mouvements contrôlés, visage évoquant celui de Rudolf Noureev… Tartare ? Sa vigueur et sa sensualité lui coupèrent le souffle, même s'il était visiblement trop âgé pour danser encore. L'expression de ses yeux noirs était inquiétante : c'était comme se trouver face à une panthère jeûnant depuis des semaines.

— Delia appartient à Ivy et Jess, dit Rufus avant de suivre les chanteurs célèbres, mais, tant qu'elles ne sont pas arrivées, elle est à moi et je ne suis pas certain d'avoir l'intention de la rendre.

Quelle banalité procurerait à Todo la sensation d'avoir mangé ?

— J'admire énormément les grands danseurs, dit-elle. Le moindre mouvement est une vraie poésie visuelle.

Ravi, il mordit à l'hameçon.

— Nous sommes ce que Dieu nous fait, c'est aussi simple que ça, dit-il avec l'accent du Maine. En fait, vous avez une certaine élégance… gestes précis et pragmatiques, comme une institutrice énergique.

Son regard cessa d'être inquiétant et prit la mesure de Delia.

— Chérie, reprit-il, vous cachez votre jeu. Sous les frous-frous, vous êtes en pleine forme et, j'en suis convaincu, rapide. Je parie que vous courez le cent mètres en un rien de temps.

Delia pensa à Hank Jones et rit.

— C'est la deuxième fois cette semaine que je rencontre un homme jouissant de la vision aux rayons X ! Mon meilleur temps au cent mètres est étonnamment bas mais, à l'époque, je m'entraînais. Oh, c'était dur !

— Je pourrais vous enseigner de merveilleux numéros de danse.

— Merci, cher monsieur, mais je n'en vois pas l'utilité.

— Dommage, vous avez beaucoup de présence. N'essayez pas de me dire que vous passez vos loisirs dans une morne pièce beige à regarder la télévision pour vous occuper l'esprit… je ne vous croirais pas.

— Vous auriez peut-être raison, répondit-elle, espiègle.

Des voix s'élevèrent à l'entrée de la salle ; Todo Satara se crispa.

— Merde ! Roulements de tambour : entrée des timbrés.

Six personnes arrivèrent dans une cacophonie de salutations, Rha et Rufus leur indiquant où ils pouvaient poser ce dont ils ne voulaient pas s'embarrasser, embrassant Ivy et serrant la main des autres, dont Jess. C'était intéressant : une alliance de circonstance entre la famille d'Ivy et Jess Wainfleet ?

Vêtue d'une robe longue en crêpe bleu cobalt, Ivy remporta, comme d'habitude, la palme de la personne la mieux habillée, mais Delia trouva que Jess, en soie cramoisie, était magnifique. L'une près de l'autre, elles éclipsaient les épouses des millionnaires.

Les quatre autres nouveaux venus étaient les psys. Elle avait fait la connaissance de trois d'entre eux lors d'un déjeuner au Lobster Pot. Le quatrième, apprit-elle alors, était une infirmière en psychiatrie, Rose, qui avait épousé l'assistant de Jess la veille et, de ce fait, s'appelait désormais Mme Aristede Melos. Les deux hommes portaient un costume léger blanc, les deux femmes une robe blanche sous les genoux… pas vraiment un uniforme d'infirmière mais presque, contrastant fortement avec cette demeure bigarrée et ses occupants tout aussi bigarrés. Bon, ce sont des psys qui, logiquement, tentent de manipuler les autres, songea Delia et, si on leur a enseigné les bonnes manières, les leçons sont passées inaperçues ou ont été oubliées. Ils faisaient bande à part mais n'avaient pas besoin qu'on les encourage à manger ou boire : le buffet avait ouvert après leur arrivée.

Todo et Rufus conduisirent Delia jusqu'au buffet et emplirent son assiette de bonnes choses : homard, crevettes, caviar, pain croustillant, sauce incroyablement savoureuse. Puis, leur assiette à la main, ils gagnèrent une petite table entourée de trois chaises. Idéal pour parler, mais pas tout de suite, pensa-t-elle, ses yeux aussi occupés que ses antennes qui, en état d'alerte maximale, vibraient.

Le docteur Aristede Melos, l'assistant de Jess, était un homme maigre, à la peau sombre, d'environ quarante ans… étrange que presque tous les protagonistes aient aux alentours de la quarantaine. Son visage était ordinaire, son expression morose et ses yeux cachés par les verres épais de lunettes à monture de corne. Sa toute nouvelle épouse était ouverte, joyeuse, mais Delia eut l'impression que l'expression de ses yeux gris ne reflétait pas cette joie. Des vêtements roses auraient animé la blancheur de la peau de Rose ; le blanc lui donnait un teint crayeux.

Les deux autres psys étaient mariés : Fred et Moira Castiglione. Ils évoquaient un long mariage et des enfants. Delia savait que Jess préférait les Castiglione à Melos, qu'elle trouvait entêté et psychorigide. Moira était rousse, avait les yeux noisette, le visage ordinaire et peu de charme alors que Fred, homme au teint sombre, était ouvert et exubérant. Il avait le don de paraître écouter attentivement, mais il était impossible de savoir si c'était véritablement le cas car son regard était indéchiffrable. Comme la plupart des couples mariés exerçant la même profession, ils formaient une équipe, échangeaient des idées et communiquaient grâce à une sorte de sténo.

Le repas terminé, Todo prit congé et Delia entreprit de creuser.

— Rufus, pourquoi invitez-vous, Rha et vous, les psys à ce genre de fête, comme dit Shirl?

— Vous avez perçu l'influence négative.

— Quelle blague! Il faudrait être mort pour ne pas ressentir des émotions aussi fortes. Vos amis détestent les psys de Jess!

— C'est juste, mais c'est dommage, soupira Rufus. C'est lié à la musique, à la tranquillité d'esprit de Jess et, au bout du compte, à notre devoir vis-à-vis d'Ivy ainsi qu'à notre amour pour elle. Ça remonte à un jour de 1962, où Ivy a invité Jess à une soirée telle que celle-ci. De retour à l'IH, elle en a parlé avec enthousiasme et ses proches collaborateurs se sont mis dans la tête qu'ils auraient dû être invités, eux aussi. Alors ils l'ont harcelée.

— Parce qu'ils n'avaient pas été invités à une fête organisée par des gens qu'ils ne connaissaient pas? Des amis de Jess, sans lien avec son travail?

— Vous comprendrez mieux à la fin de la soirée, dit Rufus, et je préfère que vous restiez dans l'ignorance de ce qui va se passer, comme l'était Jess à l'époque. C'est pourquoi je ne veux pas donner d'explications pour le moment. Mais croyez-moi sur parole: les psys de Jess ont eu l'impression d'être snobés alors qu'ils méritaient, de leur point de vue, d'être reçus à bras ouverts.

Il haussa les épaules, eut un sourire sans joie et reprit:

— L'ambiance, au travail, est parfois tendue quand ceux qui s'estiment indispensables se persuadent qu'ils ne sont pas appréciés. Ils ont critiqué et insisté lourdement.

— Jess est forte et plutôt dure, fit remarquer Delia, dubitative. Ses proches collaborateurs se comportant comme des enfants? Cette explication est faible, Rufus, même si je ne doute pas que ce soit celle qu'on vous a donnée, à vous et Rha... peut-être même à Ivy.

— Je suis d'accord. Personnellement, je crois qu'Ari Melos ou un des Castiglione ont eu connaissance d'une erreur administrative que Jess aurait du mal à expliquer.

— Oui, c'est plus probable. Les fous criminels internés à vie alimentent les institutions telles que l'IH en patients et la paperasse est un cauchemar.

Delia sourit et reprit :

— Vous avez aiguisé ma curiosité et je suis très impatiente de voir ce que ce genre de fête a de si spécial. J'avoue que l'arrivée des psys me fait l'effet d'une invasion de chenilles dans une serre d'orchidées.

Jess et Ivy se dirigèrent vers elle ; Rufus s'éloigna.

— Vous êtes sensationnelles, s'écria-t-elle, embrassant Jess sur la joue et Ivy sur le menton.

— Je m'excuse de notre retard, dit Jess. Une réunion.

— Un samedi d'août ?

— Ou un dimanche d'août, répondit sèchement Jess. Ne me dis pas que ça ne t'arrive jamais, Delia.

— Oh, je comprends. J'adore Rha et Rufus !

— J'étais sûre que ça arriverait, dit Ivy.

— Il est peut-être préférable que tu aies fait la connaissance de Rha et Rufus sans notre soutien moral, dit Jess, dont les yeux noirs énigmatiques luisirent. On voit tout de suite que tu es dans ton élément. Pardonnez-moi, les filles, j'aperçois la grande Dolores Kelly.

Enthousiaste, Jess s'éloigna.

Malgré son extraordinaire élégance, Ivy semblait… malheureuse ? Souffrante ? Mal à l'aise ? Quelque chose la tracassait mais Delia estima que cela n'avait rien à voir avec Rha, Rufus, Jess ou la fête. Peut-être était-elle gênée par la situation créée par la présence des psys de Jess ? Mais pourquoi celle-ci l'affecterait-elle plus que Jess ? Quoi qu'elle ait pensé en 1962, à l'époque du malaise, Jess avait visiblement surmonté l'obstacle en 1969.

Delia posa la main sur le bras d'Ivy.

— Ça va?

Deux beaux yeux bleus étonnés fixèrent le visage de Delia… et s'emplirent de larmes. La bouche rouge soigneusement soulignée frémit, puis Ivy se força à reprendre le contrôle d'émotions tumultueuses et sourit.

— Oui, Delia, ça va. Mais je te remercie d'avoir posé la question. Tu es très sensible.

— Je n'irais pas jusque-là mais quand les gens que j'apprécie sont troublés, je m'en aperçois.

— Troublée… Oui, troublée exprime bien ce que je ressens. C'est purement personnel et j'irai mieux demain. Tu crois au bien et au mal? Tels qu'on nous les enseignait au cours élémentaire?

— Quand on n'avait pas encore compris l'importance du gris?

— Exactement, dit-elle avant de boire une gorgée de Martini. Allons là-bas, tu veux bien? Personne ne s'en apercevra.

Curieuse et inquiète, Delia suivit sa compagne jusqu'à une causeuse victorienne, installée dans un coin et partiellement cachée par les gracieuses feuilles courbes d'un howéa de Belmore, où elles s'assirent dos à dos et, pourtant, face à face. Typique des victoriens! pensa-t-elle. Les régions inférieures privées de tout contact, les régions supérieures proches l'une de l'autre. Les amoureux devaient rester chastes.

— Qu'y a-t-il? demanda Delia en posant son verre sur le large bras qui la séparait d'Ivy.

— Je suis beaucoup plus âgée que Rha, dit Ivy, et Ivor, notre père, était le chauffeur, le garde du corps et l'intendant, entre autres, du troisième Antonio Carantonio.

Beaucoup plus de quarante ans? Stupéfaite, Delia scruta le visage d'Ivy sans y trouver le moindre indice d'âge.

— J'ai toujours vécu à Little Busquash, précisa Ivy sans tenir compte des émotions qu'elle suscitait chez Delia. Ma mère et celle de Rha était… attardée… elle ne savait ni lire ni écrire et elle était tout juste capable de tenir une maison. À la mort d'Antonio III, en 1920, quand Nell a hérité, Ivor est resté à son service. Mais elle était rarement là… l'université et la faculté de médecine étaient prioritaires. J'aimais Nell! Après sa disparition, mon père est devenu comme fou, mais je n'ai compris que plus tard qu'il espérait figurer sur son testament et que son agitation frénétique s'expliquait simplement par la recherche de ce document. Il n'existait pas et il dut donc se faire accepter par la nouvelle héritière, Fenella… l'autre Nell.

Delia jeta un coup d'œil autour d'elle, gênée, se demandant où conduisait ce récit et pressentant qu'il n'avait peut-être pas sa place pendant une réception. La suite confirma cette intuition.

— Mon père était un homme très étrange, continua Ivy. Il était hétérosexuel *et* homosexuel…

Elle se tut, étonnée, quand Delia saisit sa main.

— Qu'y a-t-il? s'enquit-elle.

— Ivy, ce n'est ni le moment ni l'endroit. Tu es libre demain? Pourrais-tu déjeuner chez moi? Tu me raconterais cela à ce moment-là.

Le visage d'Ivy se détendit; tout d'un coup, Delia vit quelques-unes des années supplémentaires, mais pas assez.

— Oh oui! Je viendrai.

Souriante, Delia laissa Ivy en compagnie de plusieurs de ses mannequins et rejoignit les Castiglione. Inutile de leur cacher sa profession: grâce à Jess, ils savaient qu'elle était flic.

— Visiblement, Delia, dit Moira, vous êtes ici comme un poisson dans l'eau. Vous êtes tout à fait à votre place dans cette ménagerie.

— Ménagerie? répéta Delia.

Moira eut un rire ironique.

— Un rassemblement d'animaux bizarres, à tout le moins.

Et je commence à comprendre pourquoi on ne les apprécie pas, pensa Delia. Ils donnent des leçons. Je parie que leurs diplômes sont tout à fait ordinaires, mais est-ce aussi le cas d'Ari Melos? Pauvre Jess! Les salaires du service public n'attirent pas les diplômés brillants.

— Bizarres pourquoi? demanda Delia.

— Simplement bizarres, répondit Moira.

— Pourquoi venez-vous si vous ne les appréciez pas?

Les Castiglione la fixèrent comme si elle était... bizarre.

— À cause de notre passion, dit Fred.

— À savoir?

— La musique. Moira et moi essayons de constituer un orchestre au sein de l'IH. Je dirige, elle joue du violon. La musique calme effectivement les bêtes sauvages.

— Admirable, fit Delia.

Ari Melos et son épouse arrivèrent avec des verres de vin rouge; Melos semblait très heureux, mais Rose paraissait intimidée.

— Pour moi, le salon de Rha est un des points forts de l'année, dit Melos, et je suis très impatient que Rose fasse personnellement l'expérience de ce dont elle a seulement entendu parler jusqu'ici. Je me demande quels plaisirs nous sont réservés.

À contrecœur, les Castiglione acquiescèrent.

Bien, on avance, pensa Delia; il y a un lien avec la musique.

Todo Satara les rejoignit. Décidé à provoquer? Delia le devança dans l'espoir de lui couper l'herbe sous le pied.

— Combien d'internés de l'asile sont aussi des patients de l'IH, docteur? interrogea Delia en feignant l'intérêt.

— Tous si nous le souhaitons, répliqua Melos, sans avoir apparemment conscience de l'hostilité de Todo. Cependant, à mon avis, la plupart du temps, seuls vingt d'entre eux participent aux recherches de l'IH. Vous savez sûrement, sergent, que les règles juridiques permettant d'établir la folie sont si archaïques que les procès aboutissent rarement à un verdict de «culpabilité imputable à la démence»… cette démence ne prend toute son ampleur qu'après l'incarcération. Tous les internés de l'asile sont atteints de démence et notre réservoir de patients est donc d'une richesse fascinante.

Todo attaqua.

— Effrayant, dit-il. Comment parvenez-vous à garder votre calme face à des fous meurtriers?

— Vraiment! s'écria Melos. C'est la question typique du profane ignorant! Il m'arrive de penser que la population croit encore que les gardiens portent une armure et maintiennent les internés à distance grâce à des lances à incendie. Les internés sont préparés en vue des consultations. S'il faut leur donner un sédatif, on le fait. Ce n'est pas un travail dangereux, Todo… en fait, il serait plutôt ennuyeux.

Fred prit le relais.

— L'IH bénéficie de financements d'État et fédéraux et n'a qu'un objectif: rayer les crimes violents, psychopathiques, de la liste des comportements humains inacceptables. Un jour, nous pourrons guérir les psychopathes violents.

— Sûr! ironisa Todo, agressif. C'est déjà le cas, les gars… un meurtrier tuant ses victimes à coups de hache est considéré comme guéri, puis libéré, et que fait-il aussitôt hors des murs de la prison? Il tue des innocents avec sa fidèle hache! Les psychiatres se prennent pour Dieu et c'est une illusion très dangereuse.

Mais Melos et Fred se contentèrent de rire.

— Vous devriez vous en prendre à la presse, Todo, pas aux psychiatres. Les journalistes ne parlent pas des milliers de guérisons réussies. L'échec, qui se produit une fois sur un million, bénéficie de toute la publicité.

Moira intervint:

— La remise en liberté d'un interné ne dépend pas des psychiatres, expliqua-t-elle. La procédure permettant la libération d'un patient présentant un danger potentiel pour la société comporte de nombreuses étapes et se révèle très éprouvante pour tous les acteurs. Comités, commissions, experts, rapports, consultations extérieures, enquêtes approfondies, recherches et analyses... la liste est presque interminable.

Satisfaite d'elle-même, elle conclut:

— De plus, les internés de l'asile ne peuvent faire l'objet d'une procédure de libération. L'IH, comme l'épouse de César, est au-dessus de tout soupçon.

La soirée s'était animée; maintenant que leur travail était devenu le sujet de conversation, les psys avaient complètement changé d'attitude. S'ils pouvaient, songea Delia, renoncer à se croire supérieurs, peut-être gagneraient-ils quelques partisans, mais ils en sont incapables. Son regard croisa celui de Jess, qui écoutait également, et y vit un écho de son opinion: Jess, elle aussi, déplorait leur snobisme.

— Je n'ai jamais approuvé l'idée de consacrer l'argent des impôts à la création d'établissements tels que l'IH, dit Todo, qui s'amusait beaucoup. N'est-il pas regrettable que des fonds publics permettent non seulement de loger et nourrir les fous meurtriers, mais aussi de leur fournir des soins médicaux que les citoyens ordinaires ne peuvent pas se permettre? Il paraît que l'IH dispose d'un hôpital capable de soigner toutes les maladies, même les plus graves.

Rose réagit.

— Mais comment faire autrement ? s'écria-t-elle, certaine d'avoir raison. Nous vivons dans un pays civilisé, les malades doivent être soignés. Mais quel hôpital est en mesure de recevoir des patients violents réfractaires à toute forme de raisonnement ? L'Institut est une prison et on y a installé un hôpital en vue de protéger la société. Notre service de recherche psychiatrique est également distinct, de même que son financement.

Son visage banal et ordinaire avait rougi.

La mère défendant son petit, pensa Delia ; c'est la première fois qu'elle est confrontée à cela et la critique l'affecte.

— Il ne s'agit pas d'altruisme, Todo, dit sèchement Moira. Ce que nous faisons doit être fait. Le coût des incarcérations prolongées – non : à vie – est si astronomique qu'il faut trouver des solutions ou, du moins, le moyen d'utiliser plus efficacement l'argent des contribuables.

— Notre travail est extrêmement utile à la société, renchérit Ari Melos. Sur le long terme, les établissements tels que l'IH rendront le problème des fous meurtriers moins onéreux.

Je crois, se dit Delia, que je viens d'assister à la discussion qui oppose ces deux groupes chaque fois qu'ils se rencontrent. Rha et Rufus les invitent pour faire plaisir à Ivy, qui veut faire plaisir à Jess, laquelle veut faire plaisir à ses proches collaborateurs. Et tout ça à cause de la musique.

Vers 18 heures, le soleil brillait toujours dans le ciel, mais les rideaux tirés plongeaient la vaste salle dans la pénombre. Un très agréable parfum de lotion après-rasage pénétra dans ses narines, celui de Nicolas Greco, qu'elle n'avait que brièvement croisé. Le comptable de Rha Tanais Inc., adepte des costumes de Savile Row, était de loin l'homme le plus élégant que Delia eût jamais rencontré et également, soupçonna-t-elle, aussi indispensable qu'on peut l'être.

— Rufus a donné des instructions strictes, dit-il, saisissant son coude gauche et l'entraînant. Je dois vous installer dans le fauteuil de Fenella... c'est le mieux placé.

Les invités s'asseyaient, sans système ni méthode, hormis dans le cas de ce petit fauteuil pourvu d'un repose-pieds, dont le dossier capitonné portait un carton indiquant : RÉSERVÉ. Une fois installée, elle bénéficia d'une vue dégagée sur une niche octogonale où se trouvaient un piano à queue, une harpe, une batterie et des pupitres. Betty Kornblum elle-même, adepte des chats siamois, semblait impatiente et les psys, rassemblés en un groupe, étaient carrément enthousiastes.

Cette fête ordinaire, quoique magnifique, se mua en ce qu'on appelait, lorsque Delia habitait Oxford, un « salon ».

Rufus joua Chopin au piano, si bien que Paderewski lui-même aurait approuvé... magnifique ! Était-ce sa profession ? Un serveur gracile prit un violon et Rufus passa à la cinquième sonate de Beethoven pour violon et piano ; le public était si fasciné et silencieux qu'on aurait pu entendre une mouche voler. Roger Dartmont chanta, Dolores Kenny chanta et ils terminèrent par un duo. Todo dansa avec un groupe de serveurs, les hommes exécutant un numéro extraordinairement athlétique, les femmes une danse sensuelle, puis les hommes et les femmes proposant un ballet gracieux.

Avec les pauses et les entractes, le spectacle dura cinq heures et Delia comprit pourquoi les psys faisaient des pieds et des mains pour y être invités. Le privilège d'assister à ces spectacles mémorables dans l'intimité confortable d'un salon justifiait qu'on soit prêt à tout pour l'obtenir. Délia comprit qu'elle n'oublierait jamais cette soirée. Seule la troublait l'arrogance des psychiatres, qui ne semblaient pas saisir qu'on leur faisait un honneur ; ils paraissaient au contraire croire que c'était leur dû. Et, décida-t-elle, ça n'a rien à voir avec la psychiatrie. C'est lié à la personnalité de gens qui, s'ils le pouvaient, banniraient toute originalité de la surface du globe. Le salon de Rha et Rufus était original et ils étaient parvenus à s'y introduire. Dans ce cas, qu'était Jess ?

— C'était absolument magique, dit-elle à ses hôtes quand elle s'en alla, et il faut que vous sachiez que je vous remercie profondément de m'avoir invitée. En toute franchise, je ne tiens pas ce privilège pour acquis.

Les yeux de Rha pétillèrent.

— Nous ne nous refusons rien, Rufus et moi, chérie, dit-il. Les concerts sont d'un ennui mortel ! Stationnement, foule, toux, inconnus à gogo… et jamais exactement le programme dont on a envie. Les salons sont des caprices. Il n'est pas question d'argent, les artistes qui aiment se produire proposent ce qui leur fait envie… formidable !

— Les timbrés eux-mêmes ont adoré, dit-elle, mutine.

— Les pauvres ! Si horriblement sérieux !

— Êtes-vous pianiste, Rufus ? s'informa-t-elle.

— Absolument pas, délicieuse Delia ! Trop de travail. Non, j'aime jouer et j'entretiens la souplesse de mes doigts, mais il y a beaucoup de diversité dans la vie, et il ne serait pas raisonnable de déposer tous ses agneaux sacrificiels sur le même autel. Je joue pour mon plaisir, pas celui des autres.

— Si vous aimez les plats bourratifs britanniques, j'aimerais vous inviter à dîner chez moi, dit-elle timidement.

— On adorerait, répondit Rha, un peu méfiant. Euh… qu'est-ce qu'un plat bourratif britannique ?

— Saucisses et purée en plat principal… Je vais chercher les saucisses dans une boucherie de la banlieue de Buffalo… absolument authentiques. En dessert : pudding au suif et au beurre avec de la crème anglaise.

— Comment pourrions-nous refuser un pudding au suif ? demanda Rha. Surtout avec de la crème anglaise.

Delia donna sa carte à Rufus.

— Mettez-vous d'accord sur un soir et téléphonez-moi, dit-elle avec un large sourire.

Dimanche 10 août 1969

La vie professionnelle de Jess Wainfleet n'avait pas sa place dans sa petite maison située à quelques centaines de mètres de la plage de Millstone ; cette adresse n'était qu'un geste symbolisant sa normalité. Lors de la construction de l'IH, en 1960, elle s'était battue pour obtenir un appartement sur les lieux, mais ses arguments n'avaient pas convaincu : on considéra que sa santé mentale serait moins exposée si elle ne vivait pas au sein de l'établissement. Une fois informée de la décision, elle avait accepté cette dernière sans protester et acheté la maison de Millstone, située à un bref trajet en voiture de l'asile.

Ce logement avait son utilité, elle le reconnaissait ; elle pouvait y entreposer sa collection énorme d'articles, de revues et de livres ainsi que sa garde-robe, et c'était aussi une adresse postale. Mais ce n'était pas son foyer : l'IH était son foyer car Jess comptait au nombre de ceux qui se consacrent entièrement à leur travail.

Six mois après l'ouverture de l'IH, elle s'était organisée. Elle s'appropria une salle de bains toute proche de son bureau ; elle annexa aussi la pièce attenante, destinée à l'origine aux membres du personnel ayant besoin de quelques heures de repos. En pratique, la directrice de l'IH pouvait vivre sur place, à condition de rester discrète sur l'utilisation des locaux.

Bourrée de complexes et très consciente de sa névrose obsessionnelle compulsive, elle était parvenue à transformer ces troubles en iceberg : seule la pointe était visible, le reste demeurant caché. Cela n'aurait pas été possible si elle avait entretenu une relation intime avec une personne, mais ses faiblesses psychiques étaient bénignes, elle n'avait pas d'amis intimes et ses collègues acceptaient ses insuffisances comme ils s'accommodaient des leurs : elles faisaient partie intégrante de la profession.

Seule Ivy Ramsbottom, obsessionnelle elle aussi – tout compulsivement placé, répertorié, rangé, mais sans franchir le seuil de la manie clinique –, avait réussi à franchir ses défenses.

— Il y a plein de gens comme nous, avait dit Jess à Ivy lorsqu'elles avaient fait connaissance, après avoir remarqué que les épingles à tête de porcelaine d'Ivy étaient fichées dans leur petit coussin selon un motif représentant un arc-en-ciel. Tu ne supporterais pas la présence d'une épingle à tête noire dans une rangée de têtes rouges, hein ?

Ébahie, Ivy avait ri et l'avait reconnu.

Jess se promenait dans le parc d'Holloman, admirant la beauté des hêtres, quand son regard avait été attiré par une image fascinante dans un cadre de feuilles pourpres : une vitrine d'un noir de jais contenant trois mannequins d'une minceur irréelle : une mariée et deux demoiselles d'honneur vêtues de robes fabuleuses. Rha Tanais Bridal était écrit en lettres blanches au-dessus de la vitrine noire. Jess n'avait pu s'empêcher de traverser la rue et d'entrer dans la boutique. Celle-ci était vaste : ses cabines d'essayage permettaient d'accueillir les clientes en crinoline et ses portants étaient chargés de vêtements destinés aux mariages.

Une femme séduisante, extrêmement grande, en robe violette à la mode, se dirigea vers elle, souriante.

— Vous venez jeter un coup d'œil, pas acheter, dit-elle quand elles se serrèrent la main. Je m'appelle Ivy Ramsbottom.

— Docteur Jess Wainfleet, psychiatre, répondit Jess avec brusquerie, et votre vitrine m'a fascinée. Elle attire les foules! Les voitures elles-mêmes s'arrêtent presque.

— Toutes les femmes du monde désirent être une jeune mariée. Venez boire un café dans mon bureau.

Il y avait huit ans de cela. Leur amitié s'était épanouie surtout en raison de leurs tendances obsessionnelles... il était agréable de pouvoir se moquer d'elles en compagnie de quelqu'un! Chez Ivy, le type était pur: notes méticuleusement alignées sur la porte du réfrigérateur et décorations des tasses en porcelaine toutes placées de la même façon tandis que, chez Jess, il s'y ajoutait un aspect maniaque qui la poussait à travailler trop dur et, parfois, à perdre patience.

Naturellement, Jess connaissait maintenant l'histoire d'Ivy et avait pu l'aider; les intuitions et perceptions caractéristiques de sa profession avaient fait d'elle la meilleure confidente dont Ivy aurait pu rêver. S'il y avait, dans leur relation, de la souffrance et du chagrin, c'était parce qu'Ivy ne pouvait lui rendre la pareille en prodiguant à Jess les conseils que nécessitaient ses problèmes. Cette dernière dut continuer de les assumer seule et sans aide, hormis le réconfort de l'amitié elle-même.

Après la fête chez Rha et Rufus, Jess ne resta chez elle que le temps d'ôter sa robe de soirée et d'enfiler un ensemble adapté à l'IH: pantalon et chemisier uni; ensuite, elle regagna son foyer: elle se rendit à l'Asile.

Elle commença par parcourir son royaume, ses couloirs bordés de rampes, semblables à des coursives, ses portes sur lesquelles rien n'était indiqué; elle en ouvrait parfois une et entrait dans une pièce aimée, notamment la salle d'opération du service de neurologie. Quand elle avait accepté cet emploi, en 1959, elle avait exigé que l'IH dispose de tous les équipements d'un hôpital général ; c'était onéreux, oui, mais les hôpitaux n'étaient absolument pas adaptés aux fous meurtriers, surtout en matière de sécurité. Lorsqu'un détenu de l'asile tombait malade, il était donc soigné à l'IH, qu'il nécessitât une opération ou des soins intensifs. Naturellement, la salle d'opération servait aussi à la chirurgie expérimentale, principalement sur les primates… comment convaincre Todo Satara et ses acolytes, obsédés par l'emploi des impôts et incapables de comprendre que tenter de soigner les fous meurtriers dans un hôpital ordinaire coûtait plus cher que les prendre en charge à l'IH?

Finalement, alors que la pendule du mur faisant face à son bureau indiquait 4 h 47, elle s'assit dans son fauteuil et ouvrit la porte du placard située à droite de sa table de travail. Un coffre-fort à combinaison apparut. Posant une main près du disque strié sur lequel des chiffres étaient gravés, elle fit pivoter ce dernier d'un côté et de l'autre jusqu'au moment où la dernière goupille s'enclencha avec un claquement sourd. Elle baissa la main. Une précaution stupide… pour espérer la voir manipuler le disque, il aurait fallu des yeux montés sur tentacules, mais elle la prenait systématiquement. C'était l'obsession, évidemment. Comme on *sait* qu'aucun malheur ne se produira si on pose le pied sur le joint séparant deux plaques de béton… mais si un malheur se produisait effectivement? On enjambe donc le joint, par prudence. Les rituels sont très puissants, bourrés de significations remontant jusqu'aux singes.

— Le langage, dit-elle en sortant des piles de dossiers du coffre, est l'expression de la complexité du cerveau. Comme le verbe «vouloir». Les animaux peuvent manifester qu'ils «veulent» par un mouvement, un geste ou un son capables d'entraîner la satisfaction du «vouloir». Je veux ceci! Seuls les êtres humains peuvent le dire, et indiquer en outre le degré de «vouloir», sa nature, la place qu'il occupe. Pour y parvenir, seuls sont requis les muscles de la bouche, la langue et les voies respiratoires supérieures. En quoi les voies neuronales empruntées sont-elles différentes chez un jeune enfant disant «Je veux» et un adulte disant «Je veux mais mon vouloir ne peut être satisfait parce que son obtention détruirait le droit supérieur d'un autre à en bénéficier»?

Elle se tut, puis reprit à voix basse :

— Qu'est-ce qui, sur les chemins conduisant à la maturation, peut bien vaincre cette tendance radicalement primitive : vouloir? Oh, Jess, la réponse existe et c'est toi qui la trouveras, toi!

Le bureau était grand et bien meublé, mais elle n'avait pas allumé les néons du plafonnier, seulement la lampe à abat-jour vert de son bureau ; les coins de la pièce étaient dans le noir et des ombres inattendues apparaissaient, se déplaçaient, tremblaient quand la femme assise à sa table de travail changeait de position. Quelque chose, chez Jess, aimait cette obscurité… comme si elle, et elle seule, la maintenait à distance ; c'était une manifestation inoffensive de pouvoir et, étant inoffensive, elle était acceptable. Le pouvoir irréfléchi, lui, n'était jamais acceptable.

Une centaine de dossiers se trouvaient sur son bureau, répartis en piles attachées par des rubans à rayures de couleurs différentes. Chaque ruban était en fait un code qu'elle était seule à connaître et dont la signification n'était notée nulle part. Seulement dans son cerveau, le coffre-fort le plus sûr… Ses catégories concernaient le comportement et couvraient les aptitudes au raisonnement, de la plus primitive à la plus élaborée. Du point de vue de ses confrères, le problème était que les catégories de Jess suivaient les lignes de force de ses théories, lesquelles étaient atypiques et radicalement personnelles. Sur ce plan, c'était une mauvaise collègue qui ne partageait pas. Mais ce projet, comme elle ne manquait jamais de le souligner, était indépendant de sa fonction de directrice, financé par une subvention qui lui avait été personnellement accordée, et si controversé qu'il lui était impossible de le dévoiler tant qu'elle n'aurait pas davantage de résultats.

— C'est beaucoup plus profond que le langage, dit-elle, les yeux fixés sur les piles, mais ça se manifeste dans le langage et je dois trouver les mots-clés. Les catalyseurs.

Une tête apparut dans l'encadrement de la porte.

— Entre, Walter, dit-elle sans quitter les dossiers des yeux.

— Je t'apporte d'abord un café, Jess.

Il revint avec une tasse en porcelaine d'excellent café brûlant, qu'il posa sur sa table de travail, puis il s'assit dans le fauteuil du visiteur, une jambe nue sur un des accoudoirs. De grande taille, il était en excellente forme physique : épaules larges, ventre plat, hanches étroites et jambes puissantes ; il portait un T-shirt et un short d'un gris terne sans marques distinctives. Ses cheveux blonds étaient très courts, comme ceux d'un Marine et ne faisaient, au bout du compte, que souligner son cou de taureau. L'expression de son visage lisse, aux traits réguliers, était aussi militaire que son attitude. Il s'appelait Walter Jenkins. C'était un interné qui ne pourrait jamais être libéré et le plus grand succès de Jess Wainfleet. Tout le personnel du service psychiatrique de l'IH savait qu'il était guéri, mais aussi que les arguments les plus éloquents ne permettraient jamais à Walter de retrouver la liberté. Personne n'était prêt à prendre le risque de le libérer, même pour un après-midi. Walter lui-même en était parfaitement conscient et acceptait son sort avec philosophie. Il n'avait quasiment connu que la prison et savait qu'il n'avait pas de raison de se plaindre. Ici, à l'IH, on l'avait guéri, c'était le plus important, et ici, à l'IH, il avait une vie intéressante et pouvait se rendre utile.

— Bonne fête? demanda-t-il, allumant une cigarette et la lui donnant, puis en allumant une pour lui.

— Superbe. Rufus a joué du Chopin... tu aurais adoré. Roger Dartmont était présent et a chanté... trop de vibratos dans la voix, aujourd'hui, naturellement, mais tout de même formidable. Rha n'est pas sympathique, mais ses salons justifient qu'on supporte ce désagrément. Ari lui-même le reconnaît. Fred et Moira étaient verts de jalousie... tout ce talent sous le même toit.

Le visage de Walter demeura sans expression, mais c'était normal. Ses yeux, d'un bleu-vert clair et lumineux, restèrent fixés sur elle avec une sincère... affection? Cette femme l'avait tiré de l'horreur d'une cellule capitonnée dans l'immeuble voisin et il était à son service.

— Jess, tu es trop fatiguée pour t'occuper de ça, dit-il, un soupçon d'autorité dans la voix. Prends un bon bain et couche-toi. Je rangerai les dossiers.

— Il faut que je travaille, répondit-elle, nerveuse. La vie est trop courte et je ne parviendrai jamais à la décrypter. Je cherche encore les catalyseurs verbaux.

— File, dit-il en se levant.

— Pourquoi as-tu toujours raison?

— Parce que tu m'as montré comment avoir raison. Allez!

Elle gagna la porte d'un pas lourd.

— La baignoire a-t-elle débordé?

— Pas encore, mais ça arrivera si tu traînes.

— Bonne nuit, Walter. Et merci.

Quand elle eut fermé la porte, il s'assit dans son fauteuil et s'assura que les piles étaient indexées dans le style inimitable de Jess; il indexa celles qui ne l'étaient pas. Puis il fixa l'épais dossier attaché avec un ruban indigo uni : son dossier. Demain, elle y indiquerait ses actes de cette nuit… d'autres voies apparaîtraient.

La porte du coffre étant ouverte, il rangea les dossiers exactement comme elle le faisait ; le dernier fut le sien. Puis il ferma le coffre et fit énergiquement tourner le disque. Que dirait Ari Melos s'il savait que Walter Jenkins, l'interné le plus dangereux de l'asile, connaissait la combinaison du coffre du docteur Wainfleet, ainsi que les codes de toutes les serrures de l'établissement ?

Une fois sorti, après avoir éteint la lampe de bureau à abat-jour vert, Walter ouvrit la porte du domicile illicite de Jess : lit vide. Oui, elle s'était endormie dans la baignoire ! Ayant ôté la bonde, il prit une serviette de bain sur une étagère, la déplia puis la drapa autour du corps nu de sa protectrice. Il la porta sans effort jusqu'au lit, la sécha, lui enfila sa chemise de nuit en coton et, enfin, la borda. À son réveil, le lendemain matin, elle ne se souviendrait pas de son intervention.

Il ne considérait pas cela comme de l'amour. Walter Jenkins n'éprouvait pas ce que les autres ressentaient et ne pouvait nommer ce qu'il éprouvait effectivement. Son monde n'était pas imaginaire, car Walter Jenkins ignorait que l'imagination existait. En fait, le monde de Walter ne se trouvait pas dans le même univers que celui des autres, même s'il ignorait totalement que tel était le cas. Jess avait, en réalité, appris à une force brute de la nature qu'il existait aussi, dans sa tête, une entité nommée Raison et avait, sans le savoir, suscité une émotion qu'il nommait Plaisir. Le Plaisir n'était ni l'animal en cage ni l'animal apprivoisé ; c'était l'intense sensation de bien-être qu'il ressentait à l'idée que les autres pensaient à l'animal en cage ou à l'animal apprivoisé. Son monde était désormais vaste, riche de sensations, et complexe. Et il avait découvert le plaisir exquis du secret. Jess le croyait guéri. Walter ne s'était jamais considéré comme malade. Jess croyait avoir

92

accompli un miracle. Walter savait qu'il n'y avait pas eu de miracle. Car leurs mondes ne se touchaient pas : ils se croisaient dans des univers différents.

En apparence, la vie de Walter était celle d'un interné à vie à qui l'on faisait confiance, qu'on admirait et, même, qu'on aimait. S'étant assuré que sa protectrice était en sécurité, que ses découvertes demeureraient siennes (et, aussi, siennes), ayant constaté que tout était en ordre au sein de l'IH, Walter suivit un des couloirs évoquant une coursive jusqu'à la porte anonyme de ses quartiers, où il se retira.

Il ne dormait pas vraiment ; il plongeait dans une sorte de transe qui le reposait et lui donnait un avantage sur tous ceux qu'il connaissait : en une milliseconde, il était lucide, prêt à agir. Walter Jenkins décontenancé ? Jamais !

Au réveil, Jess fut désorientée et heureuse de l'être ; la difficulté à émerger montrait qu'elle avait bien dormi, pour une fois, et pouvait envisager un dimanche paisible dans son bureau avec ses dossiers, l'esprit clair parce qu'elle était véritablement reposée. Elle se souvint vaguement que Walter l'avait envoyée se coucher et sourit. Il lui était difficile de définir Walter avant le début du traitement : un mélange de zombie et de forcené ? Il avait toujours eu de très graves problèmes, à telle enseigne que tous ses délits, à partir de treize ans, avaient été commis dans un établissement carcéral. Il venait des montagnes du sud, où les prisons étaient dures, mais Walter était un cas à part. Après qu'il eut kidnappé un gardien et deux détenus et se fut enfermé dans une cellule où il les avait torturés à mort, personne ne voulait plus l'approcher ; on n'était pas aussi prudent quand on nourrissait les tigres et les gorilles des zoos, parce que ces animaux étaient plus prévisibles. Lors de son dernier accès de fureur, il avait littéralement réduit un codétenu en bouillie.

Ayant appris son existence en 1962, dans une revue spécialisée, Jess Wainfleet fit des pieds et des mains pour obtenir son transfert à l'Asile. Concilier les juridictions fédérale et d'État fut un cauchemar, mais aucune prison ne voulait de lui et l'Asile, rénové en 1960 justement pour accueillir les Walter Jenkins du monde pénitentiaire, faisait gagner de l'argent à l'État lorsqu'il recevait des détenus fédéraux ou venant d'autres États. Hanrahan, le directeur, conclut un marché permettant l'embauche de personnel destiné à l'Asile et Jess Wainfleet eut Walter Jenkins. Deux raisons motivaient son enthousiasme : les neurochirurgiens avaient estimé que la lobotomie préfrontale resterait sans effet et, en vue de préciser l'état de son cerveau, il avait été exhaustivement étudié, subissant tous les examens connus lors d'un séjour, sous de fortes doses de sédatif, à Montréal. Selon les angiographies, les pneumo-encéphalographies, les ventriculographies et tous les autres examens, le cerveau de Walter était normal.

L'humanisation de ce monstre par le docteur Wainfleet était une légende dans certains milieux, mais cela ne s'était pas fait du jour au lendemain. Cela avait pris quatre ans. Au terme de ces quatre années, Walter était devenu un être humain capable de raisonner, qu'il était impossible de pousser à la fureur démente ; il était extrêmement intelligent, lisait de bons livres, aimait la musique classique et était aussi étonnamment éloquent. Cette aptitude à bien parler était stupéfiante car elle montrait que, même au plus fort de ses pires fureurs, une partie de son cerveau était encore capable de réflexion logique.

Il était maintenant «guéri» depuis presque trois ans et il n'y avait pas eu le plus petit indice de rechute. Son statut de détenu de confiance avait cédé la place à celui d'assistant officieux du docteur Wainfleet, mieux au fait des méthodes et des techniques de cette dernière que ses collègues psychiatres. Elle avait publié neuf articles sur lui et le présentait comme la preuve irréfutable de sa théorie, laquelle consistait à forcer des voies neuronales bien connues à emprunter des chemins très éloignés de leurs fonctions connues. Naturellement, son travail sur Walter bénéficiait d'un avantage que ses collègues ne pouvaient espérer égaler : sa connaissance de l'anatomie du cerveau, principalement des noyaux du raphé et des zones situées sous le néocortex. Jess Wainfleet n'était pas seulement psychiatre, elle était aussi neurochirurgienne et spécialiste de l'anatomie du cerveau.

D'une certaine façon, Walter était célèbre, même si sa renommée n'était que celle d'une «première» médicale et n'atteindrait jamais la population. Du point de vue de Jess, Walter était l'équivalent de la fission de l'atome.

Son coffre-fort était fermé… merci, Walter! S'il n'était pas arrivé, elle se serait endormie sur sa table de travail, parmi les dossiers auxquels elle seule (et Walter) pouvait accéder. N'importe qui aurait pu les prendre et les photocopier…

Personne, sauf elle, n'avait besoin de connaître le QI de Walter ni de savoir comment progressaient ses recherches sur les centres de la colère chez les primates… à eux seuls, ces deux dossiers étaient une mine d'informations. C'était elle qui commandait et elle n'avait pas la moindre intention de renoncer à ses prérogatives. Sur ce plan, Walter Jenkins était son meilleur allié.

Ivy arriva à l'heure du déjeuner mais, compte tenu de la direction prise par ses confidences pendant la fête, Delia n'était pas certaine qu'elle viendrait. Encore un peu enivrée par la musique et les conversations, Delia se contenta d'un menu tout simple : sandwichs au fromage, eau minérale et bon café.

— On passe à la collection d'automne lundi, dit Ivy, visiblement ravie de la simplicité du menu, et Rha est toujours d'humeur à dessiner des robes d'été. Mousseline à la Jane Austen pour les demoiselles d'honneur même si, bien entendu, ce que Jane Austen qualifiait de mousseline n'avait rien à voir avec la nôtre. Mabel ne se plaindra pas, mais Mavis et Margo vont s'arracher les cheveux.

— Mabel ? Mavis et Margo ? demanda Delia.

Ivy rit.

— Les mannequins de la vitrine ! Mabel est la jeune mariée, Mavis et Margo les demoiselles d'honneur. J'adore les mariages !

L'humeur sombre de la veille avait complètement disparu ; Ivy était joyeuse et détendue. Cela mit Delia dans l'embarras : fallait-il aborder le sujet ou le passer sous silence ? L'attitude d'Ivy suggérait que la seconde solution était préférable ; Delia décida de voir quel tour prendrait la conversation maintenant qu'elles avaient mangé les sandwichs et étaient assises près de la baie vitrée.

— Depuis combien de temps travailles-tu chez Rha Tanais Bridal ?

— Depuis l'ouverture… il y a quatorze ans, répondit Ivy, le visage radieux. C'est le grand jour pour toutes les femmes et je me trouve au beau milieu des préparatifs, des conflits, des rêves, des impossibilités et des possibilités. Tu sais, les clients de Rha Tanais Bridal n'achètent pas seulement une robe de mariée et la tenue des demoiselles d'honneur. Nous habillons aussi la mère de la mariée, ainsi que celle du marié, et nous avons un service chargé de coordonner les thèmes de couleurs, de recommander des lieux, de fournir des estimations aussi précises que possible. Tu n'imagines pas ce que les gens sont prêts à dépenser pour un mariage et je considère qu'une partie de ma fonction consiste à m'assurer qu'ils savent ce que ça va leur coûter.

— C'est un peu comme envoyer un enfant à l'université ? s'enquit Delia, fascinée. Il doit y avoir des tas de dépenses imprévues. Je suis heureuse qu'on leur dise quel sera le montant de la facture avant qu'ils soient obligés de s'endetter.

— Les plus jolis mariages sont souvent les moins onéreux, en fait. Les grosses réceptions mettent souvent à nu des aspects qui auraient dû rester cachés.

Une idée traversa l'esprit de Delia.

— Ivy, tu assistes aux mariages ?

Ivy fut étonnée.

— Toujours, quand ils ne se déroulent pas trop loin. Je colle les coupures de presse dans des cahiers et j'ai des albums photos. Les albums sont souvent très utiles parce que de nombreuses mariées ne savent pas très bien ce qu'elles veulent. Je les prends à part, je leur montre les albums correspondant à leur gamme de prix et je leur demande de me montrer ce qui leur plaît.

— Et dire que tout ça a commencé pour que les hommes soient sûrs que leur nouvelle épouse était vierge !

— Ne peut-on pas dire aussi que les enfants d'un homme doivent absolument être les siens ? Pour s'en assurer, il faut qu'il épouse une vierge et veille à ce qu'elle ne le trompe pas, dit Ivy.

— Déprimant.

— Mais très humain, Delia, tu dois le reconnaître. Les hommes tiennent à ce que leurs enfants soient vraiment les leurs et font tout leur possible pour s'en assurer.

— À mon avis, dit Delia, il existera bientôt un test de paternité infaillible. D'après Paul Bachman, le patron de notre labo, la découverte de l'ADN et de l'ARN est une avancée dans toutes sortes de directions qui ne seront pas des impasses.

Elle regarda Ivy et éprouva une vague sensation de regret, car elle avait pris sa décision : il fallait revenir sur le sujet de la veille.

— Hier, ma chère Ivy, tu étais très troublée et tu as commencé à me parler de ton père, Ivor. Mais quand tu m'as appris qu'il était à la fois hétérosexuel et homosexuel, je t'ai interrompue… ce n'était ni le lieu ni le moment. Aujourd'hui, je te rappelle ta tristesse pour une seule et unique raison : je suis convaincue que tu as besoin d'en partager la cause avec moi. Je ne sais pas de quoi il s'agit, mais je veux connaître l'histoire. Raconte !

À la surprise de Delia, l'humeur d'Ivy ne s'assombrit pas ; elle parut soulagée et même impatiente.

— Merci d'avoir abordé le sujet, Delia. J'avoue que, si tu ne l'avais pas fait, je n'aurais pas eu le courage de reprendre ce récit. Ivor ! Mon horrible père… Ce qui cadre le moins avec l'image que j'ai de lui, c'est notre mère. Je me suis creusé la cervelle dans l'espoir de comprendre pourquoi il avait épousé une géante attardée… surtout lui. En vain ! Il ne la traitait pas en épouse mais ne cachait pas qu'elle était sa femme.

— L'aimais-tu, Ivy ? L'appelais-tu maman ?

— Oh, Delia, j'étais perturbée ! Les enfants ne disposent d'aucun critère extérieur à leur expérience et je ne voyais pas d'autres enfants, ni même d'autres adultes, hormis ceux qui vivaient à Busquash Manor et Little Busquash. On me disait que cette énorme femme balourde était ma mère mais je l'appelais Madame, comme les domestiques. Quant à ce que je ressentais… elle me faisait peur. Oh, elle n'était pas méchante. Mais il était impossible d'avoir une conversation avec elle, surtout au niveau d'un enfant. Tout le monde trouvait cela bizarre, semblait croire que l'infantilisme de Madame lui aurait permis de communiquer plus facilement avec les enfants, mais tel n'était pas le cas.

— Tu as dit hier que tu te souvenais d'événements survenus alors que le docteur Nell était encore en vie, insista Delia.

— Oh, je me souviens d'événements survenus avant la mort d'Antonio III, en 1920! répondit Ivy, ajoutant à son âge des années que son apparence démentait. Ivor a toujours dominé Antonio, puis le docteur Nell et, plus tard, Fenella, la seconde Nell. Je t'ai raconté qu'il était devenu un peu fou après la disparition du docteur Nell, qu'il cherchait un testament qu'il n'a pas trouvé; mais, après l'installation de Fenella, il a repris ses esprits. Rétrospectivement, il est clair qu'il avait une aventure avec le docteur Nell, ainsi qu'avec Fenella, mais il avait également des aventures avec de beaux jeunes hommes.

Fascinée mais déconcertée, Delia fronça les sourcils.

— Quelle place occupaient les beaux jeunes hommes dans cette affaire? demanda-t-elle.

— Ivor les attirait comme une lampe les papillons de nuit, affirma Ivy. Je suppose qu'il fréquentait les endroits où ils se rassemblaient, en choisissait un, puis l'emmenait à Little Busquash. Après que le docteur Nell a hérité, ma mère a vécu à Busquash Manor, où elle était domestique ou dame de compagnie… peut-être Nell avait-elle pitié d'elle, je ne sais pas. Fenella l'a gardée et c'était donc Little Busquash qui abritait les aventures d'Ivor avec les jeunes hommes.

— Où vivais-tu, Ivy?

— À Little Busquash. Je haïssais Busquash Manor parce que Madame y vivait, je crois, et je le déteste encore aujourd'hui! L'Ivy que tu as vue là-bas, hier soir, était l'Ivy de l'époque de Nell, de Madame et de Fenella. Dès que j'y mets les pieds, les souvenirs affluent comme les clientes le premier jour des soldes.

Elle sourit et ses yeux couleur de bleuet restèrent paisibles.

— Sauf quand je fais la cuisine, ajouta-t-elle. La cuisine rend Busquash Manor supportable.

— Termine ton histoire, dit Delia. Tu n'as pas fini.

— Tu ne lâcheras pas le morceau, hein? Et, oui, je n'ai pas fini. Madame est tombée enceinte de Rha, qui devait voir le jour fin 1929. Trois mois plus tôt, Fenella avait été localisée et avait hérité de la fortune du docteur Nell. Fenella, elle aussi, était enceinte... les deux bébés sont nés à une heure d'intervalle, le 2 novembre. Rufus était celui de Fenella. Rha avait quelques mois quand Madame a fait une chute mortelle dans l'escalier. Fenella s'est chargée de Rha et l'a élevé avec Rufus; je n'ai donc eu, pendant son enfance, que de rares contacts avec Rha. J'étais coincée à Little Busquash avec Ivor, ses maîtresses et, plus souvent, ses amants.

— Quel beau jeune homme as-tu aimé? demanda Delia. Ton physique est impressionnant, Ivy, mais tu es aussi extrêmement séduisante. Si Ivor était bisexuel, je suis sûre que quelques-uns de ses jeunes amants l'étaient aussi.

— Exact! s'écria Ivy en frappant dans ses mains. Il s'appelait Lance Goodwin et il était aussi beau à l'intérieur qu'à l'extérieur... Cheveux bruns, yeux foncés, peau mate, un corps magnifique. Et doux, affectueux, Delia. C'est surtout cela qui m'a séduite! Naturellement, il espérait faire du théâtre... C'était en général grâce à cela qu'Ivor les piégeait. Les gens sont très naïfs, surtout quand ils sont beaux. Ivor était plus attiré encore par la personnalité de Lance que par son apparence... Il aimait corrompre les innocents et la majorité de ses jeunes hommes étaient inexpérimentés. Peut-être cela explique-t-il aussi Madame? Ivor tentant de corrompre une personne infantile?

— C'est possible, admit Delia. Mais on ne peut pas le prouver.

— En tout cas, il est parvenu à corrompre Lance, qui a finalement préféré mon père à moi. Horrible, n'est-ce pas? J'étais désespérée et je me suis ouvert les veines. J'ai mis longtemps à m'en remettre.

— Mais tu y es arrivée, sauf en ce qui concerne les visites à Busquash Manor.

— La mort d'Ivor, en 1934, m'y a aidée.

— Quand as-tu pu faire mieux connaissance avec Rha et Rufus?

— Après la disparition d'Ivor, même si Fenella ne m'a jamais aimée et n'encourageait pas les relations fraternelles. En réalité, je ne me suis vraiment rapprochée de Rha et Rufus qu'après la mort de Fenella, en 1950. Depuis, nous avons largement compensé les années perdues.

— Tu dois être enchantée de travailler pour Rha Tanais Bridal, dit Delia, sans parler des mariages.

— Je pourrais écrire un livre sur les mariages, répondit Ivy dans un rire.

— Pourquoi ne le fais-tu pas?

Ivy fut scandalisée.

— Jamais! Les pires tragédies seraient forcément les passages les plus intéressants.

— Ma chère Ivy, on ne se représente pas les mariages comme des tragédies.

— Deux jeunes filles que j'ai connues sont devenues veuves avant d'avoir quitté l'église. Un marié a succombé à une crise cardiaque devant l'autel, un autre a été abattu par l'ex-petit ami de sa femme.

— Brrr! Le côté sordide de la vie s'introduit partout.

Ivy rit.

— Ma chère Delia, on ne sait jamais ce qui sommeille sous la surface du mariage le plus éclatant, le plus magnifique: haine de la mère du marié pour la mariée, demoiselle d'honneur désespérant de trouver un jour un époux et ainsi de suite. Néanmoins, j'aime mon travail, j'adore mon frère et son univers, et j'ai pitié de Jess en raison de la triste obsession qui la pousse à se tuer au travail sans obtenir, je présume, beaucoup de remerciements.

— Et que penses-tu de Delia l'inspecteur, qui vient de te tirer les vers du nez?

— Je l'aime, mais je n'ai pas pitié d'elle.

C'est, songea Delia après le départ d'Ivy, au milieu de l'après-midi, un compliment. Bizarre qu'elle ait pitié de Jess.

Lundi 11 août 1969

Admiratif et ébahi, Abe Goldberg fixait les quatre portraits à l'acrylique posés sur la table à dessin. Se limitant à la tête, au cou et au haut des épaules, Hank Jones les avait peints grandeur nature. Et le jeune type extravagant avait eu parfaitement raison! En couleurs, représentés par une main qu'Abe soupçonnait d'être extrêmement talentueuse, les quatre Doe étaient, malgré les similitudes évidentes, spectaculairement différents.

— La couleur naturelle des cheveux de James Doe contenait assez de roux pour justifier la présence de taches de rousseur, expliqua Hank, et j'en ai donc saupoudré son visage… pas les horribles taches de rousseur d'un Poil de carotte mais celles, plus discrètes, qui accompagnent les chevelures auburn. Il restait quelques cheveux sur les crânes de John Doe Trois et John Doe Quatre ; c'est pourquoi, au bout du compte, j'ai fait quatre portraits : John Trois, John Quatre, James et Jeb. J'ai également réalisé des croquis au crayon de Jeb, pour que vous puissiez constater de vos propres yeux que la couleur est nettement préférable.

— Ils sont formidables, Hank, dit Abe d'une voix rauque, éberlué par le paysage se déployant devant lui en ce lundi matin.

Il avait tenu pendant tout le week-end sans la moindre cigarette et il était maintenant récompensé par un travail de cette qualité! Ses oreilles et son cou, eux-mêmes, lui procuraient une sensation agréable : il avait trouvé le temps de se faire couper correctement les cheveux. La coupe à la Prince Vaillant était bonne pour les adolescentes! Il avait dit à Betty qu'il porterait désormais les cheveux courts.

Les quatre Doe avaient une beauté androgyne, même si le temps aurait atténué les caractères féminins à l'approche de la maturité. À vingt ans, les hommes sont loin de la maturité physiologique ; celle-ci ne serait «fixée» qu'après trente ans.

Les cheveux de Jeb étaient coiffés à la mode de 1969 et donc longs, châtains avec des mèches plus claires à cause du soleil ; la peau était légèrement bronzée, les lèvres pleines et rose foncé ; il avait une ride sur la joue droite, une fossette au milieu du menton et son nez, sur le profil au crayon qu'Hank avait également réalisé, était très droit, de la longueur idéale. Les yeux, entourés de longs cils noirs, étaient d'un bleu vif sous des sourcils sombres et courbes.

James était le Doe aux cheveux auburn et au visage parsemé de taches de rousseur ; sa peau était plus rose et plus lumineuse, son nez joliment retroussé, ses sourcils plus en accent circonflexe que courbes. Hank avait ajouté une nuance de vert à ses yeux, qui restaient néanmoins bleus. Il avait une fossette sur la joue droite et une autre au menton.

John Doe Quatre avait les cheveux blonds, la peau sombre, les yeux très bleus, un nez légèrement aquilin, une fossette sur chaque joue, les sourcils courbes, mais pas de ride au milieu du menton. John Doe Trois avait les cheveux bruns parsemés de mèches plus claires, le nez droit, les yeux bleus, les sourcils courbes et des fossettes sur la joue droite et au menton.

— J'en ai fait un autre basé sur Jeb, dit alors Hank d'une voix hésitante, mais vous pouvez le brûler si vous voulez, Abe. C'est la personne qu'on pourrait considérer comme l'idéal du meurtrier, si vous voyez ce que je veux dire. Les cheveux noirs, par exemple. Il me semble qu'il aime la fossette au menton et la ride sur la joue droite, et qu'il préfère les sourcils courbes. Je lui ai donné des yeux d'un bleu pur et je l'appelle Désiré Doe.

Hank posa un autre portrait sur la table. Il avait tenté de lui conférer une personnalité mais, bizarrement, il n'en avait aucune; les pinceaux d'Hank ne pouvaient percer ce mystère. La couleur rendait le visage spectaculairement séduisant, mais c'était de l'argile avant la cuisson.

Liam et Tony avancèrent et examinèrent les portraits; ils gardèrent le silence et se contentèrent d'échanger des regards. Ce jeune homme étrange était un génie.

— Je vais demander au labo photo d'en faire des copies, dit Abe, mais je peux te dire où finiront les originaux.

— Dans les dossiers de Caterby Street? suggéra Hank, indifférent.

— Pas du tout! Ce sera le cadeau de Noël du personnel au directeur. Les murs de son bureau sont cruellement dépourvus de tableaux convenables et il sera fier que ceux-ci aient été réalisés par un flic.

— Abe lui-même n'est pas au-dessus de la flatterie, fit remarquer Liam avec un sourire.

Hank, qui plaçait des feuilles de papier calque entre ses portraits, rosit de plaisir. Waouh! Son travail dans le bureau du directeur!

Sur le chemin du labo photo, ils croisèrent Delia.

— Abattue, Delia? s'enquit Abe.

— Totalement. Les portraits ne signifient rien, j'en suis sûre.

— Courage, la réponse est quelque part.

Rha et Rufus se préparaient à recevoir Abe Goldberg, et cela se résumait à vérifier que les petits pains étaient frais et la salade au homard parfaitement assaisonnée ; il déjeunerait avec eux.

Se considérant maintenant comme un habitué, Abe demanda à faire le tour du propriétaire et visita les moindres recoins de Busquash Manor.

— Disposer de ce lieu a été une bénédiction, dit Rha à Abe, au dernier étage. À la grande époque, il fallait trente-trois domestiques pour faire marcher cette maison… l'étage, le rez-de-chaussée, les appartements de Madame et tout le tralala. Six personnes en cuisine ! Ce niveau était un labyrinthe de petites chambres, que je qualifierai plutôt de grands placards, et les sexes étaient séparés… Le majordome ne dessaoulait jamais, mais la gouvernante était une directrice de prison qui régentait tout d'une main de fer. Quand nous avons hérité, il était fermé depuis longtemps mais en bon état et se prêtait parfaitement à la conservation de nos costumes… En fait, cet étage nous a permis de nous lancer dans la location de costumes.

Il ouvrit une porte sur laquelle était indiqué VALHALLA, dévoilant des portants chargés d'ensembles qu'Abe supposa destinés à des Vikings ainsi que des casques à ailes et cornes.

— Ils prennent l'air quand un opéra monte le *Ring* de Wagner, dit Rufus.

CROISADES dévoila des armures pour chevaliers et chevaux ; COURTISAN abritait les satins et les dentelles de l'Angleterre des Stuarts.

— Les costumes féminins ne sont pas entreposés avec ceux des hommes, dit Rha. Les opéras nous adorent.

— L'entretien de tout cela doit être un cauchemar, indiqua Abe. Nettoyage, réparations, logistique !

— Nous possédons un immeuble, à Millstone, où est installé notre personnel… C'est pour cette raison

106

que nous avons un vrai parking. La direction n'y vit pas, mais il y a continuellement des jeunes gens cherchant du travail aux frontières du show-biz et ils se forment effectivement pendant leur séjour ici. Nous donnons de nombreux cours, Rufus et moi.

— Je n'aurais jamais cru que vous étiez un gros employeur, Rha.

— Rares sont ceux qui sont au courant, mais pourquoi le seraient-ils?

Ils déjeunèrent dans ce qu'Abe surnommait la pièce Mae West, buvant de l'eau minérale pétillante et du café ; puis on passa aux choses sérieuses.

— J'ai besoin d'un mur nu ou d'un tableau d'environ un mètre quatre-vingts de long, dit Abe en tapotant sa serviette, et bénéficiant de la lumière du jour. J'utiliserai du double face et il n'y aura donc pas de risque de traces. Montrez-moi l'endroit et laissez-moi faire. Il ne faut pas que vous voyiez ce que je vais vous montrer avant le moment propice. D'accord?

— D'accord, répondit Rufus avec gravité.

Ayant conduit Abe dans un couloir éclairé par un vasistas et aboutissant à un mur vide correspondant parfaitement aux besoins du lieutenant, Rha et Rufus allèrent débarrasser la table.

— C'est bon, je suis prêt! cria Abe quelques instants plus tard.

Malheureusement, le couloir était si étroit qu'il ne verrait pas leurs visages de face quand ils découvriraient les portraits ; Abe devrait se concentrer sur la respiration, les gestes et l'atmosphère. Mais, au bout du compte, ce fut sans importance.

— Nom de Dieu! jura Rha.

— Nom de Dieu! répéta Rufus.

— Lequel reconnaissez-vous? demanda Abe.

— Tous, s'écria Rha, qui vacilla. Je dois m'asseoir, Abe. Plus on est grand, plus la chute est rude. S'il vous plaît!

Rufus se plaça près de Rha et le soutint, sans se soucier d'Abe, qu'il poussa sur le côté.

— Apportez les portraits, dit-il.

S'appuyant sur Rufus, Rha passa devant plusieurs portes, puis son compagnon en ouvrit une qui donnait sur un salon faisant aussi office de bibliothèque; Rufus installa son ami dans un fauteuil profond, les pieds sur un repose-pieds et les genoux fléchis tandis qu'Abe, près d'un bar roulant, versait du cognac dans un verre.

— Tenez, Rha, buvez. Ça vous fera du bien.

— Oui, Rha, bois… *tout de suite*, insista Rufus.

Par-dessus son épaule, il dit à Abe :

— Comme chez toutes les personnes de grande taille, il y a des parties qui ne marchent pas très bien.

— Un médecin?

Rufus regarda attentivement son ami puis secoua la tête.

— Non, le cognac suffira.

— Je suis désolé, j'aurais pris des précautions si j'avais imaginé que les portraits produiraient un tel choc. Croyez-moi, les gars, ce n'était pas un stratagème de flic : je ne ferais pas ça à des gens dont j'ai partagé le repas, dit Abe, qui se sentait coupable… mais éprouvait aussi la sensation d'avoir remporté une victoire.

— On n'en doute pas, affirma Rufus en se forçant à sourire. Bon Dieu, Abe, quel choc! Ces sympathiques jeunes hommes… ce sont des victimes?

— Rha tiendra-t-il le coup? Dois-je revenir plus tard?

— Pas question! intervint Rha, qui reprenait des couleurs.

Il posa un pied sur le plancher, se redressa et murmura :

— Ça va, Abe, et je préfère en finir maintenant.

Il prit la main de Rufus et la serra.

— Asseyez-vous, ajouta-t-il. Tous les deux. Ça va, donnez-moi seulement le temps de trouver mon souffle.

S'installant dans un fauteuil, Abe décida que l'attente serait moins longue si Rha et Rufus pouvaient reprendre leurs esprits sans penser aux Doe. Il se tourna vers Rufus.

— J'ai l'impression que votre nouvelle comédie musicale destinée à Broadway vous déçoit un peu?

— À peu près autant qu'Épicure le serait face à un toast rassis, et c'est un toast rassis, répondit Rufus, comprenant ce que faisait Abe. Les temps changent, Abe. Si on montait *Annie du Far West* en 1969, je me demande quel serait son succès. *Hair* a lancé une nouvelle mode et les spectacles off-Broadway sont de plus en plus osés. Le public commence à demander du sexe et de la nudité et, même si les auteurs de notre production ont bonne réputation, le spectacle ne va pas casser la baraque, aucun doute là-dessus. Si vous posiez la question au docteur Jess Wainfleet, elle vous répondrait sans doute que nos cerveaux évoluent en vue d'analyser l'information de plus en plus vite et que les spectacles dont l'action s'interrompt pour laisser la place à un morceau de bravoure sont moribonds. De plus en plus, les spectateurs veulent que l'action se poursuive pendant les morceaux de bravoure. *West Side Story*, ce n'était pas seulement *Roméo et Juliette*... Jerome Robbins a rendu la danse vraiment passionnante et Bob Fosse a électrisé Broadway. *King Cophetua* nous semble vieux et fatigué, Abe, c'est aussi simple que ça. C'est un spectacle des années 1950.

— Suffit, suffit! intervint Rha en transférant son impressionnante stature dans un fauteuil moins profond.

— Je vous enverrai des billets pour les meilleures places lors de la première, conclut Rufus.

— On aime les spectacles des années 1950, ma femme et moi, et on adorera. Prêt, Rha?

— Un peu secoué, mais ça va.

Rha tendit la main et prit les quatre portraits. Il leva Jeb Doe.

— Voici Nick Moore. À peu près dix-neuf ans. Il est resté six mois avec nous et il est parti pour L.A. en mars dernier pour tenter sa chance au cinéma.

Il attendit qu'Abe eût fini de prendre des notes et leva le portrait de James Doe.

— C'est Gene Bierbaum. Vingt et un ans. Il est resté ici... trois ou quatre mois l'année dernière et nous a quittés en septembre 1968 après avoir obtenu le rôle principal d'une pièce, à Calgary, sa ville d'origine. Beaucoup de nos jeunes viennent du Canada.

Il leva John Doe Quatre.

— Ce type, lui aussi, était canadien. Il s'appelait Morgan Lake. Si mes souvenirs sont bons, il avait vingt ans. Il venait de Toronto. Il est resté huit mois, puis il est retourné de l'autre côté de la frontière. Il est probablement parti fin 1967. Nic Greco aura toutes les informations les concernant : numéro de sécurité sociale, copie des feuilles de paie. On lui téléphonera pour lui demander de coopérer.

Abe prit rapidement des notes puis se redressa, curieux.

Rha leva John Doe Trois.

— Ce n'est pas son portrait craché, mais qu'en penses-tu, Rufus ? Rafe Caron ?

— Oui, c'est sans doute Rafe, souffla Rufus.

— Dans ce cas, il est arrivé début 1967 et il est parti en février. Il avait environ vingt ans. Je me souviens qu'il était terriblement ambitieux. Un danseur, un bon, mais avec le désavantage de jambes maigres... il essayait sans cesse de muscler ses mollets. Je crois qu'il est parti pour la côte Ouest.

— Ces visages et ces noms ne figurent pas dans les fichiers des personnes disparues, fit remarquer Abe.

— Franchement, il me semble logique qu'ils n'y soient pas, répondit Rha, qui paraissait avoir complètement récupéré. À cet âge et avec ce physique, les jeunes des deux sexes ne tiennent pas en place. Dans les années qui suivent leurs vingt ans, ils cherchent la chance de leur vie, qu'ils ne peuvent naturellement pas trouver à cet âge... il faut travailler son jeu et son image, être reconnu par les directeurs de casting et recruté par un agent... Les pièges et les embûches sont légion. Il faut toujours ajouter cinq ans à l'âge auquel on prétend que le succès est arrivé. Les rock-stars sont plus jeunes, mais ils ne traînent pas devant l'entrée des artistes ou sur les canapés des agences de casting. Et, alors que les tragédies rapportées par les journalistes impliquent souvent des filles, il arrive tout aussi souvent que des garçons finissent mal. Et je présume que ces malheureux jeunes hommes n'étaient même pas de beaux cadavres.

— Exactement l'inverse, dit Abe. Je suppose que leurs parents ne sont pas au courant de leur disparition?

— Rares sont nos jeunes qui reconnaissent avoir des parents, répliqua Rufus. Les familles n'approuvent généralement pas l'idée d'une carrière fondée sur le visage et le physique. Les mères et les pères veulent que leurs enfants aient un emploi stable avec un avenir prometteur. Par conséquent, presque tous sont partis malgré la désapprobation, sinon à la suite de violentes querelles.

— Oui, je comprends. Se pourrait-il que d'autres aient disparu?

— Pour le moment, Abe, je ne vois personne.

— Combien de jeunes gens séjournent à Busquash Manor chaque année?

— En 1968, nous en avons eu quarante-deux. Les séjours se sont étalés d'une semaine à dix mois, précisa Rha, qui se leva. Je vais appeler Nic Greco.

— Dans une minute. J'ai un cinquième portrait représentant une personne hypothétique qui n'existe sans doute pas, dit Abe, cherchant le portrait de Désiré Doe dans sa serviette. Notre dessinateur a étudié les similitudes des visages des jeunes hommes et représenté le visage de celui que, selon lui, le meurtrier voyait en imagination.

Abe donna une grande enveloppe à Rufus, qui était plus près de lui.

Cette pièce était également bien éclairée mais, à l'instant où l'enveloppe quitta la main d'Abe, un grain aussi soudain qu'imprévu fouetta les vitres; Rufus, Abe et Rha sursautèrent, puis Rufus rit comme s'il avait honte d'avoir eu peur.

Quand le portrait fut sorti de l'enveloppe, ce fut au tour de Rufus de se sentir mal; il le donna à Rha, puis posa la tête sur l'épaule de son ami, le visage caché contre le cou de son compagnon. Le bras gauche sur les épaules de Rufus, Rha tendit le droit afin d'examiner le portrait.

— Prénom In, nom Connu, dit-il d'une voix ferme. C'est M. In Connu, le père de Rufus.

Abe était allé chercher un second verre de cognac.

— Je suis sincèrement désolé, Rha. Jamais je n'aurais imaginé que ma serviette contenait toutes ces épreuves. Comment savez-vous que c'est M. In Connu?

— Retournez dans l'entrée, prenez le couloir à gauche du grand escalier, suivez-le jusqu'au bout et ouvrez la porte aux panneaux couverts de papier à motifs de roses. Vous serez dans le salon de Fenella Carantonio. Notre exemplaire de ce portrait est accroché au mur. Rapportez-le, dit Rha, inquiet pour Rufus. Il ira mieux à votre retour.

Abe sortit; Rha caressa la belle chevelure sur un rythme plein de tendresse et ne cessa que lorsque Rufus se redressa, s'assit sur le bras du fauteuil de Rha et prit une profonde inspiration.

— Oh, Rha, qu'est-ce qu'on va faire? souffla-t-il.

— Garder notre calme, Rufus, mon amour. Rester calmes!

— Avons-nous eu raison de parler? Je suis pétrifié et tu dois être fou d'inquiétude.

— L'honnêteté est la seule issue, mon très cher ami. Calque ton attitude sur la mienne et on s'en sortira. In Connu n'existait pas et son frère jumeau, Per Sonne, pas davantage. Tenons-nous-en à la vérité telle que nous la connaissons. C'est à mon tour d'être lucide, au tien d'être désorienté. N'oublie pas: toujours la vérité! Nous ne pouvons pas nous permettre de nous embourber dans les mensonges.

— Donne-moi une gorgée de cognac.

Au retour d'Abe, Rufus, toujours serré contre Rha, buvait du cognac.

— Qui est-ce? demanda-t-il. Il a bien fallu que cet homme pose: ce portrait n'a rien d'imaginaire. C'est une vraie personne.

La pièce qu'on lui avait indiquée était un boudoir somptueux en rose, blanc, rouge et doré, aux murs tapissés de papier à motifs de roses, meublé en Louis XV, au parquet couvert de tapis d'Aubusson; une retraite intensément féminine destinée à émasculer les hommes en cinq minutes. Le portrait d'In Connu était accroché au milieu d'un panneau blanc, sa présence sombre et inquiétante contrastant avec l'esprit même de la pièce. Il avait été exécuté par un peintre européen comprenant et appliquant les techniques des maîtres de la Renaissance. Cela ne remettait pas Hank Jones en cause; les portraits étaient les produits de deux écoles complètement différentes. Le plus ancien, à l'huile et aux coups de pinceau dignes d'un musée, dévoilait In Connu sous un jour qui avait échappé au jeune dessinateur.

La chevelure de l'homme était épaisse et noire, coiffée en arrière en ondulations naturelles, et touchait le col de sa chemise. Ses oreilles étaient petites, élégantes, plaquées contre la tête, et les os du crâne rappelaient ceux d'Adonis. Une peau très bronzée lui conférait une dureté nécessaire tant étaient délicates les courbes de sa bouche et la finesse de son nez ; ses pommettes rivalisaient avec celles de Jules César. De minces sourcils courbes soulignaient un front haut et il y avait une légère fossette au milieu de son menton ainsi que sans doute, lorsqu'il était détendu, une ride sur sa joue droite. La différence essentielle entre In Connu et Désiré Doe résidait dans les yeux, qu'Hank avait faits d'un bleu intense alors que ceux d'In Connu étaient si foncés qu'ils semblaient noirs. Dans le portrait de Fenella, ils avaient pour effet de transformer Lucifer en Méphistophélès : inquiétants, lourds de secrets, d'une méchanceté innée. L'incarnation masculine de la beauté… et du danger.

— Si vous l'aviez croisé, vous vous souviendriez de lui, dit Abe, qui n'en revenait toujours pas.

— Je suis parfois convaincu de bien le connaître et, à d'autres moments, je suis sûr de ne jamais l'avoir vu, dit Rha. Compte tenu de l'âge de Fenella, et du fait qu'il est considéré comme le père de Rufus, nous ne nous souvenons pas de lui.

— Quand Fenella lui a annoncé qu'elle était enceinte, il a refusé de reconnaître sa responsabilité et elle ne l'a pas revu, ajouta Rufus.

Abe examina le visage de Rufus, si concentré qu'il fronça les sourcils.

— Malgré tous mes efforts, je ne vois rien du visage d'In Connu sur le vôtre. Vous êtes séduisant, mais pas de la même façon. Ressemblez-vous à Fenella ?

— Pas vraiment. Elle était très blonde… C'est le portrait qui se trouve en haut du grand escalier.

— Dans ce cas, vous ne ressemblez à aucun de vos parents.

— J'ai été échangé à la naissance, Abe, dit Rufus avec un sourire. Je présume que je suis son fils… elle m'a laissé sa fortune. Je l'aimais mais, quand sa maladie s'est déclarée, elle était en mauvaise santé depuis longtemps et c'était un amour à distance, si vous voyez ce que je veux dire. Nous avons été élevés, Rha et moi, par des nounous, des nurses, des gouvernantes et des précepteurs.

Le cœur d'Abe se serra.

— Pas vraiment de vie de famille, hein?

Rufus rit.

— En fait, on en avait une. Nous sommes nés le même jour et nous avons toujours pu compter l'un sur l'autre. Comme nous sommes gays, vous croyez sans doute que nous avons été maltraités pendant notre enfance, mais ça n'a pas été le cas. Nous croyons qu'on est simplement… nés comme ça.

Refusant de creuser ce sujet, Abe se concentra sur In Connu.

— Donc, seule Fenella a connu cet homme?

— Tout ce que je peux vous dire, c'est qu'une aura de crainte l'entourait… Sous l'influence de Fenella, tout le monde avait peur de lui. Et Ivor était là… une crapule, lui aussi. On se cachait, Rufus et moi, quand il était présent à Busquash Manor.

Un frisson, chez une personne aussi massive que Rha, a de quoi impressionner. Abe regarda, ébahi, Rha frémir.

— Le seul père que vous ayez connu vous faisait peur, c'est ça?

— Il nous terrifiait tellement qu'on ne se souvient pas de lui. Si vous nous montriez une photo d'Ivor, on ne le reconnaîtrait pas.

— Oh, c'est triste! s'écria Abe, qui pensa à ses fils.

Le métier de flic permettait de constater presque quotidiennement que le monde compte de nombreux mauvais parents, mais Betty et lui tenaient à ce que leurs garçons prospèrent dans un mélange équilibré de liberté et de discipline. Jusqu'ici, ça marchait… mais ça exigeait beaucoup de travail.

— Quelle part de votre personnel connaît l'existence d'In Connu? questionna-t-il.

— Tous ceux qui restent plus d'un mois sont forcément au courant, répondit Rha. Le salon de Fenella est une sorte de sanctuaire et les jeunes les plus responsables sont chargés de l'entretenir pendant une ou deux semaines. Tous trouvent que le portrait n'y a pas sa place et posent des questions. Ivy sait qu'il existe, naturellement, et Jess aussi. Nos soutiens de longue date, tels que les Kornblum et les Tierney.

— Nic Greco, ajouta Rufus, toujours choqué.

— Racontez-vous l'histoire lorsqu'on vous le demande?

— Sans rien cacher, admit Rha. L'histoire des Carantonio est intéressante et In Connu est assurément son homme-mystère.

— Vos quatre victimes savaient, ajouta Rufus. Elles avaient toutes fait le ménage dans le sanctuaire de Fenella.

— Quand Fenella est-elle décédée et comment?

— En 1950. Nous avions vingt ans, Rha et moi. J'étais premier danseur dans une compagnie appelée Ballet Bohème et Rha venait d'ouvrir sa boutique à New York, à quelques centaines de mètres de Bloomingdale's… Rha Tanais. Il proposait des vêtements destinés aux femmes fortes; il était endetté jusqu'au cou et misait tout sur ce qu'il exposait dans sa vitrine. C'était génial! La nouvelle s'est répandue plus vite qu'un feu de brousse. J'en avais assez du ballet et j'avais envie de travailler avec Rha. Le plus étrange est que Rha a connu le succès trois mois avant le décès de Fenella.

— Espériez-vous hériter, Rufus?

L'expression des yeux kaki ne changea pas.

— À l'époque, non. Fenella ne s'opposait pas à notre homosexualité mais ne voulait pas que nous quittions Holloman. Elle était mourante, la pauvre, et nous le savions, mais nous avons refoulé cette idée. Oh, il n'y a pas eu de disputes, mais on savait qu'on devait quitter Holloman pour faire quelque chose de notre vie et la malédiction des longues maladies est qu'on ne croit jamais vraiment que le malade va mourir. En ce qui concerne l'argent – nous avons eu des précepteurs et nous ne sommes pas allés à l'université –, il ne nous semblait pas réel. Elle ne nous offrait pas de cadeaux ou de jouets onéreux et ne nous donnait pas d'argent de poche quand nous vivions à Busquash Manor.

Il sourit et reprit :

— Elle n'aurait pas pu mieux faire, mais je ne crois pas qu'elle ait essayé. On est arrivés à New York à dix-sept ans, on a travaillé comme des dingues et on a eu de la chance.

— Et la maladie de Fenella ?

— C'était une maladie chronique et le mot employé nous était totalement étranger : démyélinisation. Elle a été progressivement privée de l'usage de son corps et s'est finalement retrouvée dans un poumon d'acier. C'est arrivé alors que nous avions dix-sept ans et nous ne pouvions rien faire pour elle, hormis rester à son chevet. Nous ne sommes pas fiers de ce que nous avons fait, mais on l'a fait… on a fui. La mort lente, pendant des décennies.

— Quel âge avait-elle ? demanda Abe.

— Elle était née en novembre 1908, le jour où son père, Angelo Carantonio, a trouvé la mort sur un passage à niveau. Donc, en mai 1950, elle avait quarante-deux ans.

Rufus grimaça et ajouta :

— Elle en faisait mille.

117

Il fixa Abe, une lueur de défi dans le regard, et conclut :

— À ma connaissance, la police ne s'est pas intéressée à sa mort. Des tas de médecins la soignaient depuis quinze ans.

— Merci, dit Abe avec un grand sourire propre à désamorcer le défi de Rufus. Je suis obligé de poser la question.

— Évidemment ! s'écria Rha. Entre votre affaire et celle de la délicieuse Delia, Abe, vous êtes face à un déluge de disparus des deux sexes.

Il leva les yeux au ciel et reprit :

— N'avons-nous pas tous eu une envie folle de disparaître à un moment ou à un autre, comme a dit l'évêque surpris en compagnie de la danseuse, leurs sous-vêtements à leurs pieds ?

— Je donnerais cher pour voir ça, dit Abe avec gravité. Mais revenons à nos moutons. J'ajoute In Connu et le docteur Nell Carantonio à la liste de nos disparus.

— Pouvons-nous avoir des tirages des photos, Abe chéri ?

— M'appeler chéri pourrait justifier votre arrestation, alors abstenez-vous.

— Désolé, fit Rha avec un sourire impertinent.

— Nom de Dieu ! s'écria Abe, qui leva les yeux au ciel puis s'en alla.

Dans l'entrée, Rha et Rufus regardèrent le portrait de Fenella, jeune femme maigre, blonde et anémique parmi des nuages de tulle blanc vaporeux.

— Qu'est-ce qu'on fait maintenant ? demanda Rufus.

— Qu'est-ce qu'on peut faire ?

— Au moins, il faut avertir Ivy.

— Ça va sans dire, mais personne d'autre.

— En tout cas, pas dans la situation actuelle.

— Ivy sera terrifiée si tout ça refait surface.

— Si ça arrive, personne n'y pourra rien, dit Rha d'une voix dure. Cette fois, il sera impossible de se mettre à l'abri. Abe Goldberg est trop fort.

Tandis qu'Abe filait toutes voiles dehors, Delia, malheureuse, avait conscience d'attendre le vent et de ramer. Elle avait établi que l'auteur des portraits des Ombres n'avait pas d'ambitions professionnelles ; les clichés étaient simplement destinés à ses archives. Maintenant, elle n'avait plus rien à faire.

Après avoir déjeuné seule, elle monta dans sa voiture banalisée puis prit la route de l'IH et de l'Asile, Jess lui ayant dit qu'elle était, elle aussi, dans une impasse et qu'un peu de compagnie lui ferait du bien. À la vérité, Delia avait envie d'une promenade en voiture et Jess, dans son for intérieur, haïssait le temps gaspillé en bavardages.

L'Asile n'était pas une grande prison ; l'établissement d'origine était scandaleusement surpeuplé, abritant cent cinquante détenus ; après la rénovation, en 1960, cent cellules logeaient cent détenus, un par cellule, dans un cadre rigide beaucoup plus strict que celui des prisons de haute sécurité. Les détenus n'étaient pas en contact les uns avec les autres ; une multitude de petites salles de gymnastique leur permettaient de se maintenir en forme et ils prenaient leurs repas dans leur cellule, lesquelles étaient presque toutes capitonnées. L'existence de plusieurs produits chimiques capables de les calmer rendait la tâche des gardiens moins dangereuse, mais aucun membre du personnel n'aurait qualifié l'établissement d'agréable ou de sûr.

Il se trouvait dans une sorte de parc de sept hectares. L'Asile proprement dit comportait deux bâtiments situés de part et d'autre de l'unique portail et l'IH se dressait trois cents mètres plus loin, à l'extrémité d'une route fermée ; l'essentiel de la surface totale était inutilisé. La cause en était les murailles, édifiées en 1836 par les détenus, si robustes, épaisses, inexpugnables qu'en 1960, alors que le terrain avait pris de la valeur, aucun responsable ne voulut prendre le risque d'autoriser la construction coûteuse d'un mur neuf autour d'une surface plus réduite. Les fortifications entourant l'Asile faisaient dix mètres de haut, étaient si larges au sommet que de petits véhicules pouvaient y circuler et comportaient dix tours de guet rondes de six mètres de diamètre. La base de la muraille était creuse et, vues d'hélicoptère, les fortifications étaient en forme de larme, la pointe étant au point de contact de la forêt et de ce qu'il restait de cette dernière à l'intérieur. Cet endroit sinistre se situait à la limite du comté d'Holloman, au nord-ouest, où les gens n'avaient pas envie de vivre en raison de l'humidité et de l'exposition au vent du nord. La taille minimale des parcelles aux alentours était de deux hectares, et la forêt cachait donc tout sauf les tours de guet.

L'entrée se trouvait sur Millington et avait toutes les caractéristiques de celle d'une prison : portail métallique énorme ne s'ouvrant que pour laisser le passage aux autocars, aux engins de chantier et aux gros camions, portail plus petit réservé aux voitures, camionnettes et petits camions, et porte équipée d'un tourniquet, réservée aux piétons, donnant sur un court tunnel. À son extrémité, il y avait des salles de réception et des bureaux placés sous la protection de gardiens armés de pistolets et de fusils d'assaut. La muraille et les tours de guet étaient creuses.

Autorisée à entrer quand elle eut montré son insigne doré d'inspecteur, Delia se gara puis gagna le bureau qui lui avait été indiqué, où elle laissa son 9 mm Parabellum ainsi que son calibre .22, et demanda le docteur Jess Wainfleet.

L'IH avait été construit pendant la rénovation de l'Asile et son apparence semblait un peu plus élégante que celle des bâtiments publics ordinaires, même s'il était rectangulaire et modérément vitré. Compte tenu de la nature des patients, il avait fallu renforcer les vitres et les traiter pour qu'il fût impossible de les briser, et cela s'était révélé très onéreux. L'architecte avait revêtu les murs d'une pierre intéressante et, dans l'ensemble, le résultat était plutôt réussi.

Le chemin courbe conduisant de l'Asile à l'IH était désert, cependant une voiture de patrouille la dépassa lentement; la seule autre silhouette visible était également à pied et se dirigeait vers elle à grands pas. C'était un homme en T-shirt et short gris, qui ne portait pas de chaussures et ne paraissait pas s'apercevoir que le soleil d'août créait des ondes de chaleur au-dessus du goudron fondu… Le dessous de ses pieds doit être en amiante, pensa-t-elle. Un spécimen physiquement superbe, à l'aspect vaguement militaire, qu'il était impossible de considérer comme un détenu. En outre, les détenus, même ceux de l'IH, n'étaient pas autorisés à sortir du bâtiment. Bel homme, en plus, songea-t-elle lorsqu'il arriva près d'elle, le visage toujours inexpressif. Mais non, il venait bien à sa rencontre! Il s'arrêta à un mètre d'elle et la salua d'un hochement de tête.

— Sergent Castairs? demanda-t-il.

— C'est moi.

— Le docteur Wainfleet m'a envoyé vous chercher. Elle n'est pas dans son bureau en ce moment mais vous y rejoindra le plus vite possible.

Courtoisie parfaite, mais aucune émotion. Qui était-ce?

— Qui êtes-vous, monsieur? s'enquit-elle poliment.

— Walter Jenkins. Je suis l'assistant du docteur Wainfleet.

— Enchantée, monsieur Jenkins.

121

Ils firent le reste du trajet en silence. Jenkins installa Delia dans un fauteuil confortable, lui apporta un café nettement supérieur à celui qu'on trouve en général dans les établissements d'État et il l'aurait laissé feuilleter les revues spécialisées posées sur la table basse si elle n'avait pas levé une main.

— Quelles sont les attributions de l'assistant du docteur Wainfleet ? interrogea-t-elle, souriante.

Son visage demeura impassible ; c'est, pensa Delia, comme si des engrenages devaient tourner pour produire une réponse.

— D'abord et surtout : faire du café, répondit-il, mais pas sur le ton de la plaisanterie. J'ai des facultés mémorielles qu'elle trouve très utiles… D'après elle, ma mémoire et la sienne se complètent comme le tenon et la mortaise, et le pouvoir de leur association est en fait supérieur à la somme des deux.

— N'est-ce pas ce qu'on nomme Gestalt ?

— Tout à fait. Êtes-vous psychiatre ?

Il posa la question sans véritable curiosité, comme s'il avait besoin que les engrenages continuent de tourner.

— Grand Dieu, non ! Je suis dans la police.

Il hocha la tête, pivota sur les talons et sortit sans laisser à Delia le temps de poursuivre son interrogatoire.

Deux minutes plus tard, Jess entra, Walter derrière elle avec une tasse de café qu'il lui donna. Elle se pencha, embrassa Delia sur la joue puis adressa un large sourire à son assistant.

— Merci, Walter.

Elle se tourna vers Delia et demanda :

— Tu as les clés de ta voiture ou tu les as laissées à l'entrée ?

— Je les ai.

— Donne-les à Walter. Il amènera ta voiture ici pour t'éviter de la rejoindre à pied sous cet horrible soleil. C'est ta Mustang ou ton véhicule de fonction ?

— Une Ford bleue à la place n° 9, répondit-elle en tendant ses clés à Walter, qui sortit immédiatement. Quel personnage étrange ! J'aimerais voir le portrait qu'en ferait notre nouveau dessinateur. Hank adore les robots.

Jess se figea ; ses yeux noirs de biche exprimèrent la stupéfaction, puis l'inquiétude.

— Les robots ?

— Non, je n'aurais pas dû dire cela. Ce n'était pas gentil. Je présente mes excuses à M. Jenkins qui, en plus, me rend un service !

— Pourquoi as-tu employé robot ? insista Jess.

— Son absence de chaleur ? Ou d'émotion ? Il marchait pieds nus sur le goudron, Jess, et ne semblait pas ressentir la douleur. L'image qu'il a suscitée en moi était peut-être celle du soldat parfait… tu sais, totalement brave parce qu'il ignore la peur, insensible aux petits désagréments qui affectent les gens ordinaires. Si tu pouvais le cloner – le clonage n'est-il pas le but des grosses têtes de la génétique ? –, l'armée américaine serait au septième ciel.

— À t'entendre, c'est le monstre de Frankenstein.
Delia frissonna.

— C'est ce qu'il est, Jess ?

— Non, mais c'est un détenu.
Jess se mordit la lèvre et reprit :

— Je viens de te donner une information que tu ne peux, faute de compétences, juger et évaluer. Walter est top secret.

— Ton secret ne risque rien, mais explique.

— Walter était un véritable fou meurtrier mais j'ai trouvé la clé de son syndrome et, en quatre ans, je l'ai guéri. Il lui reste encore des progrès à faire mais le Walter que tu as vu est à des millions de kilomètres du Walter qu'il était. Sous mon autorité et avec l'accord du directeur, Hanrahan, Walter peut aller et venir dans l'Asile et le parc… mais, naturellement, il ne pourra jamais franchir la muraille. Tout le monde le connaît, le soutient, et mes résultats comblent mon équipe de joie. Le problème est que le coût du traitement de patients tels que Walter est presque prohibitif et que je dois suspendre mes projets relatifs à lui tant que je n'aurai pas élaboré des techniques plus économiques. Todo et ses impôts décident, et à juste titre. Mais je donnerais ma vie pour protéger Walter. D'une certaine façon, Walter est ma vie. C'est pourquoi ton opinion sur lui est très importante. Tu n'as pas deviné que c'était un détenu, exact?

— Non. Mais j'ai perçu une différence, répliqua Delia, incapable d'exprimer précisément sa pensée. Il m'a fait penser à une machine à sous. Ma question a abaissé son levier, mais il fallait que les symboles du dollar, les cerises ou les clowns se soient alignés pour qu'il puisse répondre. Toujours, je m'empresse d'ajouter, correctement.

— Il s'améliore… et je ne prends pas mes désirs pour des réalités! dit Jess. Je ne peux pas te donner une explication technique mais, essentiellement, je le force à abandonner les voies neuronales que ses modes de pensée empruntaient et j'en ouvre d'autres qui n'ont jamais été utilisées. Notre cerveau regorge de voies alternatives qui semblent n'exister que pour compenser les défaillances. Walter dessine donc la nouvelle carte routière de ses pensées et j'en suis le concepteur-architecte. Les anciennes voies aboutissaient à des impasses horribles, mais les destinations des nouvelles sont inoffensives et logiques.

Prise de vertige, Delia comprit soudain qu'il était temps de partir. Si elle restait, elle risquait d'être entraînée dans la controverse suscitée par l'esprit profondément dérangé de Walter Jenkins.

— Je crois avoir entendu mon bipeur, dit-elle, ramassant son sac à main posé sur le sol et fouillant à l'intérieur.

Quand elle eut trouvé l'appareil, elle le fit sonner et le consulta nerveusement.

— Oh crotte! reprit-elle. On a besoin de moi alors que je viens juste d'arriver.

— Au moins, ta voiture ne sera pas loin. Walter va rapporter les clés d'une seconde à l'autre, dit Jess, ravie du départ de Delia.

Ari Melos m'a mise en garde, songea Jess, affirmant que j'étais si proche de Walter que je ne pouvais plus le mettre en perspective. J'aurais dû voir ces anomalies chez Walter, mais elles m'ont échappé. Par conséquent, je commence à m'habituer à lui. Mais comment m'en déshabituer? Il ne peut pas encore supporter de rester une journée sans me voir; quand je suis partie en vacances, en 1968, Walter est retourné à l'Asile et a tellement régressé que j'ai repoussé mes vacances, cette année, et envisagé de ne pas les prendre avant le printemps de l'année prochaine.

Quand Delia sortit de l'IH, sa voiture de fonction était garée devant et le docteur Ari Melos descendait de la sienne.

— Vous ai-je manqué, sergent? questionna-t-il sans prendre la peine de verrouiller la portière.

— Mon bipeur a sonné, hélas. La soirée de samedi était merveilleuse, hein?

— Absolument.

— Je viens de faire la connaissance d'un membre intéressant de votre équipe.

— Vraiment? Qui?

— Walter Jenkins.

— Un cas extraordinaire, répondit sereinement Melos.

— Est-il normal qu'il puisse aller et venir sans surveillance?

— Son dossier mentionne qu'il ne sera jamais libéré mais cela, nous sommes tous d'accord sur ce point, ne concerne pas l'intérieur de la prison. Walter n'est plus un fou meurtrier et, même pendant les pires de ses fureurs, il restait aussi glacé que le pôle Nord. Les gardiens patrouillent par groupes de cinq et sont armés jusqu'aux dents. Il ne s'échappera pas, sergent, je peux vous l'assurer. En fait, Walter pourrait à lui seul justifier l'existence de l'IH.

Il parut soudain troublé et demanda :

— Vous n'avez pas l'intention de déposer une réclamation ?

— Grand Dieu, non ! Si le docteur Wainfleet estime que Walter ne présente pas de risques, j'accepte son opinion.

Elle monta en voiture et s'en alla, constatant que Walter, qui avait sans doute eu toutes les peines du monde à s'asseoir au volant, avait effectué le réglage nécessaire, conduit et garé le véhicule, puis replacé le siège exactement dans sa position initiale. Rares sont ceux qui, ayant toute leur tête, prennent cette peine et, quoi que Jess eût fait à Walter, il était assurément en possession de toutes ses facultés.

Regardant, par sa fenêtre du premier étage, la voiture se diriger vers la sortie, Walter récapitula ce qu'il avait appris sur sa petite conductrice grassouillette. C'était manifestement sa voiture, avait-il décidé ; son aspect et son odeur n'étaient pas ceux d'une voiture de flic, mais les autocollants des visites d'entretien étaient ceux du garage de la police d'Holloman, donc il s'agissait bien d'une voiture de flic. La femme elle-même ne correspondait pas aux critères : taille, poids, forme physique… insuffisant sur tous les plans. Quelles qualités avaient conduit les gros bonnets à s'asseoir sur les critères ? Elle avait un 9 mm et un .22, sans doute un petit pistolet de femme à deux coups, chromé et à crosse en nacre ; il avait trouvé des chargeurs et une boîte de cartouches de .22 dans le vide-poche séparant les sièges, ainsi qu'une bouteille d'eau minérale, deux barres de chocolat noir et deux chiffons pliés. La boîte à gants contenait une trousse de premiers secours, une carte du Connecticut, les papiers de la voiture et une paire de chaussures de rechange, chacune étant emballée séparément dans un sac à cordon en coton. Une femme organisée, modérément obsessionnelle. Le livre qu'elle lisait, la biographie d'Abraham Lincoln par Carl Sandburg, était sur le siège du passager. Selon le marque-page, elle en était à peu près à la moitié.

C'était l'Ennemi. Ce statut n'était pas lié à sa qualité ou sa carrière de flic ; il découlait de la conviction instinctive que, bizarrement, Jess commençait à avoir besoin d'elle. Il ne savait pas comment nommer ce que Jess éprouvait et ne pouvait pas davantage en prédire l'issue. Ça existait, tout simplement, et représentait une menace énorme. Il savait qu'il comptait, aux yeux de Jess, plus que tout le reste de son univers et que la menace que représentait Delia ne concernait pas son importance aux yeux de Jess. Non, Delia mettrait le doigt sur un détail, creuserait et finirait par tout découvrir. Elle avait introduit un facteur inconnu dans l'existence de Walter, ce que n'avait pas fait Ivy Ramsbottom, et ce n'était pas parce qu'elle était flic.

Pas encore capable, malgré ses nombreuses lectures, d'appliquer des métaphores à ce qu'il éprouvait ou ressentait, il avait élaboré une image où il se voyait volant, ses ailes diaphanes déployées, au-dessus d'une masse d'insectes rampants. Jess lui avait permis de progresser jusque-là, dévoilé un univers de pensées, et sa reconnaissance était si grande qu'il était prêt à tout pour elle… à tout ! Maintenant, Delia Carstairs pénétrait dans son espace et il ne pouvait pas parler d'elle avec Jess ; il devait trouver seul quel rôle elle jouait. En effet, s'il posait la question à Jess, il exposerait forcément des voies, des itinéraires nouveaux, dont elle ignorait l'existence. Delia était-elle une autoroute contournant ses efforts désespérés pour rester en vol grâce à ses ailes diaphanes? Quoi qu'il négligeât par ailleurs, Walter ne pourrait jamais prendre sa solitude à la légère. Jess ne lui disait-elle pas tous les jours qu'il ne suffisait pas, qu'il lui fallait quelqu'un d'autre? Quel quelqu'un? Il avait cru qu'elle pensait à un autre patient tel que lui, puis elle lui avait dit qu'il était unique; ensuite, il n'avait plus su quoi croire. Pensait-elle à Delia?

Oh, il voyait des voies partout! Mais quelles étaient les bonnes?

— Walter, ça va? demanda Jess debout dans l'encadrement de la porte.

— Plusieurs nouvelles voies me posent des problèmes, déclara-t-il.

— Puis-je entrer?

— Bien sûr.

Elle prit place dans le fauteuil proche de sa fenêtre et montra son pendant, installé en face.

— Assieds-toi, Walter.

Il obéit, mais avec raideur.

— Par quoi dois-je commencer, Jess?

— N'importe quoi.

— Pourquoi ne suis-je pas suffisant?

— D'une certaine façon, Walter, des millions de raisons démontrent que tu es suffisant, répondit-elle de la voix douce et chaude qu'elle ne réservait qu'à lui, et c'est aux yeux des autres que tu n'es pas suffisant, pas aux miens. J'ai besoin de quelqu'un d'autre pour prouver sans l'ombre d'un doute que ce qui m'a permis de te guérir peut également être appliqué à d'autres personnes telles que toi.

— Mais ce Walter te suffit? s'enquit-il d'une voix blanche.

— Amplement. Dans mon esprit, Walter, tu te tiens sur le haut piédestal réservé à la plus grande réussite de ma vie.

Sa voix prit une intonation triomphante, mais Walter perçut simplement qu'elle devenait plus forte.

— Je refuse de renoncer à chercher, poursuivit-elle. Il existe, quelque part, une personne pouvant nous permettre d'arriver à nos fins, Walter… les tiennes et les miennes ! Je veux qu'on te rende ta liberté, qu'on te considère comme un bon citoyen de ton pays.

Il avait déjà entendu cela, mais il y avait longtemps et, avec une sensation de vide au plus profond de son être, il se rendit compte qu'il l'avait oublié, qu'il s'était fait du souci pour rien, pour une imitation de Walter que Jess n'avait pas trouvée. Il savait cela ! Qu'est-ce qui l'avait amené à l'oublier ?

— Jess, il y a trop de nouvelles voies, dit-il. Je suis sans cesse face à un carrefour. Tu disais qu'il serait difficile de les ouvrir, que ce serait un combat. Mais ce n'est pas le cas. Il est si facile de les ouvrir que j'ai l'impression d'être emporté par une avalanche.

Toutes sortes d'émotions bouillonnèrent en Jess : elle eut envie de crier, de chanter, de proclamer sa victoire, mais le visage impassible de Walter le lui interdit. Tout cela le décontenancerait : il ne saisissait pas la portée de ce qu'il disait.

— Dans ce cas, il est temps de changer de méthode, dit-elle calmement. Nous devons élaborer un système permettant aux voies de s'ouvrir naturellement… c'est ce qu'elles font, mais beaucoup plus vite que ce que nous avions prévu. Il ne faut pas ralentir le rythme, Walter, il faut te donner les moyens de gérer l'avalanche.

Ari Melos entra : Jess n'avait pas fermé la porte.

— Une séance un lundi après-midi ? demanda-t-il.

— Oui, répondit-elle avec une indifférence feinte. Nous avons besoin d'intimité, Ari. S'il te plaît, ferme la porte.

Dans le couloir, Aristede Melos fixa la porte de Walter, sa serrure complexe, et fronça les sourcils.

L'ambiance, dans la pièce, était électrique. Jess faisait de nouveaux progrès mais il n'en connaîtrait la nature que lorsqu'il aurait lu le nouvel article consacré à Walter. Foutue cachottière!

Mardi 12 août 1969

Quand Delia entra dans son bureau, Carmine Delmonico était sur son fauteuil, les pieds sur sa table de travail et le chien le plus laid d'Holloman, Connecticut, dormait sur le plancher, près de lui. Il était en tenue de travail : jolie chemise blanche en coton, sans cravate, aux manches roulées, pantalon de toile marron clair et chaussures en daim.

Ses yeux étaient ouverts et la joie énorme qui éclaira le visage de Delia les fit pétiller. Puis elle se jeta sur lui pour lui donner un baiser sonore et riche en rouge à lèvres sur chaque joue tandis qu'il la transférait adroitement sur son fauteuil et s'installait dans un autre sans tenir compte de la quasi-hystérie du chien, qui adorait Delia.

— Quand es-tu rentré ? demanda-t-elle en repoussant l'animal.

— Hier, mais j'ai dormi dans l'avion… Myron avait pris un billet de première classe.

— C'est vraiment plus confortable. Pourquoi es-tu revenu ?

— Je ne sers à rien en Californie, Deels. Il m'a suffi d'une journée pour constater que Sophia avait parfaitement compris ce dont avait besoin Desdemona, qui a plongé dans cette vie comme un homme mourant de soif plonge dans un mirage qui se révèle réel. Sophia avait aussi raison à propos des enfants, qui se croyaient au paradis des gamins. Il m'a suffi de deux jours pour comprendre que Myron et Sophia pourraient instaurer la paix dans le monde, si le monde était assez intelligent pour s'en remettre à eux. Desdemona n'a absolument rien à faire, hormis se distraire à sa guise, et les mômes sont au centre d'une pléthore de domestiques et d'artistes chargés de les divertir. Myron m'a nommé homme à tout faire dans ses studios et c'était reposant d'obéir aux instructions.

Il haussa les épaules et poursuivit :

— Puis Myron a eu des emmerdes… je ne sais quelle histoire de financement de film. Il a dû partir pour Londres et ne pouvait pas m'emmener.

»Au septième jour, je me suis aperçu que mon désœuvrement ne rendait pas service à ma femme, qui avait besoin de quelques semaines à Sybaris ou dans quelque autre lieu baignant dans l'hédonisme, et que, pour attirer l'attention des enfants, je n'avais pas les moyens de concurrencer Bozo le clown, Buck le cow-boy, Tonto l'Indien, Kidd le capitaine des pirates et Flash Gordon de Mars. Je suis donc rentré.

Delia se délecta de son visage aimé.

— Une décision intelligente.

— Les animaux étaient tristes et j'ai pensé que je serais bien accueilli… Winston avait perdu cinq cents grammes après une semaine en pension, le pauvre, et Frankie était un zombie, dit Carmine, passant le pied sur le ventre du chien, qui gémit de plaisir. Si on allait déjeuner au Malvolio ?

— Absolument.

— Frankie, garde la maison, dit Carmine en entraînant Delia vers la sortie. Tu me mettras au courant quand on sera installés.

Sans la moindre réticence, Delia relata les événements d'août, terminant par sa visite à Jess Wainfleet, à l'IH, et son étrange réaction face à Walter Jenkins.

132

— Ah, ce type, dit Carmine, buvant une gorgée de café et fronçant les sourcils. Tu ignores tout de lui alors que je le connais aussi bien qu'on peut connaître une personne qu'on n'a jamais rencontrée. J'étais membre de la commission qui a autorisé son transfert à l'Asile… Il a été condamné à vie dans un autre État et son cas était très rare : sa démence ne connaissait aucune accalmie. Jess Wainfleet venait de créer l'IH et voulait Walter exactement tel qu'il était. Les installations de l'Asile, celles de l'IH et une grosse subvention ont permis le transfert de Walter. Je présume que personne ne croyait que l'utilisation de Walter comme cobaye donnerait des résultats… il avait tué neuf de ses codétenus, également condamnés à perpétuité, et trois gardiens. Des crimes horribles ! Pourtant, le docteur Wainfleet est plus ou moins parvenue à en faire un être humain.

— Walter est le chouchou de l'IH, dit Delia, mais j'avoue qu'il m'a déplu. Je l'ai qualifié de robot et cela a beaucoup contrarié Jess. Elle a failli se vexer.

— Selon les gens bien informés, l'IH et Jess Wainfleet font du bon travail. Les purs déments tels que Jenkins sont rares. Les articles que Wainfleet publie sur lui sont prudents et elle n'avance pas vraiment d'hypothèses. Selon plusieurs de mes potes psychiatres, elle pourrait avoir deux raisons de gagner du temps : elle n'a pas encore épuisé la mine d'or que représente Jenkins et elle est à la recherche d'un second Jenkins pour confirmer les résultats obtenus sur le premier.

Carmine sourit et reprit :

— Ne parlons plus de ça. Où en sont les Ombres?

— Abe a eu beaucoup plus de chance dans l'affaire des jeunes gens morts de faim, mais je ne veux pas lui couper l'herbe sous le pied.

— C'est impossible. Je l'ai vu.

— Que penses-tu des portraits d'Hank Jones?

— Ils préfigurent l'avenir. Il faut que je fasse sa connaissance. Cesse de tergiverser, Delia ! Les Ombres ?

— Je ne tergiverse pas, Carmine ! En vérité, il n'y a pas eu d'élément nouveau capable d'éclairer des ténèbres totalement impénétrables, répondit Delia, complètement découragée.

Le grand bol de viande crue de Winston était vide ; quand Carmine posa le dîner de Frankie sur le carrelage, cette constatation le fit sourire mais ne le persuada pas de servir à nouveau Winston. Cependant, il n'avait pas l'intention de mettre les animaux au régime, ce qu'il aurait considéré comme cruel ; et il avait du mal à imaginer que Winston eût pu laisser de la nourriture dans son bol pendant une semaine. C'était l'inconvénient des animaux de compagnie : quand il fallait les mettre en pension, ils s'angoissaient même si l'établissement était luxueux. Qui aurait pu croire Winston capable de tristesse ?

Quand il fut installé dans son fauteuil, Winston était sur ses genoux et Frankie couché près de lui ; il disposait aussi d'une pile de dossiers posée sur la table basse et de temps pour réfléchir.

C'était Desdemona qui l'avait poussé à rentrer. Que serait-il sans Desdemona, son magnifique vaisseau de ligne fonçant toutes voiles dehors, sa proue fendant les flots ? Elle a besoin de passer quelque temps en cale sèche, pensa-t-il, prolongeant sa métaphore, et la remise en état ne peut être accomplie si elle se fait du souci pour son mari… ou deux animaux en pension.

— Tu rentres, mon chéri, avait-elle dit sans préambule. Mlle Monson a ton billet et le chauffeur passera le prendre à son bureau sur le chemin de l'aéroport. Concita a fait tes valises et il ne te reste plus qu'à t'occuper de ta serviette.

Elle l'avait embrassé sur le front et avait repris :

134

— Je me sens très bien, mais l'expérience m'a enseigné que je rechuterai dès mon retour si je ne reste pas assez longtemps dans ce palais. Tu m'as fait l'amour de si nombreuses fois en une semaine que la tête me tourne et je m'en passerai, sans doute plus facilement que toi. *Rentre !* Holloman semble paisible, mais Hartford ne l'est pas, parce que la guerre couve entre les Comancheros et les Portoricains. Nous avons vu nos astronautes gambader sur la Lune, mais North Hartford se transforme rapidement en un paysage lunaire accessible sans fusée. Tu pourrais donc être utile. L'affaire d'Abe progresse à grands pas, même si ce n'est pas le cas de celle de Delia.

Ses yeux couleur d'ambre, animés par une lueur d'amusement, avaient scruté le beau visage de sa femme, avec son gros nez et son gros menton.

— Quel petit oiseau t'a soufflé cette chanson ?

— Mon petit doigt, pas un petit oiseau.

— Je t'aime, je t'aimerai toujours et je rentre.

Émerveillé, il regarda les portraits d'Hank Jones. Après un très long séjour dans les limbes, les Doe avaient maintenant des noms et des identités.

Abe devrait interroger à nouveau Rha Tanais et Rufus Ingham, mais avait déjà pris des dispositions : Tony Cerutti, le célibataire, irait interroger les parents, les amis d'enfance et reconstituerait le passé des victimes avant leur arrivée chez Rha Tanais… qui se faisait appeler du nom, provenant d'un atlas du monde antique, de deux rivières ! Liam se chargerait du comptable, Nicolas Greco, et des documents administratifs.

Cependant, c'était l'affaire du docteur Nell Carantonio, dont le corps n'avait pas été retrouvé, qui intriguait le plus Carmine. Il était surtout fasciné par son diplôme de médecine, très rare pour une femme en 1921, année au cours de laquelle elle était sortie diplômée de la faculté de médecine de Chubb, ce qui était en soi extraordinaire... Chubb accordant un diplôme de médecine à une femme en 1921 ? Dans un climat social grouillant de préjugés contre l'accès des femmes aux professions libérales, Nell semblait avoir eu beaucoup de chance. Ses années d'études avaient sans doute été émaillées de cruautés et de toutes sortes de complots visant à la dévaloriser, mais il ne restait aucune trace de ces derniers et elle avait terminé ses études dans les cinq premiers de sa promotion, ce qui était carrément impossible. Les devoirs des femmes étaient sous-notés, leur travail clinique saboté ; elles comptaient au nombre de leurs professeurs les réactionnaires les plus virulents et impitoyables. Mais Nell avait obtenu son diplôme haut la main. Ensuite, l'hôpital d'Holloman lui proposa un poste d'interne dans plusieurs spécialités ; elle choisit finalement l'anesthésie, par goût personnel, semblait-il, parce qu'on lui avait aussi offert la médecine générale et la pédiatrie. Une fois en anesthésie-réanimation, elle avait été très respectée et demandée par de nombreux chirurgiens. Elle avait vécu les vingt-sept années de son existence comme elle l'entendait, et avec succès. Puis... pouf ! Elle avait disparu sans laisser de trace.

La famille était riche depuis trois générations, sa fortune reposant sur de petites machines compliquées effectuant des tâches incombant précédemment aux êtres humains ; le gain de temps et d'argent avait permis à Antonio Carantonio I de bâtir un petit empire dont son fils puis son petit-fils avaient poursuivi l'édification. Antonio Carantonio III n'avait eu qu'un enfant, Eleanor surnommée Nell, et, en l'absence de successeur, avait vendu ses parts de l'entreprise. Si Nell voulait être médecin, cela lui convenait. Il lui donna sa bénédiction et deux millions de dollars en investissements sûrs. La Grande Crise elle-même, survenue pendant que la justice attendait de pouvoir officialiser son décès, n'affecta pas cette fortune. Puis Fenella Carantonio avait transformé les deux millions en dix, entretenant le manoir et gardant le secret sur le père de son unique enfant : Rufus Ingham, également connu sous le nom d'Antonio Carantonio IV. Associé homosexuel et amant de Rha Tanais.

— Oh, comme tout se complique quand on commence à mentir ! murmura Carmine. Je me demande qui obtiendra quoi après la disparition de Rufus. Et Rha n'est pas du genre à engendrer une progéniture.

Le corps de Nell pouvait être n'importe où et le père de Rufus était peut-être encore en vie. Carmine prit le portrait d'In Connu et l'examina très attentivement. Le fond représentait un paysage évoquant Louvain après le passage de la machine de guerre du Kaiser : fumée, murailles médiévales abattues, ciel comme brûlé par l'incendie... Cela avait-il un sens ou bien était-ce simplement le premier cercle de l'enfer ? Et les yeux... Il prit sa loupe, plaça le portrait sous le faisceau de sa lampe et examina son image grossie. Non, les yeux n'étaient pas noirs. Les pupilles étaient très dilatées mais il distingua, autour d'elles, un anneau bleu foncé. Bleus ! Bleus, pas marron ! Il faudrait demander à Hank de nettoyer le portrait... qui savait quels autres secrets il recelait ?

Quel âge aurait In Connu ? Rufus aurait quarante ans en novembre, de même que Rha, et quel type d'homme aurait pu séduire Fenella pendant la période d'incertitude ayant précédé l'officialisation du décès du docteur Nell ? En 1930, disons, elle avait vingt-deux ans, donc... pas un homme du même âge qu'elle, quelqu'un ayant au moins dix ans de plus. Si In Connu avait quarante ans en 1930, il en aurait environ quatre-vingts. Dans ce cas, il était sans doute mort. Tout pouvait être éclairci et Carmine voulait tout éclaircir. Un projet personnel idéal, qu'il pourrait mener à bien en collaborant avec

Abe sans priver celui-ci du premier rôle. Une attention qui ne concernait que Carmine : il savait que ses inspecteurs n'étaient ni jaloux ni méfiants et qu'il lui revenait donc de veiller sur leur carrière.

Les discussions entre les membres d'une même équipe d'inspecteurs se déroulaient toujours au Malvolio. Ce n'était pas parce que les murs avaient des oreilles mais parce que, au bureau, les conversations pouvaient être interrompues ou des phrases entendues hors de leur contexte, que les téléphones sonnaient ou que des obligations considérées comme plus urgentes survenaient. Alors que la nourriture et le partage de cette dernière étaient sacrés ; seules les urgences les plus graves pouvaient prendre le pas sur eux.

Carmine fit descendre le chat de ses genoux, y posa le téléphone et composa le numéro personnel d'Abe.

— Petit-déjeuner au Malvolio à 8 heures ? demanda-t-il.

— Betty te remercie. Les garçons voulaient absolument des pancakes et je les déteste. Tu viens de faire des heureux chez les Goldberg.

Mercredi 13 août 1969

À 8 heures du matin, le Malvolio était plein, sa clientèle, principalement composée de flics, en cruel manque de ce qu'elle ne pouvait généralement pas obtenir à la maison : un solide petit-déjeuner composé d'œufs, de bacon grillé, de pancakes au sirop d'érable ou, si elle en avait envie, de rôti et de purée de pommes de terre ; pour le personnel de nuit c'était le dîner, pas le petit-déjeuner. La décoration bleu clair et blanc de la salle allait bien avec le bleu marine des flics, surtout les larges banquettes en cuir bleu, maintenu lisse et souple par cinquante années de derrières vêtus de serge. Luigi, le patron, redoutait que le cuir italien de son grand-père ne rendît un jour l'âme, mais ce n'était pas encore arrivé. Son grand-père avait acheté la meilleure qualité.

Abe était là, à une table pour deux coincée entre un mur et les quatre chaises pivotantes jouxtant l'emplacement où les serveuses prenaient les plats. La table était isolée, les chaises peu appréciées parce que trop proches des serveuses ; ce matin-là, elles étaient occupées par des employés de Nutmeg Insurance.

— Bon choix, dit Carmine en s'asseyant face à Abe. Ça va, Merele ? demanda-t-il à la serveuse d'âge mûr qui emplit sa tasse de café.

— Beaucoup de boulot, répondit-elle avec un large sourire.

Ayant commandé des œufs sur le plat et des galettes de pommes de terre, les deux hommes burent leur café, peu enclins à parler sérieusement avant d'avoir mangé. Les plats arrivèrent vite ; ils mangèrent vite.

— Je sais qu'on a parlé hier, Abe, mais j'ai besoin de préciser quelques points, dit Carmine, constatant avec satisfaction qu'Abe se tenait à sa décision de cesser de fumer ; l'arôme délectable de la cigarette d'un employé d'assurance, passant juste sous son nez, ne suscitait pas une douleur extrême, seulement une souffrance supportable. Prévois-tu d'avoir besoin de Delia ?

— Non, on peut se débrouiller tous les trois, mais il faudrait que tu signes la demande de frais de déplacement de Tony le plus tôt possible.

— Ce sera fait. Je voulais te parler de notre plus vieille affaire non résolue… le docteur Eleanor Carantonio.

Les yeux gris d'Abe exprimèrent l'étonnement.

— Le docteur Nell ?

— Oui, le docteur Nell. Je sais que ça empiète plus ou moins sur ton affaire, mais je ne vois pas de quelle façon je pourrais te gêner si je me cantonne à cette enquête.

— Moi non plus. Franchement, de mon point de vue, c'est plus une cause perdue qu'une contribution à notre enquête et je n'ai pas la moindre intention d'y consacrer du temps. Donc vas-y, Carmine. Mais pourquoi ?

— Disons… à cause d'une intuition. J'ai emporté le dossier chez moi, hier, et je l'ai lu d'un bout à l'autre. Je suis peut-être stimulé par quarante-quatre ans de recul mais, quoi qu'il en soit, mon intuition me souffle qu'on pourrait obtenir un résultat en se penchant à nouveau sur sa disparition. J'y associerai l'étrange absence d'In Connu.

— Qu'est-ce que tu soupçonnes ? murmura Abe, fasciné.

Écarter les intuitions de Carmine n'était jamais une bonne idée parce qu'elles produisaient généralement des résultats.

— Allez, Carmine, insista-t-il. Explique !

— Je ne sais pas comment ni pourquoi, mais il me semble qu'il y a un lien entre les John Doe et la disparition du docteur Nell. La cause initiale réside dans les événements qui se sont produits entre 1925 et 1935.

Son visage prit une expression résolue et il poursuivit :

— En fait, je te parle de cela ce matin parce que vous devriez peut-être, ton équipe et toi, vous charger de cette enquête. Le bon sens montre que c'est une seule et même affaire et j'hésite à m'imposer.

Typique de Carmine, pensa Abe. Ayant entrevu une issue, il ne voulait pas prendre l'affaire d'Abe en main maintenant qu'elle pouvait trouver une solution grâce au travail de l'équipe de son subordonné. Et la certitude que le patron ne tirait pas la couverture à lui, que l'affaire passait avant les ego, était une sensation formidable.

— Non, répondit Abe d'une voix ferme. Tu ne t'imposeras pas. Suivre les pistes dont je dispose exigera beaucoup de vérifications et, s'il y a un lien entre les deux affaires, il est préférable de travailler en parallèle. Je continuerai mon enquête, tu te chargeras du passé, et celui qui aura besoin de Delia pourra disposer d'elle.

Il eut un sourire sans joie et ajouta :

— La pauvre Deels n'avance pas sur les Ombres.

— À qui le dis-tu ! Le plus bizarre est que nous avons déjà la solution... une phrase de Delia, hier, l'a fait apparaître, mais elle a replongé dans la vase avant que j'aie pu l'identifier. Cela signifie qu'elle la connaît, elle aussi.

Le dossier d'Eleanor Carantonio contenait le nom de son cabinet d'avocats : Gablonski, Uppcott, Stein et Stein.

Selon les Pages jaunes, il existait toujours et les noms des associés n'avaient pas changé. Il ignorait l'existence de ce cabinet, qui ne pratiquait donc pas le droit pénal… c'était sans doute une entreprise familiale spécialisée dans les testaments, les placements, l'immobilier et les procès au civil. Un coup de téléphone lui apprit qu'aucun associé n'était en activité depuis 1935 mais que le père de M. Uppcott avait travaillé au cabinet de 1923 jusqu'à sa retraite, en 1961. Oui, M. Uppcott fils appartenait toujours au cabinet et pourrait le recevoir dans une heure, un rendez-vous ayant été annulé à cause de la canicule.

Le cabinet se trouvait dans Charles Street, voie étroite reliant Cromwell et Cedar Streets… à cinq minutes à pied. Après une dernière goulée d'air frais à l'institut médico-légal, il sortit dans Cedar Street, où il faisait bien quarante degrés avec un taux d'humidité proche de la saturation. Cinq minutes plus tard, il pénétra dans un immeuble de bureaux et constata qu'il devait se rendre au deuxième étage. Devant la porte vitrée, Carmine baissa les manches de sa chemise et noua sa cravate d'ancien de Chubb, puis il s'introduit dans une salle d'attente ne donnant aucune indication sur sa fonction, qui aurait aussi bien pu être celle d'un podologue que celle d'un avocat. La réceptionniste, qui tapait sur une IBM à boule, l'annonça par l'interphone puis se remit au travail.

— Capitaine Delmonico? Entrez, dit d'une voix grave un homme d'une cinquantaine d'années, de haute taille et corpulent.

Carmine s'engouffra dans un petit paradis d'air frais, la main tendue pour serrer celle qu'on lui offrait.

— John Uppcott. En quoi puis-je vous être utile, capitaine?

Uppcott portait la cravate des anciens de Chubb; Carmine n'avait pas été trompé par son instinct.

Brièvement, il expliqua qu'il rouvrait le dossier de l'affaire Nell Carantonio.

— Je sais qu'elle n'avait pas laissé de testament mais j'espère, malgré le temps écoulé, retrouver des gens qui l'ont connue, dit Carmine, détendu et, en apparence, peu intéressé. Votre cabinet s'est chargé de l'héritage et de la présomption de décès, mais j'imagine que la seule Carantonio que vous ayez connue personnellement était Fenella.

— Effectivement, j'ai croisé Fenella, répondit Uppcott sur un ton suggérant que l'expérience n'avait pas été agréable. Cependant, vous devriez plutôt voir mon père. Il pourra vous raconter tout ce que cachaient les Carantonio.

— Serait-il possible de le rencontrer ?

— Il sera ravi. Papa n'a pas tout à fait soixante-dix ans. Ma mère est morte il y a quinze ans et, depuis, il s'en donne à cœur joie. Mais nous ne redoutons pas, ma femme et moi, de devoir accepter une belle-mère ! Papa est beaucoup trop malin pour tomber dans ce piège. Il aime les jolies jeunes femmes d'une vingtaine d'années, les couvre de cadeaux, obtient tout le sexe qu'il demande et tout le monde est content.

Les deux anciens de Chubb échangèrent un large sourire.

— Surtout lui, dit Carmine.

— Absolument. Ce que j'aime le plus chez lui, dit le fils pragmatique, c'est qu'il sait au centime près ce qu'il peut se permettre de dépenser et qu'il ne se met jamais dans le rouge.

— Serait-il possible de voir votre père ?

— Que diriez-vous de 10 heures demain matin ? Ça vous ennuierait si je vous accompagnais ? Moi aussi j'aimerais l'entendre parler du docteur Nell.

— Pas du tout.

— J'apporterai des bagels au raisin et je ferai le café, dit John Uppcott. Votre voiture : je serai le navigateur.

Carmine posa sa carte sur le bureau.

— Mon numéro personnel est au dos. Au cas où il faudrait changer d'heure ou de date.

C'était trop facile, pensa-t-il. Sa cravate dans sa poche et ses manches à nouveau roulées, il regagna le siège du comté.

Le suivant sur la liste était Hank Jones, le nouveau dessinateur ; Carmine avait le portrait d'In Connu provenant du boudoir de Fenella.

— Le chef en personne ! s'écria Hank Jones. Que puis-je faire pour vous, capitaine ?

— Carmine suffira. Un goût intéressant en matière de décoration murale !

— Les fleurs c'est bien, mais dans les jardins ou les prés. Les murs sont le lieu des déclarations !

— Et les fleurs ne peuvent pas être des déclarations ?

— Non, pas sur mes murs. Sauf, peut-être si ce sont des plantes carnivores.

Carmine déballa le portrait.

— Avez-vous vu ceci ?

— Non, répondit Hank, penché sur la toile. Excellent travail au pinceau, mais aussi sale qu'un vieux balai. J'aimerais le nettoyer.

— J'espérais que vous diriez ça. Ce sera long ?

— Non, il est trop récent pour la crasse des siècles, seul le smog de celui-ci s'y est déposé. Je peux le nettoyer avec mon élixir magique.

— Quel âge a-t-il, Hank ?

— Plusieurs décennies, environ cinq… C'est une huile, mais les couleurs n'ont pas été broyées et mélangées à la main, pourtant ce ne sont pas non plus des pigments modernes.

Hank frotta un coin de la toile puis examina son chiffon, un vieux mouchoir en coton fin.

— Aucun risque. Ce ne sera pas long : la saleté est superficielle.

Quand il eut terminé, le chiffon était gris et le portrait animé d'une vie nouvelle. Peau pâle et cercles indubitablement bleus autour des pupilles dilatées. Ni mots ni lettres sur le fond, que Carmine ne pouvait associer à un paysage précis.

— Laissez-le-moi et je demanderai au labo photo de faire de bonnes copies, proposa Hank, fasciné. C'est un John Doe d'autrefois?

— Je ne crois pas, parce qu'il ne semble pas lié à notre affaire de Doe. Mais sur un autre plan, c'est effectivement un John Doe.

Le mince visage exprima une joie intense.

— J'en étais sûr. Comment s'appelle-t-il?

— C'est le problème. Il a un nom, mais celui-ci signifie John Doe. Prénom: In et nom de famille: Connu.

— Vous blaguez!

— Non. Tout ce que nous savons de lui, c'est que c'est le père de quelqu'un et que le nom indiqué sur l'acte de naissance est In Connu.

— Cool! fit Hank.

Alors que Carmine allait s'en aller, Hank se plaça entre lui et la porte, son visage exprimant à la fois l'appréhension et la détermination.

— Euh... capitaine... Carmine?

— Oui?

— Delia m'a dit que vous habitiez East Circle, la maison avec la tour carrée. C'est vrai?

Les yeux brillants, Carmine se prépara à entendre une proposition aussi bizarre qu'originale.

— Crachez le morceau, Hank, dit-il avec un sourire.

— Bon, c'est... euh... Après minuit, quand toutes les lumières sauf celles qui restent allumées en permanence sont éteintes... et quand il n'y a pas de vent et que l'eau du port est étale... et que la raffinerie d'Oak Street est illuminée... euh... c'est magnifique.

— J'ai constaté ce phénomène, admit Carmine avec sérieux.

— Capitaine… Carmine… si j'étais plus silencieux qu'un chat, pourrais-je, peut-être, m'installer dans votre cour pour peindre le reflet des lumières sur l'eau? S'il vous plaît?

— Ça vous emballe?

— C'est comme si je pouvais peindre Saturne vue depuis une de ses lunes!

— Il y a des conditions, dit Carmine. Première-ment, j'ai un pitbull et vous devrez faire sa connaissance. Deuxièmement, si vous vous installez sur la terrasse du jardin, vous aurez la meilleure vue. Je propose donc que vous veniez samedi prochain vers 20 heures, Delia et vous, avec des plats chinois. On mangera, vous ferez la connaissance de Frankie le chien et de Winston le chat, vous jetterez un coup d'œil sur ma terrasse et, si la nuit correspond à vos attentes, vous pourrez peindre.

Puis il s'en alla et Hank resta planté là, la bouche ouverte, incapable de croire à sa chance. Il avait vu ce paysage depuis East Circle, pendant une de ses pro-menades nocturnes, avait été enthousiasmé, puis s'était aperçu que les endroits publics ne permettaient pas de voir clairement ce que son imagination élaborait; il aurait fallu peindre depuis le terrain de la maison à la tour carrée. Il s'était confié à Delia, qui lui avait appris que son patron, Carmine Delmonico, l'habitait et l'avait ensuite incité à poser la question au capitaine, puisqu'il était rentré de Californie.

Mais il n'avait pas prévu cette réaction chaleureuse; jusqu'ici, la vie n'avait pas été tendre avec Hank Jones, orphelin confié à des familles d'accueil et si endurci qu'il était capable non seulement de résister au sys-tème, mais aussi d'en obtenir des avantages.

Bon sang! Quand le tableau serait terminé, il l'offri-rait à Carmine à condition de pouvoir l'exposer lors de sa première exposition.

C'était l'heure de voir John Silvestri, le directeur, en compagnie de Fernando Vasquez, capitaine des agents en uniforme.

— La situation à Hartford inquiète tout le monde, dit Silvestri quand Carmine eut pris place dans un fauteuil.

— Risque-t-elle de se propager jusque chez nous? questionna Carmine.

— Pas pour le moment. Les Comancheros ne sont pas solidement implantés ici, comme vous le savez, et ils ont mieux à faire.

Carmine sourit à Fernando.

— Pas de formulaire adapté?

— Pourquoi te moques-tu de mon penchant pour la bureaucratie alors que tu sais qu'elle est nécessaire? s'enquit Fernando, ironique.

— Dois-je vous payer un salaire de congé ou d'activité? demanda Silvestri à Carmine.

— D'activité, je suppose, depuis ce matin. Le nouveau dessinateur est une perle, John.

— Stan Coupinski, du labo d'anatomie de Chubb, m'a conseillé de lui mettre le grappin dessus. Il gagnerait une fortune dans la publicité et détesterait son travail.

Les hommes parlèrent ensuite de ce qui se passait à Holloman, ville que les militants du Black Power avaient du mal à mobiliser parce que les ghettos, situés à trois kilomètres l'un de l'autre, de part et d'autre du centre et du campus de Chubb, avaient plutôt tendance à s'opposer qu'à s'unir. La population hispanique était peu nombreuse et les gangs féroces des grandes villes n'étaient pas encore parvenus à l'infiltrer.

L'un dans l'autre, Holloman atteindrait sans doute la fin de l'été sans incident grave, contrairement à Hartford.

— Bien, dit le directeur, mettant un terme à la réunion.

Jeudi 14 août 1969

Carmine mit tout ce qui pourrait lui être utile dans sa serviette : copies des portraits de John Doe Trois, John Doe Quatre, James Doe, Jeb Doe et de l'hypothétique Désiré Doe. Il y ajouta une copie du tableau nettoyé représentant In Connu et un tirage identique où les pupilles étaient de taille normale, entourées de grands iris d'un bleu vif. Il y avait deux portraits de Fenella : le buste du tableau de l'escalier et un portrait en noir et blanc réalisé par Richard Avedon. Et la photo du docteur Nell tirée de son dossier. Il avait aussi cinq dossiers, le premier datant de 1925 et concernant sa disparition, le dernier relatif à l'officialisation de son décès, en 1933. Il doutait qu'il y eût, dans les archives de la police d'Holloman, des dossiers plus riches en documentation picturale. John Uppcott apportait les archives de son cabinet… mais aucun portrait.

Uppcott l'attendait devant son immeuble avec une serviette et un grand sac de bagels au raisin frais. Il s'installa sur le siège du passager de la Fairlane de Carmine après avoir déposé son fardeau sur la banquette arrière.

— Je suppose que vous n'avez jamais de contravention de stationnement, même avec ce tank, dit-il, les mains tendues vers les jets d'air frais de la climatisation.

— Sauf si le flic qui les donne a envie de passer le reste de sa carrière dans notre version de la Mongolie-Extérieure.

— Simple curiosité, mais quelle est la version de la Mongolie-Extérieure de la police d'Holloman?

Carmine adressa un large sourire à Uppcott.

— Le poste de North Holloman... il ne s'y passe jamais rien.

— Eh bien, capitaine, j'imagine que vous avez droit à quelques compensations parce que votre métier n'est sans doute pas facile, dit Uppcott, ôtant sa cravate et déboutonnant le col de sa chemise. Et heureusement! Nous prenons toujours nos vacances en juin, ma femme et moi, parce qu'il y a moins de monde mais, en août, mon bureau n'est supportable que grâce à l'air conditionné. J'avais l'intention d'installer un appareil à la réception, pour Rosemary, mais Mortimer Gablonski, l'actionnaire principal du cabinet, n'a rien voulu savoir. Selon ce vieux salaud, il faut que les subordonnés souffrent.

— Cela signifie-t-il que vous payez votre confort de votre poche?

— Oui, et avec joie. Les Stein ne posent pas de problème et nous avons tout organisé. Morty prendra sa retraite en février et on emménagera dans l'immeuble de Nutmeg Insurance: air conditionné pour tout le monde, même pour Rosemary.

— Des indications particulières sur le trajet jusque chez votre père?

— Non, il habite Inlet Road, au bout de la presqu'île.

Ils roulèrent ensuite, dans un silence confortable, dans les rues ombragées de Carew, prirent Inlet Road et arrivèrent dans un village que Carmine considérait comme un des plus jolis dont le Connecticut pût s'enorgueillir... paisible, bien entretenu, rue principale bordée de boutiques, maisons prospères, exception faite d'un immeuble d'appartements qui avait tellement contrarié les habitants qu'ils s'étaient empressés d'interdire tous les bâtiments de plus d'un étage.

John Uppcott Senior habitait, à trois maisons du parc de Busquash Point, un vaste pavillon blanc aux volets verts. Il se dressait sur deux mille cinq cents mètres carrés de jardin soigneusement entretenu, les seuls arbres étant des cornouillers et un magnifique bouleau à quatre troncs. Les parterres étaient plantés de roses. Le propriétaire se passionnait manifestement pour ces fleurs.

Le fils faisait plus vieux que le père, qu'il admirait et adorait visiblement.

— Appelez-moi Jack, dit Uppcott Senior en serrant la main de Carmine.

Il était moins grand que son fils et en bien meilleure forme physique : ventre plat, épaules larges, gestes souples. Chevelure blonde magnifique mettant en valeur un beau visage illuminé par des yeux bleu-vert rieurs auxquels les femmes étaient sans doute incapables de résister. Quel lion du barreau ce devait être dans sa jeunesse ! Dommage que les avocates aient été si rares, à son époque ; rien ne lui aurait résisté. Mais c'était probablement ce qui était arrivé de toute façon. Carmine se promit de demander des informations au juge Thwaites… les deux hommes se seraient beaucoup appréciés.

— Tu n'attends pas une minette, papa ? demanda Junior.

Jack Uppcott leva les yeux au ciel.

— Allons, mon garçon ! En présence du capitaine des inspecteurs ? Sois gentil, va faire du café et mettre les bagels sur un plat, répondit Jack en conduisant Carmine sur une terrasse ombragée donnant sur le parc et le détroit de Long Island.

— Le docteur Nell, soupira le vieil homme juvénile. Je suis entré au cabinet en 1923 et elle a disparu en

151

octobre 1925, mais je ne l'ai pas connue. Stonemeyer lui-même, l'associé principal, n'avait jamais vu le docteur Nell. Son portefeuille se composait de valeurs sûres, elle ne spéculait pas et n'avait donc pas besoin d'agent de change. Nous conservions ses titres, nous nous chargions des tâches administratives et, après l'institution des impôts, nous avons engagé un fiscaliste, qui s'occupait aussi d'autres gros clients. Après sa disparition, George Stonemeyer a tout transmis à son fils, Norman, qui n'était bon à rien. Je suis devenu l'assistant à plein temps de Norman, qui s'est déchargé sur moi de toute l'affaire Carantonio. Il s'est tué en 1926, en patinant sur de la glace trop fine pour impressionner une Clara Bow du coin et son père a vendu le cabinet. Mon père était mort en me laissant un paquet d'argent et j'ai pris une part minoritaire dans l'entreprise à condition de conserver la gestion des affaires des Carantonio. Voyez-vous, Carmine, à cette époque, j'étais fasciné par cette disparition et je n'avais pas la moindre envie de devenir actionnaire principal : trop de tracas. Sy Gablonski a acheté la majorité des actions à l'intention de son fils, Mortimer. De mon point de vue, tout s'est arrangé pour le mieux. Jusqu'à fin 1933, je ne me suis occupé que de l'affaire Carantonio.

John Uppcott revint avec le café et les bagels sur un plat, servit puis s'assit et écouta.

— Aviez-vous des idées personnelles sur la disparition soudaine de Nell, Jack ? s'informa Carmine. Les dossiers de la police ne contiennent aucun procès-verbal vous concernant.

— Mes seules idées étaient des soupçons sans fondement, répliqua Jack en mordant à pleines dents dans un bagel, mais j'en avais et j'en ai, même si elles ne valent que ce qu'elles valent. Il y avait un homme, je suis prêt à le parier. Nell n'a pas beaucoup vécu à Busquash Manor... Little Busquash, la petite maison, était occupée par un intendant, un nommé Ivor Ramsbottom que l'enquête de police, à ma connaissance, a mis complètement hors de cause. Antonio III l'a envoyée en pension quand elle est entrée au lycée, mais elle a vécu chez lui pendant ses études universitaires… l'université du Connecticut, puis la faculté de médecine de Chubb. Je peux expliquer le mystère de sa carrière médicale exceptionnelle : Antonio III l'a achetée grâce à des subventions énormes restées, comme on dit aujourd'hui, «top secret».

— Fascinant, dit Carmine, séduit par le bagel et par le récit. En négligeant de vous entendre, Jack, les flics sont passés à côté d'un filon.

— Je suis d'accord, répondit Jack, satisfait de lui-même. Pendant ses études de médecine, au début de son internat, Nell a acquis un immeuble comportant trois appartements, dans Oak Street, à quelques centaines de mètres au nord de l'endroit où se trouve aujourd'hui l'hôpital d'Holloman. Les flics connaissaient son existence mais, à mon avis, n'ont pas saisi sa véritable signification. Elle habitait l'appartement du premier, a installé une gouvernante au deuxième et – c'est du moins ce que je crois – pas un garde du corps, mais un amant, au rez-de-chaussée. Le quartier se dégradait à l'époque, mais était toujours occupé par des Blancs de la classe moyenne inférieure… alors pourquoi un garde du corps? De mon point de vue, ce n'était pas logique. Quand l'inspecteur s'est intéressé à l'immeuble, la femme du deuxième et l'homme du rez-de-chaussée avaient plié bagage et quitté l'État. À ma connaissance, ils n'ont jamais refait surface.

— Vous avez raison. Des théories sur l'amant?

— Bien sûr! s'écria Jack, ravi d'avoir l'occasion d'exposer des idées dont nul n'avait tenu compte à l'époque. D'abord, d'après les voisins, il ne vivait pas en permanence au rez-de-chaussée de l'immeuble de

Nell. Il allait et venait, toujours avec un sac… enfin, une valise. Ma théorie? Il était marié.

Carmina feuilleta l'épais dossier et trouva ce qu'il cherchait.

— Selon les voisins : un grand type d'environ trente-cinq ans qui ne passait pas inaperçu… Un témoin – une femme – le qualifie d'extrêmement séduisant et un autre de bel homme. Il me semble qu'une femme progressiste telle que Nell aurait trouvé les gars de son âge ennuyeux ; de ce fait, si elle avait un amant, l'apparence et l'âge du soi-disant garde du corps correspondraient.

— Exactement mon interprétation, capitaine! Je suis très heureux de constater que les inspecteurs de la police d'Holloman évoluent, eux aussi! dit malicieusement Jack. Il devait être marié. Dans le cas contraire, pourquoi le subterfuge? Nell était un très beau parti : intelligence, beauté et deux millions de dollars. Je crois que c'était un chirurgien.

— Pas un collègue anesthésiste? demanda Carmine.

— C'était une spécialité modeste, à l'époque… essentiellement ce bon vieux protoxyde d'azote. Mais non, Carmine. Même spécialité : conflits d'emploi du temps. Une spécialité apparentée, comme la chirurgie.

Carmine sortit la photo du docteur Nell.

— Je sais que vous ne l'avez jamais vue, mais ce visage vous rappelle-t-il quelque chose?

— Il correspond au signalement du docteur Nell. Regardez ces yeux pleins de passion! Quelle femme! soupira Jack.

— Parlez-moi de sa cousine, Fenella. La seconde Nell.

— Antonio Carantonio avait un frère cadet, Angelo, dit Jack, qui but ensuite une gorgée de café et choisit un nouveau bagel. Comme cela arrive souvent, ils se haïssaient et ce sentiment atteignit des sommets quand leur père, Antonio II, légua absolument tout à son fils aîné, Antonio III, le père du docteur Nell. Angelo avait toujours été le vilain petit canard… il était paresseux, ne pouvait s'empêcher de mentir et tirait de l'argent sur les comptes en banque de la famille grâce à de faux chèques. En 1903, une dizaine d'années après avoir hérité, Antonio III a réglé d'un seul coup d'un seul les problèmes de son frère et de l'entreprise. Il a vendu l'affaire et investi dans des valeurs sûres, rien d'autre. Le revenu issu de ces investissements était déposé sur un compte si bien protégé qu'Angelo ne pouvait y accéder.

Le silence s'installa ; Carmine en profita pour regarder autour de lui. Une brise fraîche soufflait de la mer et l'on entendait chanter les oiseaux parce que c'était jeudi et que personne ne tondait la pelouse. Il posa sa tasse vide, refusa un nouveau bagel d'un sourire et d'un signe de tête et se dit qu'il avait de la chance d'être là, à écouter le récit d'un vieil homme encore vert, présenté avec la clarté caractéristique des avocats et une bonne dose d'humour.

— Qu'est devenu Angelo ?

Jack battit des paupières.

— Typique d'Angelo ! Il a épousé une femme riche.

— La pauvre ! Vivre avec Angelo, ce devait être l'enfer.

— Indubitablement, mais ça n'a pas duré longtemps et il y a eu une progéniture, en 1908 : Fenella. Naturellement, Angelo voulait un fils qu'il aurait pu appeler Antonio IV… les Carantonio étaient siciliens et les filles n'étaient pas considérées comme des héritiers convenables. Fenella a vu le jour début novembre et Angelo a quitté la maison en maudissant sa fille et son épouse. En plus, il était saoul. Il y avait déjà beaucoup d'automobiles dans les villes, mais celle d'Angelo était pratiquement la seule sur les petites routes autour d'Holloman. Il s'est arrêté sur la 133 pour boire une gorgée d'alcool au goulot de sa bouteille, mais il aurait mieux fait de choisir un autre endroit parce qu'il se trouvait en plein sur la ligne de chemin de fer de Boston.

Jack haussa les épaules, esquissa un sourire et poursuivit :

— La locomotive fonçait à toute vapeur et roulait à cent dix quand elle a percuté Angelo.

Nouveau haussement d'épaules, puis :

— La confiture de fraises est ce qui décrit mieux le résultat... les voitures étaient fragiles en 1908.

— A-t-il été identifié ?

— Oh oui. On a retrouvé sa serviette, presque intacte, à cent mètres de l'accident, ainsi que son chien, indemne.

— Donc, en 1908, Antonio Carantonio III a pris sa nièce et sa belle-sœur en charge, dit Carmine.

John Junior intervint, le visage crispé par la colère et le regard dur :

— Oh, non, ce salaud n'en a rien fait. Il les a désavouées. En fait, il n'a jamais mentionné leur existence et le docteur Nell – de même que nous, ses avocats – ignorait qu'elle avait une tante par alliance et une cousine germaine.

— Le comble de la haine entre frères, constata Carmine. Jack, qu'est-il arrivé entre 1908 et 1925 ?

— Seulement le décès d'Antonio III en 1920. Il n'a pas vu sa fille obtenir son diplôme de médecine. Son testament lui léguait tout et ne mentionnait ni Fenella ni sa mère.

— Selon vous, Jack, que s'est-il passé en 1925 ?

John Senior souriait en suivant du regard les efforts désordonnés d'un adolescent inexpérimenté tentant de faire sortir son dériveur de la baie.

— Ce dont je suis sûr, c'est que les inspecteurs de votre qualité étaient rares au sein de la police d'Holloman ! Je me souviens que le sergent Emilio Cerutti dirigeait l'enquête… un chic type, mais rien à voir avec Sherlock Holmes.

Carmine serra les lèvres.

— C'était mon grand-oncle, dit-il.

— Ce n'est pas parce qu'on a un violon qu'on est capable de jouer comme Paganini, répondit Jack sans se démonter. Décédé, maintenant, bien sûr.

— Depuis des années.

— Mon vieux, j'adore l'affaire Carantonio! Il n'y a rien de plus rasoir que le droit, comme vous le savez, vous pouvez donc imaginer ce que je ressentais dans le rôle du limier bavant et tirant sur sa laisse. Et je n'ai pas rendu justice au sergent Cerutti… Il n'a fait que passer, ni conversation ni interrogatoire.

Ses yeux brillèrent, le flot de souvenirs l'affectant visiblement.

— N'oubliez pas, reprit-il, que nous ignorions l'existence de Fenella et de sa mère. Après la disparition du docteur Nell, j'ai consacré toute mon énergie à tenter de les retrouver et nous étions convaincus qu'elle n'avait pas d'héritier.

Carmine sortit les portraits d'In Connu, avec et sans les yeux bleus.

— Avez-vous vu cet homme?

Jack Uppcott les examina, songeur.

— Celui qui a les yeux bleus fait plus ou moins penser à la description du garde du corps, mais c'est tout ce que je peux affirmer. Je n'ai jamais vu de photo.

— Vous n'avez jamais croisé un chirurgien, ou même un médecin, ressemblant à ce portrait?

— Non, jamais. Jamais, répéta énergiquement Jack. Si je l'avais vu, j'aurais immédiatement averti les flics. Il a tué le docteur Nell.

— Comment avez-vous retrouvé Fenella?

— Les flics n'ayant obtenu aucun résultat au bout de trois mois, je me suis tourné vers le droit. J'ai systématiquement passé des annonces dans les revues juridiques et les grands journaux nationaux… et j'ai continué, mois après mois, année après année. La fortune des Carantonio pouvait se permettre ces frais. Je demandais des informations sur le docteur Nell ou sur des parents des Carantonio.

— Vous êtes un chien d'arrêt, Jack, dit Carmine avec un sourire.

John Uppcott Senior resta modeste.

— Il aurait été dommage que cet argent et ces propriétés disparaissent dans des limbes juridiques. Naturellement, j'avais fait – et je faisais – tout le nécessaire pour que le docteur Nell soit déclarée morte au bout de sept ans. Mais, après 1928, j'ai compris au plus profond de moi-même que Nell était décédée, cadavre ou pas. Je me suis de plus en plus consacré à la recherche de parents, mais New York m'intimidait tellement que j'ai fini par engager un détective privé… un type avec de bonnes références.

Jack eut un large sourire et conclut :

— J'aurais dû le faire plus tôt. Il a trouvé Fenella.

— Bingo !

— Je lui ai viré ses honoraires ainsi qu'une prime, et je lui ai demandé de donner les cent dollars joints au règlement à Fenella, pour qu'elle puisse venir à Holloman.

Il frissonna et ajouta :

— J'étais surexcité, Carmine.

— J'imagine. Avez-vous dû patienter longtemps ?

— Elle était dans la salle d'attente à mon arrivée, le lendemain matin… très jeune, très belle, très miteuse avec sa robe charleston datant de plusieurs années et son étole en renard mangé aux mites, à la queue pelée, sur les épaules… comme un sans-culotte qui aurait porté un rat mort autour du cou. Cette image m'a traversé l'esprit parce qu'elle avait un bonnet éculé orné d'une cocarde tricolore, comme Mme Defarge.

— La seconde Nell, souffla Carmine.

— Absolument. Elle avait plus de documents que nécessaire… son acte de naissance, l'acte du mariage, à New York, d'Angelo avec Ingrid Johanssen, la correspondance entre Antonio III et Angelo, qui attestait le conflit, et une lettre d'Antonio III à la veuve, où il refusait de les aider, elle et sa fille. Elle avait une boîte en carton pleine de documents.

— Qu'avez-vous fait d'elle? demanda Carmine.

— Malgré l'opinion d'Antonio sur son frère et sa nièce, j'avais des obligations : retrouver le docteur Nell et lui restituer sa fortune ou, à défaut, identifier son plus proche parent, répondit Jack Uppcott avec dignité.

Il serra les lèvres puis reprit :

— L'habit ne fait pas le moine, capitaine. Ma première impression de Fenella Carantonio n'aurait pas pu être plus fausse. La gentille petite sans-culotte était au fond Mme Defarge… une salope. Après m'être assuré que les documents étaient authentiques et avoir informé Fenella de la situation…

— Comment a-t-elle pris la nouvelle? coupa Carmine.

— Elle est tombée des nues. Je n'avais pas dit au détective qu'il s'agissait de millions et je suppose qu'elle espérait quelques milliers de dollars, expliqua Jack Uppcott, qui regardait à nouveau le jeune homme à la barre de son dériveur.

— N'avez-vous pas dit que la mère était riche?

— Elle l'était mais, à l'époque où Fenella est venue à mon cabinet, la mère était morte et l'argent avait disparu. Et dès l'instant où Fenella a compris qu'il s'agissait de millions – ça a pris environ un quart d'heure –, la comédie de la miséreuse est passée par la fenêtre. La mort du docteur Nell ne pourrait être officialisée que cinq ans plus tard, mais Fenella a exigé d'être traitée en héritière jusqu'au jour où elle pourrait effectivement jouir de la fortune. Elle a demandé à voir le portefeuille d'actions du docteur Nell… un génie des chiffres. Plus vite que je peux le faire avec ma machine à calculer, elle a déterminé, au centime près, le montant du revenu annuel, puis a déclaré qu'elle occuperait Busquash Manor et percevrait les dividendes des actions, moins la rémunération et les frais de mon cabinet. Il m'a semblé inutile de me la mettre à dos en tentant de l'en empêcher. J'ai fait contre mauvaise fortune bon cœur et mes associés ont suivi mon exemple. C'était une tigresse! Non, un cobra. Elle était venimeuse.

— Sa vie n'avait pas dû être facile, avec un tel père, même s'il était mort le jour de sa naissance. La mère ne valait sans doute guère mieux. Et était-elle enceinte? questionna Carmine.

— Elle n'a pas dit qu'elle l'était et rien ne permettait de le supposer. Cela se passait en juin 1929 mais quand je l'ai reçue à nouveau, en juillet, ça se voyait. Qui ne risque rien n'a rien! Je lui ai demandé si elle était enceinte, elle a reconnu qu'elle l'était; je lui ai demandé si elle était mariée, elle a répondu qu'elle ne l'était pas; je lui ai demandé si elle avait l'intention de se marier, elle a répondu que non; je lui ai demandé qui était le père, elle a répondu que c'était une immaculée conception. Sujet clos.

Il rit et reprit:

— Une maîtresse femme, malgré son aspect fragile.

La réflexion remplaça l'amusement et il ajouta:

— Je dirais qu'elle était déjà rongée par la maladie et que, compte tenu de sa personnalité, elle en était consciente.

Carmine leva le portrait d'In Connu.

— Selon la légende, c'est le père de l'enfant de Fenella.

— Si c'était le cas – si c'est encore le cas –, je ne l'ai jamais vu et le cabinet s'occupe toujours des affaires de Rufus Carantonio. Chic type, rien à voir avec l'apparence ou le caractère de Fenella.

— Avez-vous eu des difficultés à faire officialiser le décès du docteur Nell?

— Non, aucune. Ça a simplement été très long. Le tribunal a rendu sa décision en décembre 1933. Personne n'a signalé avoir vu le docteur Nell, ce qui était en soi exceptionnel, et cela est plus ou moins revenu à enfoncer le dernier clou de son cercueil. J'ajoute que la fortune n'avait pas souffert de la Grande Crise. Puis, lors de la réforme fiscale de FDR, la nouvelle propriétaire a décidé de modifier son portefeuille. Elle l'a fait elle-même, ne recourant à des agents de change que lorsqu'elle avait besoin d'eux, et en changeant fréquemment. Elle a acheté des valeurs sûres, elle aussi, mais les valeurs sûres de l'avenir, dans les secteurs des appareils électriques, de la pharmacie et de l'aéronautique. Quand elle eut terminé, sa fortune était passée de deux à dix millions. Mais c'est de la roupie de sansonnet. Le montant de la fortune actuelle des Carantonio me donnerait sûrement une crise cardiaque.

— Intéressant que l'argent aille à l'argent, fit remarquer Carmine.

— Oh! vous pensez à l'argent de Rufus et Rha? Rufus n'a pas besoin de l'argent de Fenella, c'est vrai, mais il est rassurant de constater qu'il finira par financer des causes meilleures que celles que Fenella envisageait sans doute.

La brise était tombée et l'adolescent du dériveur décida de se baigner pour se rafraîchir; dans le ciel, une traînée de condensation indiquait qu'un avion, sans doute bourré de bombes atomiques, volait à une altitude militaire; une famille avait pris possession du meilleur emplacement de pique-nique de Busquash Point; et Carmine regretta soudain que Desdemona et ses fils ne fussent pas sur la seule côte convenable.

Il se leva, posa sa serviette sur la table et y rangea ses documents.

— Merci de cet agréable interlude, dit-il en serrant les mains des Uppcott. Je vous tiendrai au courant si j'ai des nouvelles. Vous m'avez beaucoup aidé.

Je me demande s'il y a quelqu'un à Busquash Manor, se dit-il alors que la Fairlane filait dans Inlet Road. À Millstone Road, il tourna à droite ; pourquoi ne pas essayer, puisqu'il était dans le quartier ? Les gens qui claquaient leur porte au nez des flics étaient stupides et il ne croyait pas, d'après ce que Delia et Abe avaient dit à leur sujet, que l'intelligence fît défaut à Rha et Rufus.

Il n'avait jamais eu l'occasion de rendre visite à Rha Tanais et Rufus Ingham et ne se souvenait pas de les avoir croisés, sans doute parce que son Holloman était celui de l'université Chubb, des industries et des services officiels ; le théâtre et les homosexuels étaient des milieux que sa profession, jusqu'ici, ne l'avait pas amené à fréquenter. La renommée de Rha Tanais était internationale, pas celle de Rufus Ingham, mais Carmine, bien informé, estimait que la moitié anonyme du duo n'était pas qu'un ami/amant. Rufus Ingham jouait un rôle. Ce devait donc être un type intéressant puisqu'il acceptait l'anonymat sans, apparemment, ressentiment ni espoir de récompense.

Même dépouillé de deux hectares, Busquash Manor en imposait : palais dans le style de Newport, avec un parking adroitement caché et, dans un coin du parc, disposant de sa propre vue sur la baie et le détroit de Long Island, une maison charmante qui était sans doute Little Busquash. Actuellement habitée, lui avait appris Abe, par la sœur aînée de Rha, Ivy Ramsbottom. Et pourquoi avaient-ils tenté de cacher que Rufus était en fait Antonio Carantonio IV ? Mais les deux hommes avaient plu à Abe. Et aussi à Delia. Pas des méchants, donc, mais quoi ?

Après avoir garé sa Fairlane sur une place réservée aux visiteurs, Carmine franchit la haie et prit le chemin dallé aboutissant à la porte principale du manoir, qui comportait un ovale de verre biseauté, partiellement dépoli.

Au terme d'une brève attente, la porte fut ouverte par Rufus, si la description d'Abe était exacte. Un très bel homme, songea aussitôt Carmine, qui fut toutefois un peu attristé par le maquillage des yeux… néanmoins on ne pouvait nier que des yeux aussi magnifiques méritaient effectivement d'être rehaussés de mascara et d'eye-liner. La chevelure, d'une couleur cuivrée extra-ordinaire, ne devait rien aux produits colorants ou à la compétence d'un coiffeur : c'était simplement une chevelure naturellement magnifique.

— Monsieur Ingham ? Je suis Carmine Delmonico, de la police d'Holloman. Pourrais-je m'entretenir avec vous et M. Tanais ?

— Le chef du KGB en personne, dit Rufus, visiblement ravi. Veuillez entrer, camarade général ! Nous sommes dans le théâtre et nous avons presque terminé. Cela vous ennuierait-il de nous regarder mettre notre dernière victime à mort ?

— Pas du tout, camarade Art et Culture. Ça me rappellera les hurlements des cellules de la Loubianka.

Carmine suivit son hôte dans une succession de pièces extraordinaires, à la décoration et à l'ameublement bizarres mais opulents, puis sur une rampe courbe jusqu'au pied de la scène décrite par Abe. La main de Rufus le dirigea jusqu'à une rangée de sièges, le fit asseoir près des jambes les plus longues qu'il eût jamais vues, vêtues d'un pantalon noir étroit, tendues, et terminées par des pieds aussi grands que les palmes d'un plongeur. Les régions supérieures de ces troncs d'arbre étaient cachées dans l'ombre, mais la tête était inclinée en arrière pour écouter ce que Rufus murmurait dans une oreille. Puis Rufus s'assit de l'autre côté de Carmine, lui coupant toute possibilité de retraite. Le capitaine concentra son attention sur la scène.

Toute la lumière éclairant cette immensité était orientée sur le devant de la scène, où un homme d'âge mûr, mince, vêtu d'une tunique en lamé doré et portant une couronne en or, dansait et chantait sous un déluge de légers disques d'or de la taille de pièces. Il paraissait extrêmement mal à l'aise.

> «Servilia mon amour m'a abandonné
> Désespéré
> Coupé
> En deux!
> Comment supporter la souffrance?
> L'amertume des souvenirs?»

Son accompagnement, sans doute un piano droit, était invisible; malgré la rusticité de l'instrument, Carmine perçut que la musique était assez subtile pour que les paroles semblent raisonnables et vraisemblables. C'étaient les pas de danse exigés de lui qui embarrassaient l'artiste; le chorégraphe les avait conçus pour un exécutant plus jeune et plus athlétique.

— Si Sid n'y arrive pas, Roger ne s'en sortira jamais, murmura Rufus.

— Aucun doute là-dessus, répondit Rha. Il y a forcément une solution, mais je refuse de les faire doubler par des danseurs plus jeunes.

Rufus chanta, d'une voix aiguë qui résonna jusqu'au plafond:

— Pauvre Sid chéri! Tu as vieilli! Au mieux tu es… (puis en colorature)… un sau-au-au-teur, jamais un dan-an-an-seur.

D'une voix redevenue normale, il conclut:

— Ce numéro, c'est de la merde!

«Merde» fit l'effet du sifflement suivi du claquement d'un fouet; c'était la première fois que la contrariété s'exprimait de cette façon devant Carmine, qui ne put s'empêcher de sourire. Sur la scène, le chanteur-danseur souriait lui aussi et hochait la tête. Puis un autre homme, à peu près du même âge, entra sur le plateau, furieux. Visiblement, c'était un danseur.

— Je t'emmerde, Ingham, cria l'homme en colère.

La voix de Rha retentit, pure basse profonde:

— Todo, stupide Todo, tu es un vrai zozo! Trop énervé: pause déjeuner.

Rha Tanais sourit à Carmine et tendit la main.

— Désolé, dit-il, affable. Les chorégraphes ne tiennent jamais compte de l'âge parce qu'ils se maintiennent toujours en forme.

— J'ai adoré vos paroles. L'improvisation est un don extraordinaire.

— Pas vraiment, dit Rufus. Les paroles sont un état d'esprit… une déformation professionnelle, pour ainsi dire. Que diriez-vous d'un sandwich à la mortadelle?

— Todo Satara est un chorégraphe formidable, dit Rha tandis qu'ils s'éloignaient mais, en ce moment, il lutte contre sa personnalité et l'intime conviction de se tromper.

Ils s'installèrent à la cuisine, dans la lumière terne réfléchie par l'acier inoxydable, Rha et lui confortablement assis tandis que Rufus préparait les sandwichs, qui auraient été banals sans le pain frais et croustillant qui constituait leur base. Le pain prétranché des supermarchés n'avait pas sa place ici! Et, marié avec une Anglaise, Carmine avait l'habitude que le beurre remplace la mayonnaise.

— D'après Abe Goldberg, vous avez identifié quatre John Doe, dit Carmine en prenant son verre d'eau minérale gazeuse. Votre comptable, M. Greco, s'est également montré très coopératif.

— Logiquement, répondit Rha. Comment pouvons-nous encore vous aider ?

— En me donnant davantage d'informations sur l'histoire de Busquash Manor. Je reprends l'affaire de la disparition du docteur Nell Carantonio, qui était votre cousine, Rufus ?

— Cousine au second degré, ce genre de truc, énonça Rufus en tranchant du pain. Un notable a fait construire la maison en 1840, mais elle n'est entrée dans la famille Carantonio qu'en 1879, quand Antonio II l'a achetée. Son fils, Antonio III, en a hérité à sa mort et le docteur Nell, fille unique, était née en 1899.

— Qu'est devenue la mère de Nell ? demanda Carmine.

— Elle est morte en couches, précisa Rufus. Je suis triste quand je pense aux nombreuses années qu'Antonio III a passées seul ici. Le manoir était différent, à cette époque... lugubre et sombre. Fenella et moi, on en a fait ce qu'il est aujourd'hui. Mais le père du docteur Nell était un misanthrope qui haïssait tout le monde. Surtout Angelo, son frère, et Fenella, la fille d'Angelo.

— A-t-on enquêté sur sa mort ?

— En 1920 ? Non, intervint Rha. À cette époque, mon père travaillait à Busquash Manor depuis 1908, Antonio ayant acheté deux automobiles et engagé mon père comme chauffeur... et, devrait-on dire, intendant. Ivor Ramsbottom... Vous ne serez sans doute pas étonné que j'aie changé de nom. Antonio III était un vrai mauvais coucheur, haïssait le monde mais aimait Ivor. Il se reposait sur Ivor dans tous les domaines, de la supervision des domestiques au rôle de mère de substitution auprès du docteur Nell, et Ivor était un domestique fidèle et dévoué. D'après ce que nous avons pu déduire, Rufus et moi, Antonio III lui avait promis qu'il ne serait pas oublié dans le testament. Et c'est arrivé, mais pas de la façon qu'il espérait. Il a obtenu le droit d'occuper Little Busquash jusqu'à la mort du docteur Nell.

— En 1925, donc, quand elle a disparu, ce droit risquait d'être remis en cause ? se renseigna Carmine.

Rufus finit de servir le déjeuner et s'assit près de Rha.

— Le problème, dit-il avant de boire une gorgée d'eau, c'est que nous n'étions pas nés, Rha et moi. Le 2 novembre 1929, tous les deux.

— Le jour des morts, dit Carmine.

Les yeux de Rha brillèrent.

— Est-ce aussi affreux qu'Halloween ? s'enquit-il.

— Pour les catholiques, c'est une bonne journée, qui n'a rien de morbide.

— Bonne mais morbide, insista Rha avec gravité. Ça ne nous ressemble pas.

— Ivor est un prénom gallois, n'est-ce pas ? demanda Carmine.

— Je ne sais pas, mais les ancêtres d'Ivor étaient russes… les Russes originaux, pas les envahisseurs venus des steppes. Son mariage était une honte, selon moi, même si je ne me souviens pas de ma mère. Ivy se la rappelle. Maman était d'origine suédoise et elle était exceptionnellement grande, mais ce n'est pas ce qui était honteux. C'était une demeurée et Ivor le savait. J'ignore pourquoi Ivor l'avait épousée, Ivy aussi, mais ses enfants étaient normaux, donc son handicap n'était pas héréditaire… en tout cas, il n'a pas touché notre génération. Néanmoins, ça nous a détournés du mariage et des enfants, Ivy et moi.

— Quand votre mère est-elle morte, Rha ?

— En 1931. Elle est tombée dans le grand escalier de Busquash Manor. Elle avait du mal à contrôler son corps, d'après Ivy.

— Et Ivor ? Qu'est-il devenu ?

— Il est mort en 1934, répondit Rha, songeur. Bizarre. Il n'était pas âgé – cinquante ans tout au plus – mais, après la mort de notre mère, il s'est replié sur lui-même. En fait, il est devenu plus effrayant mais moins présent, si cela a un sens. C'est surtout Ivy qui en a souffert, parce que Fenella m'élevait en compagnie de Rufus. Le docteur Nell et son père aimaient Ivor mais nous, les enfants, il nous terrifiait.

— Quel âge avait Ivy à son décès? demanda Carmine.

— Ma sœur est très discrète sur son âge, mais je crois qu'elle avait au moins dix ans, peut-être douze.

Le moment de changer de sujet était venu.

— Comment était Fenella?

Rufus rit.

— Ah, vous avez entendu des récits contradictoires! s'écria-t-il. Ange ou démon, hein?

— C'est ça.

— Elle était les deux. Si Fenella vous aimait, Carmine, vous ne pouviez pas avoir de meilleure amie et alliée. Si elle ne vous aimait pas, gare à vous! J'attribue en partie son mauvais caractère à sa santé… Il devait être horrible d'avoir hérité tout cet argent, de l'avoir fait fructifier, puis de tomber malade et de ne pouvoir réaliser ce dont elle avait toujours eu envie: des croisières, boire, dîner et danser de Rio à Buenos Aires… Tout ce qu'elle pouvait faire, c'était nous montrer, à Rha et moi, des photos dans des livres… et elles étaient en noir et blanc. Je sais que j'aimais Fenella.

— Moi aussi, ajouta Rha.

— La considéreriez-vous comme une mère?

Ils répondirent en chœur, énergiquement:

— Non.

L'expression du visage de Rha était devenue… perplexe?

— Une question, Carmine, si vous permettez?

— Bien sûr.

— J'ai l'impression, de plus en plus forte, de vous avoir déjà vu et que nous n'avons pas été présentés.

— Je suis plusieurs fois allé chercher ma femme à Rha Tanais Grandes Tailles, l'éclaira Carmine. Elle fait un mètre quatre-vingt-sept et s'y habille.

— Votre femme est la divine Desdemona ?

— Oui.

— Capitaine, vous avez du goût ! Desdemona est la plus belle femme que je connaisse.

Il eut un rire étouffé et ajouta :

— Sans vouloir vous vexer.

Carmine adressa un regard de reproche à Rha, mais ses yeux pétillèrent.

— Je ne le suis pas. À propos, Fenella était-elle opposée à votre sexualité ?

— Non, elle la ravissait, répondit Rufus. Elle croyait sincèrement que sa maladie était héréditaire et tout ce qui indiquait que nous n'allions pas procréer lui faisait plaisir. Elle ne s'est jamais montrée égoïste vis-à-vis de nous, n'a jamais tenté de nous garder à la maison pendant ses dernières années. Je crois qu'elle préférait nos visites, parce que nous avions toujours beaucoup de choses à raconter. On s'arrangeait pour que nos anecdotes sur le show-biz et les gays soient aussi passionnantes que les croisières qu'elle n'a jamais pu faire.

Il prit Rha par la taille et poursuivit :

— Notre plus grande chance, Carmine, est de nous connaître depuis toujours. Le succès et l'aisance matérielle sont formidables, mais ce n'est pas ce qui nous unit, Rha et moi. Ce qui nous unit, c'est une grande histoire d'amour.

— Je n'en doute pas, dit Carmine en se levant. Merci pour votre franchise et vos explications. De si nombreuses morts !

— Principalement dues à des causes naturelles, fit remarquer Rufus en l'accompagnant jusqu'à la porte. Dans un monde sans antibiotiques et obstétriciens compétents, la survie était plus difficile que dans le

169

nôtre. La pneumonie était le plus grand tueur de la planète.

Il regagna le théâtre et s'assit près de Rha.

— Comment ça s'est passé, selon toi? demanda Rha.

— On a raconté ce qu'on savait, c'est tout. Il réunit
simplement des informations.

Rha en avait assez de l'histoire familiale des Carantonio et enchaîna sur ce qui le préoccupait.

— Je crois que Roger doit venir répéter ses numéros.
S'il veut toujours jouer des premiers rôles sur Broadway, il devra s'accommoder d'un jour ou deux ici de
temps en temps, loin de ses amis. Si Todo ne lui fait pas
personnellement travailler les pas, ça ne sera jamais
vraiment au point. Pourquoi les danseurs ne peuvent-
ils pas admettre que les chanteurs qui ont une voix formidable ne dansent pas comme Fosse?

— Fred Astaire a démontré cela il y a vingt-cinq ans,
dit Rufus. Roger Dartmont n'est peut-être pas Fosse ou
Astaire, mais sa voix peut les reléguer tous les deux au
dernier rang du chœur.

Rha chanta:

«Tout ce qui brille n'est pas or, zozo!
Ne nous contentons pas d'un résultat mer-
dique, Todo.»

Vendredi 15 août 1969

La paperasse, songea Jessica Wainfleet, aura ma peau. Assise à son bureau, elle reportait des notes dans un des dossiers répartis en plusieurs piles, veillant à ne jamais dénouer le ruban entourant une pile avant d'avoir renoué celui de la précédente. La journée avait été ordinaire et, de ce fait, pas passionnante; aucun patient n'avait présenté de détérioration ou d'amélioration de son état et le chimpanzé auquel Ari comptait implanter des électrodes le lendemain était «en souffrance», comme il disait, ne sachant comment décrire autrement un primate victime d'une maladie encore indéterminée. Qu'il s'agît d'un rhume ou d'un microbe, l'animal ne serait pas en état de subir une intervention de neurochirurgie pendant le week-end!

Son téléphone sonna à l'instant où Walter entrait; elle lui adressa un bref sourire puis réagit à l'injonction que les personnes modernes sont incapables d'ignorer; le pouvoir de cet objet inanimé la fascinait. Walter hocha la tête, s'assit en face d'elle, observa son exaspération croissante comme si c'était une maladie extraterrestre... C'est sûrement ce qu'elle est à ses yeux, pensa sarcastiquement Jess.

— Saloperie de commission d'attribution des subventions! pesta-t-elle en raccrochant brutalement.

On me demande de remplacer quelqu'un demain, à Boston.

— Ça ira, dit Walter comme s'il lisait ses pensées. Il est inutile de me bourrer de calmants ou de me renvoyer à l'Asile. Ma carte routière grandit de jour en jour… je vois, maintenant, au-delà des courbes.

Ébahie, elle le fixa si longtemps qu'une personne ordinaire se serait sentie mal à l'aise ; mais pas Walter Jenkins, qui attendit simplement qu'elle fût parvenue au terme de sa réflexion.

— Quand as-tu compris ce qui se passe quand je m'absente ?

— Je n'ai pas la mémoire des dates, Jess, ça, ça n'a pas changé. Il y a un moment, c'est tout ce que je peux dire.

— Mais tu comprends ce qui se passe ?

— Bien sûr. Si c'est pendant un week-end, on me bourre de tranquillisants et on m'enferme dans ma chambre, ici, à l'IH. Si ça dure plus longtemps, on me renvoie à l'Asile. Je n'y suis pas maltraité, mais je déteste cet endroit.

— Sais-tu pourquoi on agit ainsi ?

Une lueur de mépris traversa les yeux bleu clair.

— Je ne suis pas idiot, Jess. Si tu n'es pas là, ils ont peur que je redevienne Vieux Walter.

— Et que penses-tu de cela dans ton for intérieur ?

— Vieux Walter est mort. Ils le savent, eux aussi, mais ça ne suffit pas à compenser leur peur de Vieux Walter. Il était dangereux.

Jess ne put s'en empêcher : elle lui adressa un large sourire, mélange d'amour et d'admiration si intimement lié à l'amour et l'admiration d'elle-même qu'elle ne pouvait distinguer les uns des autres.

— Walter, tes progrès sont formidables ! s'écriat-elle. Tu déduis… et correctement. Tu as ouvert des voies par toi-même et elles sont logiques. Il est même possible que ces voies nouvelles soient éthiques. Vieux Walter te plaît-il encore un peu?

Elle employa l'adjectif et le nom sans se rendre compte que, pour lui, c'était un nom propre en deux parties.

— Vieux Walter ne mérite même pas mon mépris, répondit-il, trouvant l'occasion d'utiliser une expression lue dans un ouvrage qu'il estimait. Mais je lui donne un autre nom, plus adapté.

— Vraiment? Tu veux bien me le confier?

— Walter Sans-cerveau. Sa place est à l'Asile. Celle de Walter Gros-cerveau est à l'IH, même si tu vas à Boston.

— Je suis aussi de cet avis et, à ce stade de ta carrière, Walter, je crois que la commission chargée de ton cas décidera de te laisser à l'IH. Je ne peux prédire si ce sera enfermé dans ta chambre ou sous tranquillisants, mais il est possible qu'on n'en arrive là qu'en cas de nécessité. Et ça ne sera pas nécessaire, n'est-ce pas?

Il ne changea pas de position, resta détendu et ses yeux demeurèrent rivés sur les siens; il leva la tête sans cesser de soutenir son regard.

— J'essaie de ne pas sortir de la carte, Jess, vraiment. Si je peux déterminer la voie que je dois emprunter, quand j'arrive à un croisement, je la prends, même si l'autre, celle que je n'emprunte pas, semble très jolie. À cet instant, je me dis que je contrôle véritablement la situation.

— Qui est «je»?

— Mon esprit. Walter Gros-cerveau.

— Et comment appelles-tu le vieux Walter?

— Walter Sans-cerveau. Le non-Walter.

— Tu n'es pas vraiment forcé de modérer ton langage, n'est-ce pas?

Cette question ne suscita aucune émotion, mais tout le reste était présent.

— C'est vrai, dit-il. Je peux parler abstraitement de moi… ce que j'étais, ce que je suis, ce que je serai. Mais il me semble qu'il vaut mieux rester concret, à cause des autres. Si j'employais des termes neuro-anatomiques, je raviverais leur peur, ou pire. Ai-je tort de penser cela?

Il venait de démontrer qu'il avait extraordinairement progressé mais aussi de reconnaître que ce n'était pas récent. Le négligeait-elle ou prenait-il de l'avance sur elle? Pour le moment, il attendait la réponse à sa question.

— Non, Walter, tu n'as pas tort. La nature des événements suscite toujours des attentes et les gens ne sont pas capables d'admettre la vérité. Tu as raison de ne pas te dévoiler entièrement, mon ami. Notre milieu lui-même n'est pas tout à fait prêt à accepter Walter Gros-cerveau.

— Ari voudra m'enfermer dans ma chambre de l'IH.

— Ari n'a pas le dernier mot, répondit Jess avec fermeté. Il me revient et j'estime qu'il faut t'autoriser à aller et venir pendant mon absence. Toutefois, si, après mon départ pour Boston, Ari, Fred et Moira décident de t'enfermer, tu dois me promettre dès à présent que tu te soumettras.

Il acquiesça, bien que cette perspective fût inacceptable, la bouche ferme mais paisible.

— La taille de ma carte me permet maintenant de saisir ce que tu veux dire, et pourquoi. Je n'ai pas envie d'être enfermé, mais je comprends. Oui, je me soumettrai sans un mot.

— Ça n'arrivera pas, Walter.

Il manifesta un autre progrès extraordinaire.

— L'ancien Ari était un type formidable, mais il n'existe plus. Il y a un nouvel Ari et cet Ari a vu le jour après le mariage avec Rose Compton. Rose est une minable, tu t'es trompée sur son compte quand tu l'as

174

nommée surveillante en chef. Tu ne succombes générale-ment pas à la flatterie, mais peut-être le sexe de Rose t'a-t-il empêchée de déceler la flatterie. Rose a deux objectifs. Le premier est de te discréditer et le meilleur moyen d'y parvenir est de montrer que je ne suis pas guéri, que je suis un monstre. Le second consiste à placer Ari à la tête de l'IH.

Le souffle coupé, elle se figea. Nom de Dieu! pensa-t-elle, combien de voies nouvelles ouvre-t-il et où conduisent-elles? Il vient de m'apprendre que j'ai été abusée et il a parfaitement raison! Mais il a dit que Rose était une minable! Et il a encore raison: seule une minable accoucherait d'une machination aussi ridicule.

Minable. Où a-t-il appris ce mot? Ou bien ai-je négligé lors de l'ablation – enfin, la destruction – des micro-amas de matière grise sous-corticale dont on ignore l'existence? Des trucs du cerveau primitif?

Je suis la meilleure du monde dans ce domaine, mais quelles sont vraiment les compétences de la meilleure? Walter, tu es mon legs à la vie, mon triomphe! Il me suffit de répéter la procédure sur un autre patient tel que toi et le milieu tout entier s'agenouillera. Ne me laisse pas tomber!

Une nouvelle fois, elle l'examina attentivement. Faites que ses déductions n'aient pas suscité sa fureur! S'il est en colère, son pronostic plonge dans l'abîme. Mais il n'y avait pas de colère; pas la moindre. Au lieu de cela, il manifesta un intérêt presque clinique pour les machinations de Rose.

— Ari ne prendra pas ta place, Jess, déclara-t-il.

— Pourquoi?

— Il ne t'arrive pas à la cheville et tout le monde, sauf Rose, le sait. Surtout: Ari le sait.

— Tu as tout à fait raison, Walter.

— Au moins, je peux dîner avec toi ce soir.

Elle grimaça.

— Non, Walter, je ne peux pas ! Je dîne dehors. Mais je serai ici pour le petit-déjeuner demain matin à 7 heures.

Le dîner se déroulait chez Delia et se composait de pizza, de salade et d'une bouteille de vin pétillant glacé.

— Pour les snobs qui croient s'y connaître en vins, le Cold Duck ne vaut rien, affirma Delia avec bonne humeur tout en servant, mais je l'aime… doux, pétillant, du Keats pur.

Jess adressa un regard méfiant à son amie.

— Tu ne m'entraîneras pas sur ce terrain, Delia, laisse tomber. Mais je suis d'accord : J'aime le Cold Duck et peu importe que les snobs le dénigrent.

— As-tu déjà bu une bouteille de vin à mille dollars ?

Jess battit des paupières.

— Jamais.

— On a enquêté sur le vol d'une bouteille de vin à mille dollars, autrefois, dit Delia, songeuse. Son propriétaire l'avait achetée lors d'une vente aux enchères et n'avait pas l'intention de la boire. Ma théorie, à l'époque – c'était ma première affaire à Holloman –, était qu'il n'avait pas pu se contrôler, lors de la vente, ce qui arrive souvent. En tout cas, ce n'était pas un collectionneur de vins !

— Bulles babillant au sortir de la bouteille ! s'écria Jess.

— Hein ?

— À cause de ton allusion à Keats, ha ha ha !

— D'accord ! Mais on parle d'une bouteille de vin à mille dollars, dit Delia, un peu contrariée. Qui l'a volée ?

— Sa femme s'en était servie pour faire un bœuf bourguignon, dit Jess.

Delia grimaça.

— Rabat-joie !

— Je parie que le mariage a tangué pendant un moment.

— Non, il était trop gentil, répondit-elle en dévisageant Jess. Néanmoins, ce badinage semble t'avoir fait du bien. Tu avais l'air très soucieux à ton arrivée, Jess.

— Je l'étais, mais Delia et le Cold Duck m'ont rendu ma bonne humeur.

— Peux-tu parler de ton problème ?

— Oh oui. Je compte au nombre des inspecteurs que les services fédéraux de la santé chargent d'évaluer les demandes de subvention. Cela ne m'oblige généralement pas à me déplacer pendant le week-end, mais il y a un original, à Boston, et je dois remplacer au pied levé un membre de la commission qui se réunit dans cette ville. Ça chamboule mon programme, mais ce n'est pas le vrai problème. Le vrai problème, c'est Walter.

Delia aligna des noyaux d'olive sur le bord de son assiette.

— Je change de pizzeria… des noyaux ! Walter est-il en danger ?

— Il est souvent perturbé quand je m'absente deux jours, même si je ne peux pas le comparer à un enfant, y compris sur le plan du fonctionnement de son esprit, répliqua Jess, heureuse de pouvoir se confier. En ce moment, il a décidé de progresser dans toutes les directions… Delia, c'est absolument *passionnant*. Il ne faut en aucun cas que Walter soit perturbé et il est si lucide qu'il croit qu'Ari Melos va le renvoyer à l'Asile dès que j'aurai le dos tourné.

— Est-ce probable ?

— Non. Je crois sincèrement qu'il ne risque rien. Si Ari décide de l'enfermer, ce sera à l'IH, pas à l'Asile… Rien, dans son comportement, n'a justifié sa détention à l'Asile depuis… oh, trois ans !

— Pourquoi ne l'enfermes-tu pas avant de partir ? Tu dis qu'il a confiance en toi. Je me trompe peut-être, mais il me semble que Walter a beaucoup plus peur de l'Asile que d'être consigné dans sa chambre de l'IH. Ne pourrais-tu pas le persuader de te laisser l'enfermer? Ou bien ai-je tort?

— Non, tu as raison. Mais j'ai promis qu'il serait libre d'aller et venir pendant mon absence. Il faudrait que je revienne sur la parole que je lui ai donnée.

— Ce sera l'occasion de mettre son éthique à l'épreuve, dit Delia, fine mouche. S'il fait vraiment des progrès passionnants, il devrait être capable de supporter une ou deux déceptions.

Jess accepta un nouveau verre de Cold Duck.

— C'est beaucoup demander, Delia! dit-elle ensuite. Je n'ai pas choisi la métaphore de la carte sans raison... nous avançons en terre inconnue et ce n'est pas pour rien que je qualifie son cerveau de contrée inexplorée. Sur de nombreux plans, la pensée de Walter est très développée, même complexe... Il est capable de lire et de comprendre des ouvrages techniques, il aime la musique classique alors que la musique populaire l'ennuie, parce que les mathématiques y sont moins présentes, je crois. Mais, sur d'autres plans, ses modes de pensée sont amputés et même inexistants ; par exemple, la façon dont Shakespeare emploie la langue l'enthousiasme, mais il ne peut saisir les émotions fondamentales exprimées par le dramaturge : le complexe d'Œdipe d'Hamlet ou la jalousie d'Othello.

— Compétent intellectuellement, mais stupide émotionnellement?

— Ce n'est pas aussi simple que ça, mais... oui, plus ou moins.

— Donc, si tu laisses Walter libre d'aller et venir, tu n'es pas sûre à cent pour cent qu'il se conduira bien. Mais, en fait, tu te méfies surtout des autres et tu n'as pas perdu foi en Walter.

Le long visage grave s'éclaira.

— Oui, exactement !

La journée avait été chaude, sans vent, et une plaque de smog marron planait au-dessus du détroit de Long Island, dont l'eau était aussi lisse et vitreuse qu'une plaque d'acier ; les deux femmes, assises face à la baie vitrée et sa vue, demeurèrent quelques instants silencieuses. Le père Reilly, de l'église Sainte-Marie de Millstone, s'engagea sur la plage en compagnie de ses deux vieux beagles, indice que tout était pour le mieux dans le meilleur des mondes ; dommage que les mondes tels que celui de Jess soient plus neufs, plus instables, plus imprévisibles.

— Jess, commença prudemment Delia, loin de moi l'idée de t'apprendre ton travail, d'autant moins que le mien est dans l'impasse, mais je crois que tu devrais au moins enfermer Walter Jenkins dans sa chambre pendant ton absence. Tu sembles le croire capable de raisonner et peut-être pourras-tu trouver les mots susceptibles de l'amener à accepter l'idée d'une détention temporaire dans un endroit qu'il paraît considérer plutôt comme son chez-lui que comme une prison ? Ne lui donne pas de médicaments estompant ses émotions, ou sa version des émotions, ainsi il sera lucide et pourra constater que tu ne lui as pas menti.

— Tu as beaucoup déduit de très peu d'éléments.

— C'est ce à quoi les inspecteurs excellent, Jess.

Sur le chemin de l'IH, préférant les petites routes aux grandes, Jess réfléchit. Elle avait promis à Walter qu'il resterait libre durant son absence et, maintenant, elle envisageait de l'enfermer. Serait-il capable de comprendre qu'elle le protégeait en le consignant dans sa chambre ?

Il l'attendait dans son bureau, vêtu de son uniforme de T-shirt et short, toujours gris ; il était horriblement daltonien et croyait que le gris était une jolie nuance de vert. Mais comment savons-nous ce qui est rouge, vert... ou gris ? Elle ignorait totalement comment il distinguait les bandes de couleur de ses rubans ; il ne se trompait jamais et affirmait pouvoir distinguer les couleurs. Pas seulement les couleurs qu'elle voyait. Mais comment percevait-il les différences ? Quel était son critère de comparaison ?

— Ne travaille pas trop tard ce soir, dit-il avec l'étrange autorité qui le caractérisait. Iras-tu à Boston en voiture ?

— Non, je prendrai la navette à l'aéroport d'Holloman.

— J'ai réfléchi, dit-il en ouvrant le coffre.

— À quoi, Walter ?

Elle avait éloigné son fauteuil pour qu'il puisse ranger facilement les dossiers ; elle le fit pivoter et le fixa, ses yeux noirs dilatés.

— Pourquoi ne m'enfermerais-tu pas dans ma chambre de l'IH pendant ton séjour à Boston, Jess. Si le non-Walter se manifeste, il ne pourra détruire qu'une pièce. Je ne crois pas que cela arrivera, le non-Walter est perdu dans le noir, mais mieux vaut prévenir que guérir. S'il te plaît, conclut Walter en faisant tourner le disque du coffre.

— Un jour, Walter, mon cher ami, je ne serai plus là. Mais ça se produira dans les années à venir, pas ce week-end. Je serai sans doute de retour très tôt dimanche matin.

— Enferme-moi, Jess, s'il te plaît !

— Stupéfiant ! dit-elle en traînant sur le mot.

— Tu m'enfermeras ?

— Oui, Walter, puisque c'est ton idée. Avec joie !

Soirée du samedi 16 au dimanche 17 août 1969

Cela ressemblait à une chambre d'hôtel de luxe, avec salle de bains équipée d'une cabine de douche et d'un jacuzzi. Mais les élégants tissus citron vert et bleu clair, ainsi que les boiseries peintes en blanc, cachaient des murs qu'on ne trouvait dans aucun hôtel : barres d'acier de trois centimètres de diamètre, câblage électrique spécial et, séparées par quinze centimètres de vide, deux vitres blindées si épaisses que l'extérieur semblait jaune. Une fois l'occupant à l'intérieur et le code du jour tapé sur le clavier de la serrure, le détenu y restait jusqu'à l'ouverture de cette serrure, qui comportait une alarme comparable à la corne de brume d'un transatlantique.

Walter Jenkins n'ignorait rien de sa chambre, créée spécialement pour lui plus de deux ans auparavant, après la fin des interventions réalisées par Jess, qui avaient banni le vieux Walter. Ses progrès et la promesse d'amélioration future avaient rendu la cellule de l'Asile indésirable au point de menacer ces progrès et améliorations ; Jess s'était battue pour obtenir les fonds permettant de l'incarcérer au sein de l'IH et avait gagné. La détention à l'Asile n'était plus destinée à contrôler la dangerosité de Walter, mais à rassurer ceux qui le fréquentaient. Compte tenu du passé de Walter, les gens avaient le plus grand mal à croire que le monstre qu'il avait été n'existait plus. Ari Melos et les Castiglione en étaient convaincus, mais l'IH fonctionnait grâce aux infirmières, assistants, techniciens et personnel de service et, chez eux, des vestiges de terreur restaient vivaces. Walter était calme quand Jess était là ; mais, en son absence, l'angoisse s'emparait d'une partie des employés.

Walter en était parfaitement conscient et personne, pas même Jess, n'avait deviné comment il s'en accommodait. Comme à l'époque où les ouvriers avaient construit sa chambre. Il s'était intéressé au travail de ces hommes que son T-shirt, son short, son allure militaire avaient séduits ; il était devenu à la fois mascotte et apprenti, parce qu'il manifestait une dextérité manuelle remarquable, et, lorsqu'on lui confiait une tâche, il l'accomplissait si bien qu'il suscitait l'admiration. Quand son niveau de compétence technique devint plus manifeste, il fut autorisé à fréquenter librement l'atelier. L'esprit de Walter, qui n'avait qu'une compréhension limitée des concepts abstraits, ne pouvait considérer les réactions des autres comme naïves, mais elles l'étaient et les psychiatres, comme les ouvriers chargés de réaliser ses nouveaux quartiers, ne faisaient pas exception.

Walter prenait ce qu'il voulait et comprenait ce que vouloir signifiait. Il observait, gagnait l'atelier où il assemblait et soudait des fils, proposait ensuite le résultat de son travail, certain qu'il serait accepté, parce qu'il était utile et magnifiquement exécuté. Comme le système de sécurité avait été réalisé d'un bloc au dernier moment et placé derrière une barre d'acier, les ouvriers ne virent pas la dérivation qui ouvrait la porte et coupait l'alarme ; les entrepreneurs avaient pris tellement de retard qu'ils risquaient des pénalités et traitaient alors Walter comme un collègue. Des caméras et des micros furent également installés et il était impossible de les désactiver. Cependant, alors qu'il occupait sa cellule de luxe depuis six mois, il alla voir Jess et contesta officiellement son absence totale d'intimité. Elle l'inhibait et entravait sa progression, selon lui… six mois n'étaient-ils pas suffisants? La commission se réunit et admit que la supervision audiovisuelle de Walter Jenkins n'était pas nécessaire. L'intelligence qui lui avait permis d'arriver à cette conclusion était passionnante! Walter couvrit les objectifs et les micros de pâte à modeler, au cas où, et, si on tenta de regarder ou d'écouter, personne ne reconnut l'avoir fait.

Emprisonné depuis l'enfance, il n'avait jamais conduit de voiture ou de camionnette à transmission manuelle. Ari Melos eut l'idée de faire plaisir à Walter tout en profitant de l'occasion pour analyser le fonctionnement de ses réflexes pendant que son esprit serait occupé à contrôler une lourde masse de métal en mouvement. Et Walter excella; quels que soient les dommages subis par son prosencéphale et les voies neuronales correspondantes, son aptitude à contrôler et conduire était extraordinaire. Si extraordinaire qu'Ari amena sa Harley Davidson et regarda Walter chevaucher avec compétence ce qu'il appelait plaisamment sa «machine».

— Les Harley sont des machines parce qu'elles font beaucoup de bruit, expliqua-t-il.

Walter le savait parce qu'il l'avait appris, comme beaucoup de choses, grâce à la télévision. Les livres étaient statiques, de simples images, mais la télé bougeait. Si la blague d'Ari n'en fut pas une pour lui, ce fut en raison de son absence de sens de l'humour. Jess elle-même ne pouvait lui arracher un sourire et personne n'avait entendu Walter Jenkins rire. Sujet de plus de cent conférences, Walter demeurait une énigme pour ceux qui l'étudiaient, même pour Jess. Où étaient ses limites? Était-il capable de ressentir?

— *Tabula rasa*, avait dit Ari Melos.

Une page blanche.

Sur la moto, Walter se révéla si doué qu'au terme d'une négociation avec Hanrahan, le directeur, et avec la Sécurité de l'Asile, une portion du réseau routier intérieur avait été interdite à la circulation pour que Walter pût chevaucher la Harley à grande vitesse sur trente kilomètres… pendant un quart d'heure. L'expérience lui plut visiblement, mais il ne sourit pas et, au terme de cette balade, son rythme cardiaque ne s'était pas accéléré. Ce n'était arrivé qu'une fois, dix mois plus tôt ; Walter n'avait jamais manifesté le désir de recommencer.

À 23 heures, Walter éteignit la lumière. Pour les autres détenus, l'extinction des feux était fixée à 21 h 30 et effectuée depuis le poste de garde, mais pas pour Walter ; il choisissait l'heure de son coucher. En l'absence de Jess, il était enfermé ; Jess s'était chargée personnellement de cette tâche, avant d'aller prendre la navette pour Boston, à 6 heures le samedi matin, s'assurant d'un regard qu'il avait assez de lecture. La télévision à grand écran était allumée, volume réglé comme d'habitude au minimum, et reliée au réseau câblé ; il aimait les émissions de sciences naturelles, les documentaires scientifiques et tous les genres de cinéma.

Ayant déconnecté la serrure et l'alarme de sa porte, il tira le battant. Les plafonniers étaient éteints, le couloir seulement éclairé par des lampes encastrées une dizaine de centimètres au-dessus du plancher ; vide, silencieux, il avait pris ses quartiers nocturnes. Bien ! Le témoin vert situé au-dessus du clavier de sa serrure indiquait que la porte était verrouillée, qu'il était à l'intérieur. Sa chambre était la seule de l'étage, hormis celles du secteur hospitalier, qui n'abritait pour le moment aucun patient. À cette heure, l'équipe de nuit buvait sans doute du café ou du thé dans la salle de repos, après la première ronde, et reprenait des forces en prévision de la suivante.

Toujours en T-shirt et short gris, Walter courut jusqu'au panneau vert indiquant SORTIE, puis tapa le code du jour et ouvrit la porte donnant sur l'escalier de secours. Moins de quatre secondes plus tard, il l'avait franchie, avait descendu les marches quatre à quatre et se trouvait au rez-de-chaussée. Inutile d'ouvrir la porte donnant sur l'intérieur : il avait le code de l'issue de secours donnant sur le parc. C'était une information qu'il n'avait jamais confiée à Jess... son inquiétante aptitude à mémoriser les codes et les nombres.

Il n'y avait pas très longtemps que le Je-Walter avait annoncé sa présence, et Walter l'avait perçu comme un piton rocheux inaccessible ; toutefois quand, deux mois plus tôt, il était descendu de son piédestal, Walter l'avait regardé en face et avait compris que c'était son vrai visage. Jusqu'ici, rien n'avait eu de sens, ni sa mémoire, ni ses aptitudes, ni le destin, ni Jess... Mais le Je-Walter et ses strates conféraient du sens à tout cela et, tous les jours, un rideau opaque séparant deux strates s'ouvrait, se muait en volonté. Il ne savait pas encore quelle était la volonté du Je-Walter, seulement que le Je-Walter était le vrai Walter. Et cette nuit, alors que Jess était à Boston et sa chambre verrouillée, il sortit pour se mettre au service du Je-Walter.

Ici, derrière la masse oblongue de l'IH, tout était noir et silencieux ; les projecteurs ne tissaient pas un quadrillage lumineux dans la nuit, ce qui arrivait quelquefois, quand Hanrahan estimait que les gardiens devenaient négligents et avaient besoin d'exercice. Aucun détenu n'était jamais parvenu à s'échapper. Walter regarda pendant quelques instants l'Asile, tout aussi noir et silencieux. Les tours de guet étaient positionnées de façon à couvrir principalement les blocs de l'Asile et, de ce fait, dans la partie la plus étroite de l'enceinte en forme de larme, une seule tour était occupée. Lors de la rénovation de l'Asile, entre 1950 et 1960, on avait prévu d'amputer l'extrémité de la larme, la vente du terrain permettant de couvrir le coût d'une section relativement courte de muraille... puis l'État avait manqué d'argent. Les besoins du docteur Wainfleet avaient pris le dessus, les dépenses avaient largement dépassé le budget et, par conséquent, en 1969, l'Asile était divisé en deux : les blocs abritant les détenus et les laboratoires de recherche près du portail et une section de parc déserte, de plus en plus étroite, occupée par des baraquements et des bâtiments annexes que personne n'approchait après la tombée de la nuit.

Telle une sangsue ou une limace, Walter franchit la porte de l'issue de secours et se mit à plat ventre sur l'herbe sèche en un unique mouvement liquide ; levant la tête juste ce qu'il fallait, il constata que tout était en ordre, se redressa et courut comme un lièvre en direction des ténèbres du seul petit bois de l'enceinte de l'Asile. Il n'y avait pas de lune, des nuages d'orage grondaient au loin, mais aucune nuée plus étirée et fine ne permettait de prévoir leur arrivée ; les orages se dirigeaient vers le Massachusetts.

Ici, le bois de l'intérieur de l'enceinte rejoignait la forêt de l'extérieur et ici, derrière un épais bouquet de rhododendrons, se trouvait la proéminence ronde d'une tour dont la partie dépassant la muraille n'avait pas été édifiée ; elle ne figurait pas sur le plan en tant que tour de guet et était presque invisible en raison de la végétation. Près de la base de cette ébauche de tour se trouvait une porte. La porte de Walter. Il l'avait découverte un an auparavant, au cours d'une de ses excursions nocturnes secrètes.

Elle était de la taille d'une porte ordinaire et couleur de muraille, relique du passé dont, pour une raison inconnue, on avait oublié l'existence : une non-porte.

Volant petit à petit ce dont il avait besoin, il avait démonté ses gonds rouillés et sa serrure rudimentaire, les avait remplacés par des neufs qu'il huilait consciencieusement. Derrière la porte, la muraille était creuse et une issue similaire donnait sur la forêt. Nouveaux gonds et nouvelle serrure, puis celui qui deviendrait le Je-Walter sortit dans le monde libre, sans entraves. Lui, qui ne se souvenait pas d'un temps où il n'avait pas été emprisonné, était libre. Cette constatation ne suscita ni joie ni sentiment de victoire, mais il éprouva quelque chose et comprit parfaitement qu'il était un intrus, pas un indigène. Ce fut peut-être pour cette raison qu'il prit son temps, Walter n'ayant jamais perçu le temps de la même façon que les gens ordinaires.

L'enfermement engendre une patience infinie.

La télévision lui ayant appris ce qu'était le monde réel, il y avait jusqu'ici fait deux incursions.

Lors de la première, ayant suivi une piste de gibier qui traversait la forêt, il était arrivé à la route 133 et, restant dans l'ombre des arbres qui la bordaient, il avait trouvé une maison et un appentis, puis d'autres appentis et une vieille Harley Davidson. C'était un moyen de transport, pas la moto d'un membre d'un gang, car il y avait une sacoche de chaque côté de la roue arrière et un coffre sur le porte-bagages. Une des sacoches contenait une trousse à outils Harley standard et un casque noir était posé sur le guidon. Il poussa la moto sur les sept kilomètres le séparant du mur d'enceinte et la mit dans l'espace circulaire défini par le pied de la tour, qu'il avait entrepris d'aménager : une sorte de refuge, le seul endroit lui appartenant vraiment. Appartenant au Je-Walter. Lampes à pétrole, réchaud de camping... toutes sortes d'objets disparurent des réserves de l'Asile ! L'examen dévoila que le réservoir de la moto était plein, mais une des choses qu'il ne put se procurer fut une réserve d'essence.

Lors de sa seconde incursion, trois mois plus tard, il poussa la Harley (équipée du silencieux le plus efficace que l'échappement puisse tolérer) sur la route 133, sur une distance telle que les gardiens de la tour de Millington ne pourraient l'entendre démarrer. Le bruit était plus dangereux de nuit, mais il était facile de cacher une moto, pas une voiture. Un passage à la bibliothèque lui avait permis de mémoriser la carte routière du comté d'Holloman et de localiser ce dont il avait besoin. Quand il se mit en route, il savait donc précisément où il allait : un groupe de boutiques de Boston Post Road comprenant un magasin spécialisé dans les motos. Vingt kilomètres aller-retour... avait-il assez d'essence ? Il ne pouvait pas en être sûr mais, compte tenu de ce que la télévision lui avait appris, il avait largement de quoi faire l'aller-retour. Il n'avait pas d'argent pour en acheter, mais pourrait en siphonner en cas de nécessité.

Pour Walter, pénétrer dans le magasin sans déclencher l'alarme fut un jeu d'enfant. Il prit une combinaison en cuir noir à sa taille, des bottes, deux bidons en plastique entrant dans le coffre du porte-bagages et, dans la vitrine du comptoir, un couteau de chasse. Il ouvrit la caisse enregistreuse, mais elle ne contenait que des chèques. Il portait des gants de chirurgien et ne laissa pas d'empreintes digitales. Encore la télévision ! Si on trouvait les empreintes d'un des détenus les plus dangereux du pays à quelques kilomètres de l'Asile, les responsables se mettraient à la recherche de sa porte. Il se montra donc très prudent quand il choisit une paire de gants en cuir noir. Mais... pas de liquide. *Où puis-je trouver de l'argent ?*

Ce soir-là, après une longue attente pendant laquelle il s'était familiarisé avec la Harley et l'avait réglée plus efficacement que son précédent propriétaire, il sortit à nouveau. Le Je-Walter s'était extrait de ses rideaux opaques, toutes ses strates étaient visibles et le Je-Walter avait envie de chevaucher la Harley. Des voies s'ouvraient sans cesse, source de satisfaction paisible qui plaisait au Je-Walter. Mais il avait besoin d'argent et c'était une difficulté qu'un homme de la nuit devait surmonter. Les banques étaient fermées et les magasins aussi. Ceux qui restaient ouverts étaient, d'après la télévision, tenus par des étrangers qui posaient toujours des problèmes. Walter décida que sa meilleure chance était une zone de petites usines et d'ateliers telle que celle qui, sur son plan, s'étendait derrière la mairie d'Holloman ; en cas de besoin, il pourrait forcer, à l'oreille et au toucher, un petit coffre-fort à combinaison, si la pièce était assez silencieuse et, à cette heure un samedi soir, qui serait au travail ? Son espoir, nourri par la télévision, était de trouver une caissette à monnaie ou deux. Il n'avait pas besoin d'une fortune, seulement de quoi acheter de l'essence.

Pendant qu'il roulait en direction du centre sous la limite de vitesse, Walter et le Je-Walter se réunirent enfin. Ce ne fut pas comme dans ce film stupide à propos des trois visages d'Ève, parce que des personnes différentes ne peuvent occuper le même corps ; ça n'existe pas. Non. Pendant ce trajet, il comprit simplement qu'il lui avait fallu plus de trois ans, après la fin des opérations de Jess, pour ouvrir les rideaux cachant le mystère ; son cerveau reconditionné était une succession de rideaux et, maintenant qu'ils avaient tous disparu, il pouvait voir ce que Jess avait fait de lui : le Je-Walter. Mais le Je-Walter était son secret. Jess perdrait la boule si elle apprenait l'existence du Je-Walter, du moins jusqu'au moment où elle pourrait être persuadée de comprendre comme Walter comprenait.

Il ne croisa, sur la route, ni voiture de patrouille ni véhicule de la police routière. La mairie, face à une pelouse magnifique, était imposante mais, derrière elle, s'étendait un quartier convenant parfaitement à Walter. Pas d'habitations, seulement des entreprises. Arrêtant la moto dans une bulle d'obscurité proche de l'arrière de la mairie, il écouta les cliquetis du moteur qui refroidissait tout en regardant attentivement dans toutes les directions. Puis, convaincu que la moto ne risquait rien et que l'endroit était désert, il s'engagea dans une ruelle, examinant les portes.

Un mouvement ; Walter s'immobilisa contre un mur, se plaqua contre lui. S'il y avait eu une bande de jeunes dans le quartier, les lampadaires auraient depuis longtemps été brisés, mais plusieurs étaient allumés et jouaient un rôle que Walter le détenu ne pouvait connaître : faire les cent pas dans la lumière, puis baiser rapidement, contre un mur, dans le noir. La femme faisant les cent pas était une Afro-Américaine à la peau claire, en minijupe et sans culotte, et un Noir gesticulant, dansant d'un pied sur l'autre, parlait avec elle en comptant les billets qu'elle venait de lui donner.

— Bonne recette, Hepzibah, dit-il en s'immobilisant.

— Samedi soir, Marty… mon grand soir.

— Remets-toi au boulot, femme !

— Pas question, répondit-elle. Je rentre chez moi.

Et elle s'en alla.

Marty Fane se dirigea vers Walter, dansant à nouveau d'un pied sur l'autre et satisfait de la recette de la soirée. C'était son territoire depuis si longtemps qu'il n'imaginait pas qu'on pût tenter de le lui prendre. Contrairement à beaucoup d'autres, c'était un bon maquereau qui s'occupait de ses filles, s'assurait qu'elles étaient propres, ne les tabassait pas pour le plaisir et leur laissait de quoi payer leur drogue et élever leurs enfants, même si c'étaient des soucis qu'il s'efforçait d'éviter en chassant les vraies épaves de son territoire.

190

Sa voiture, une Cadillac relativement âgée et personnalisée comme le sont les véhicules des macs, était stationnée sur un parking voisin à l'arrière de la mairie. Marty se dirigea vers elle de sa démarche dansante, Walter suivant un trajet parallèle, aussi impalpable que la fumée d'une cigarette se réfléchissant sur une table cirée. Près de la voiture, Marty s'immobilisa, regarda et écouta ; il la déverrouilla, gagna le côté du passager, ouvrit la portière et s'agenouilla sur le siège pour fouiller dans la boîte à gants. Une main se posa sur sa bouche et, dans le même mouvement, le força à se lever, puis deux mains se refermèrent sur son cou et il tomba, inconscient mais pas gravement blessé.

La voie, dans le plan cérébral de Walter, se divisa, mais il décida en un éclair de la direction à prendre. Il retourna l'homme, enfonça le couteau, parfaitement centré, à la base de la gorge de Marty puis fit pivoter la lame en direction du menton avant de la dégager. Peu de sang, comme il l'avait prévu, mais l'hémorragie noierait le type, qui ne pourrait crier.

Il sortit une liasse de billets de la poche de Marty ; il y avait deux autres liasses dans la boîte à gants, ainsi qu'un automatique de calibre .45 et un chargeur. Tout trouva place dans le veston de Walter, mais ses gestes furent machinaux ; il pensait aux yeux de Marty, qui s'étaient ouverts juste avant que le poignard ne plonge dans sa gorge.

À 3 heures du matin, sans la moindre tache de sang sur ses vêtements, il était de retour dans sa muraille. À la lumière de sa lanterne, il compta son butin, principalement des billets de cinq et de dix : presque mille cinq cents dollars. Maintenant, il pourrait acheter de l'essence.

À 3 h 30, il appela par l'interphone de sa chambre.

— Salut, c'est Walter. Je sais que la nuit n'est pas finie, mais pourrais-je sortir un moment ? Je suis ici depuis presque une journée et j'ai des fourmis dans les jambes. Juste une petite promenade, s'il vous plaît!

Jess répondit.

— Devine qui est rentré plus tôt? Tu as envie de jouer au poker ou aux échecs? Ou – après la promenade, bien sûr – de parler?

— Promenade puis conversation, répliqua-t-il. Je me suis beaucoup ennuyé.

Nouveau progrès! Walter savait ce qu'est l'ennui.

Dimanche 17 août 1969

Se demandant pourquoi Marty Fane restait garé aussi longtemps à cet endroit, les agents d'une voiture de patrouille avaient trouvé le corps du mac sur la chaussée à 3 heures du matin. C'était l'heure où les chats et les cafards eux-mêmes n'avaient plus rien à faire, où les filles de Marty ne pouvaient plus espérer de clients, où Marty lui-même était de retour dans son petit palais d'Argyle Avenue.

Carmine se chargea personnellement de l'affaire et s'adjoignit Delia; Abe et son équipe s'occupaient des Doe. Donny assurait la sécurité dans les rues, Buzz était en vacances et Delia si frustrée par son enquête sur les Ombres que distribuer des contraventions lui aurait sans doute fait l'effet d'un don du ciel.

Le meurtre du maquereau installé en ville depuis longtemps fit sensation et si le chagrin ne fut pas mentionné, si on ne vit pas de larmes dans les yeux des membres des forces de l'ordre, ce fut un choc qui suscita l'inquiétude et une certaine tristesse. Car Marty Fane exerçait depuis si longtemps qu'il était devenu une sorte d'institution et son milieu, privé de son influence stabilisatrice, risquait de connaître les troubles liés à la disponibilité d'un territoire, au désarroi des filles, à la cupidité et la violence. Malgré son passé, il était relativement jeune: quarante-cinq ans. Assurément pas assez âgé pour que les requins tournent en rond à la périphérie de son territoire, prêts à passer à l'attaque. Maintenant, une guerre entre macs risquait d'éclater pendant la période creuse de la fin août.

— Ce pauvre gars est mort très lentement, dit Gus Fennel dans la salle d'autopsie. Une technique intéressante et originale, qu'on n'enseigne pas à Quantico ni, à ma connaissance, ailleurs.

— Mais silencieuse, fit remarquer Carmine. Plus de cordes vocales.

— Exact, mais réfléchissez un instant, Carmine. L'agresseur a commencé par serrer le cou de Marty et l'a presque étranglé… il a dû rester une ou deux minutes sans connaissance. Puis… ça! Sans saignement au début, parce que c'est l'équivalent d'une trachéotomie d'urgence : percement de la trachée sous le point de déglutition. Si l'agresseur s'était contenté de cela, Marty aurait pu survivre, mais il ne s'est pas arrêté là. Il a enfoncé la lame jusqu'à la face antérieure de la colonne vertébrale, puis l'a fait pivoter de bas en haut jusque sous la mâchoire inférieure sans rien toucher qui puisse saigner abondamment. Pas de projection, pas de flaque. J'estime que Marty a repris connaissance à l'instant où le couteau perçait la trachée et qu'il est resté conscient. La notochorde – le tube neural – se replie et se referme sur la face antérieure du plan sagittal, d'où l'absence de gros vaisseaux sanguins et nerfs à cet endroit. Je me demande : l'agresseur le savait-il? Je suis dans l'obligation de le supposer mais, possédant des connaissances aussi précises en anatomie, il disposerait de meilleurs moyens de tuer, y compris avec un couteau.

— Suggérez-vous qu'il y a eu torture, Gus? demanda Delia.

— Je ne peux pas l'affirmer, Delia. Je peux simplement dire que l'agresseur contrôlait parfaitement le couteau : l'entaille est rectiligne, quelle que soit la structure des tissus tranchés.

— D'après Paul, il a essuyé la lame sur la fausse fourrure des sièges de la voiture de Marty, ajouta Delia.

— Et il portait des gants, intervint Carmine. Aucune empreinte.

— C'est tout en ce qui me concerne, capitaine, conclut Gus. Un meurtrier très ingénieux et original.

Moroses, les deux inspecteurs reprirent le chemin de l'étage.

— Il faut que j'avertisse Fernando, dit Carmine, montant lentement les marches une par une. Les agents en uniforme vont avoir beaucoup de travail tant que la crise des putains et des macs ne sera pas résolue. J'aimais bien Marty, parce qu'il s'entendait bien avec ses filles et veillait à ce qu'elles soient propres. Quand sa meilleure putain a été tuée, il y a quelques années, son chagrin était sincère.

— Dans un monde où personne n'aurait besoin de payer le sexe et où, de ce fait, personne ne le vendrait, soupira Delia, les Marty Fane n'auraient pas de raison d'être mais, malheureusement, ce monde n'existe pas. Ceux qui ont envie de sexe sont toujours plus nombreux que ceux qui sont prêts à le donner.

Carmine rit.

— C'est prendre ses désirs pour des réalités, Deels, mais c'est néanmoins vrai. Allons voir la scène de crime.

C'est dimanche, pensa Carmine, et c'est un gros avantage. Delia et lui parcoururent le quartier situé derrière la mairie, certains que les rues et ruelles avaient été sécurisées et d'avoir été prévenus assez tôt pour prévenir l'arrivée de voitures de patrouille et d'agents en uniforme. Il n'était pas question de vexer Fernando Vasquez et ses gars, mais cela permit à Paul Bachman d'envoyer un de ses collaborateurs sur une scène de crime pratiquement intacte. La collecte d'indices étant terminée, Carmine put aller et venir à sa guise.

La Cadillac de 1964 était toujours sur place. Assise sur le siège du passager d'une voiture de patrouille, ses longues jambes à l'extérieur et une cigarette dans une main, Hepzibah Cornwallis était satisfaite d'elle-même ; elle avait refusé de prendre place sur la banquette arrière, séparée des sièges avant par un grillage, parce qu'elle était un témoin, et elle avait savouré le plaisir d'avoir pu obliger la policière à accomplir le trajet dans la cage. La mort de Marty plongeait une autre partie d'elle-même dans le désespoir : que deviendrait-elle maintenant ? Elle avait remplacé Dee Dee Hall, les pipes étant sa spécialité, et elle rapportait beaucoup, c'était une putain de valeur.

Elle regarda, vaguement amusée, le couple qui se dirigeait vers elle ; ils étaient assortis comme pourraient l'être un lion et un caniche nain. Le type était Carmine Delmonico, un très bon flic, elle le savait, mais cela ne l'empêcha pas d'apprécier, en femme, sa vigoureuse beauté. Grand, cou de taureau, ventre plat, toujours vêtu en ancien de Chubb, cheveux noirs très courts pour qu'ils ne frisent pas, yeux d'une sorte de marron doré et visage qui, lui semblait-il, aurait dû être celui d'un roi. Un vrai lion, le chef de la meute, si c'était ainsi qu'on appelait le harem des lions. La femme était Delia Castairs, la salope britannique, laide à faire peur et portant, ce jour-là, une sorte de pyjama flottant aux motifs et couleurs psychédéliques.

— Salut, Hepzibah, dit Carmine, souriant. Je suis désolé pour Marty, sincèrement.

— Moi aussi, ajouta Delia.

— Vous l'êtes pas autant que moi. Pourquoi vous m'avez fait venir ici ?

— J'ai pensé que tu serais plus utile ici qu'au siège de la police, répondit calmement Carmine, veillant à s'en tenir au singulier : il savait que les putains détestent les femmes flics.

Delia saisit l'allusion et s'éloigna. Carmine montra la Cadillac et reprit :

— Il n'y a pas beaucoup de sang et ça ne sera donc pas une épreuve horrible mais, si je te le demandais gentiment et poliment, accepterais-tu de jeter un coup d'œil sur la voiture avec moi ? S'il manque quelque chose, tu sauras ce que c'est.

— Pour toi, chéri, je sucerais le pape. Et pour mon Marty aussi. Tout ce que je peux faire, je le ferai. Faut coffrer ce fils de pute, capitaine.

— Quand as-tu vu Marty pour la dernière fois ?

— Vers 2 heures. Il fermait boutique. Je suis rentrée chez moi.

— Plus de clients dans le quartier ?

— Non. C'était complètement mort.

Carmine tendit la main et aida Hepzibah à descendre de la voiture en un geste qu'elle trouva à la fois courtois et respectueux, puis l'entraîna, la main sous son coude, vers la Cadillac. En hommage au décès de Marty, elle portait une culotte, et sa courte minijupe en satin rouge cerise mettait ses très belles jambes en valeur ; à vingt-cinq ans, experte dans l'art de la fellation, elle avait encore une longue carrière devant elle. Va te rhabiller, femme flic !

— Indique-moi ce qui te semble différent dans la voiture, dit Carmine.

Évitant la tache de sang, vieux et marron, elle tendit la main vers la boîte à gants et l'ouvrit.

— Marty range tout là-dedans, dit-elle, fouillant mais ne sortant rien. L'argent est plus là. Son .45 et le chargeur non plus. Il manque rien d'autre.

— Tu crois que son agresseur cherchait à s'emparer de son territoire ? demanda Carmine alors qu'ils s'éloignaient.

Elle réfléchit – elle en était capable parce qu'elle travaillait pour élever deux enfants, pas pour acheter de la drogue – puis secoua la tête.

— Non, personne s'attaquait à Marty. Ce fils de pute voulait seulement son blé.

— Et il l'a eu. Pourquoi l'agresseur a-t-il tué Marty ? Selon notre médecin, il n'avait pas besoin de le faire.

— Parce que c'est une ordure, capitaine. Il tue pour le plaisir.

— Vous avez des projets, tes copines et toi ?

Les grands yeux pleins de larmes se dilatèrent, un sourire sarcastique dévoila des dents blanches.

— On est que des putes. Des projets de putes ?

— Hepzibah, tu as naturellement de l'autorité. N'oublie pas que l'attaque est la meilleure défense.

— Je sais. Ouais, nous, les putes, on a peut-être un projet, mais ça dépend pas seulement de nous. Vous avez une suggestion ?

Il la fit asseoir sur le siège de la voiture de patrouille et lui serra la main.

— Prends les devants, Hepzibah. Choisis votre mac.

La voiture de patrouille s'en alla.

— L'avantage des interrogatoires sur les scènes de crime est qu'il est impossible de les immortaliser sur bande magnétique, dit Delia, espiègle. Choisis votre mac ! Vraiment ! Elles vont finir par se faire égorger. Comparativement à Otis Fly-by et Chester le Polack, feu Marty Fane était une crème.

— Non, les filles de Marty étaient le dessus du panier. C'est pour ça qu'il a tenu aussi longtemps dans ce milieu ultraviolent. Je soutiendrai ses filles si elles sont bien dirigées et prennent les devants. Hepzibah a un frère.

— C'est du délit d'initié ! s'écria Delia. Quel que soit leur mac, les filles seront exploitées.

— Oui. Cependant tous les coups de griffes n'infligent pas le même degré de souffrance. Certains chats sont plus gentils que les autres.

— C'est juste!

Ils inspectèrent ensuite les environs, le puissant faisceau d'une lampe torche les précédant, bannissant les ombres, pénétrant les recoins et les fissures, dévoilant des objets minuscules qu'une lumière uniforme venue d'en haut n'aurait pas révélés.

Dans un endroit qui, de nuit, aurait été une tache de noir intense, ils trouvèrent un indice près d'une poubelle industrielle.

Dans les ténèbres, la cachette aurait été indécelable mais, à la lumière du jour, on constatait que l'endroit était couvert d'un tapis de matière végétale provenant de la poubelle et tombée sur le sol chaque fois qu'on vidait cette dernière ; de couleur sombre, vaguement huileux et tassé par le lourd marteau du temps. L'origine du contenu de la poubelle était une petite entreprise fabriquant des pâtés impériaux surgelés. Le tapis était si vénérable qu'il ne sentait même pas mauvais.

— Qu'est-ce que c'est que ça? demanda Carmine quand le faisceau de la torche éclaira la couche de détritus.

Delia le rejoignit ; ils scrutèrent le sol.

— On a garé une moto ici hier soir et pourquoi stationnerait-on une grosse moto dans un tel endroit? Et elle est grosse... tu vois la largeur des pneus? Une Harley Davidson, peut-être?

— Un client des putains? suggéra Delia.

— Pas stationné ici, j'en suis presque sûr. Cette moto était cachée, intentionnellement. Il y a des traces, tout autour, qui pourraient être des empreintes de chaussures, mais rien de précis. Pas de fuite d'huile... Si elle appartient à notre meurtrier, il ne se déplace pas en voiture, dit Carmine, satisfait. Il est donc très mobile et potentiellement difficile à localiser. Deels, ce type m'inquiète. Il vient d'arriver à Holloman et, pour des raisons trop troubles pour qu'il soit possible de les deviner, il a décidé que le meilleur moyen de mettre la main sur de l'argent était de voler un maquereau. Mais il est allé plus loin… il a tué le maquereau. Les voyous ne s'attaquent pas aux souteneurs des dames de la nuit : ils ont tous tué pour se faire une place. C'est l'homme mystère absolu. Pourquoi un mac ? Pourquoi Marty ? Pourquoi tuer ? Quel a été son butin ? Relativement peu, j'en suis sûr. Il tue pour presque rien et les voyous sont généralement plus futés que ça. Le Connecticut n'exécute pas, mais les peines sont longues et les libérations conditionnelles très difficiles à obtenir.

— Tu décris un psychopathe, fit remarquer Delia.

— Oui, effectivement. Si c'est le cas, il vient d'arriver à moto. Espérons qu'il poursuivra son chemin.

— Connerie ! s'écria Delia, ironique. Tu veux qu'il reste le temps que tu puisses le coffrer.

Il ne rentra pas tard chez lui, dans la maison d'East Circle avec sa tour carrée, à East Holloman ; le *New York Times* du dimanche fut un prix de consolation, un bourbon avec beaucoup de soda aussi, et Carmine s'installa sur la terrasse du jardin pour regarder la fin de l'après-midi se muer en crépuscule sur le port d'Holloman tout proche. L'absence de vent et une longue vague de chaleur avaient bruni le ciel, dont les bords étaient sombres. Holloman était un port très fréquenté, surtout par les pétroliers alimentant les réservoirs de la raffinerie, à l'extrémité d'Oak Street ; il y avait beaucoup d'usines dans la région : armement, réacteurs, matériel de microchirurgie, et les cargos allaient et venaient sans cesse mais, désormais, ils étaient si gros qu'ils ne pouvaient remonter le Pequot.

Sa famille lui manquait terriblement et il se sentait prisonnier des dents rouillées du piège qui lui interdisait de laisser paraître son désarroi quand il téléphonait à Desdemona et aux enfants. Il n'avait qu'une envie : crier, hurler, brailler : «Rentrez! Rentrez!» Mais il ne pouvait pas ; s'il l'avait fait, Desdemona serait aussitôt revenue, mettant en péril les bénéfices de sa période de repos. Personne ne savait pourquoi certaines femmes étaient déprimées après l'accouchement, à ceci près qu'on constatait un déséquilibre hormonal et que son épouse en avait été victime après la naissance d'Alex. S'il laissait Sophia et Myron s'occuper affectueusement d'elle pendant un mois ou six semaines, elle se rétablirait… à condition qu'il n'y ait plus d'enfants. Ce qui pourrait être accompli s'il subissait une vasectomie. De son point de vue, ce n'était pas un sacrifice ; il avait une fille et deux garçons. Mais il n'était pas sûr que Desdemona serait d'accord et il peaufinait encore son argumentation. Toutefois, le temps résolvait souvent les problèmes si on lui en laissait la possibilité et il devait tenir compte de cela. Un chien et un chat étaient formidables, mais faisaient l'effet d'une piqûre de puce sur le cul d'un mammouth comparativement à la présence de sa femme et de ses enfants. Ils lui manquaient énormément!

Il avait beaucoup attendu avant d'épouser la femme qui lui convenait et d'engendrer les fils qu'il désirait ; et Desdemona, à trente-six ans, n'était plus une jeunesse. À présent, il jouissait littéralement de la vie de famille que lui autorisaient les exigences de son travail, et son plaisir était d'autant plus grand que Desdemona, contrairement à la majorité des épouses, comprenait son engagement éthique vis-à-vis de sa profession ; il ne fallait jamais négliger ni la vie de famille ni le travail, et c'était un numéro d'équilibriste. Desdemona, qui avait elle aussi exercé une profession, se chargeait de l'essentiel de la vie de famille, alors qu'elle avait dirigé un institut de recherche, et il savait que ce n'était pas juste. Pendant des jours, quand il était occupé ou absent, elle n'entendait que des propos d'enfant. Cela plongerait n'importe qui dans la dépression! Peut-être son effondrement psychologique avait-il été la manifestation de ressentiments dont elle ne pouvait admettre l'existence?

Et, alors qu'elle lui manquait, de même que sa formidable cuisine, que Julian et Alex lui manquaient aussi, il était confronté à un motard psychopathe. Un nouveau venu dans la ville. C'était *forcément* un nouveau venu! Ces hommes étaient comme tous les fruits humains : ils n'atteignaient la maturité qu'au terme d'un processus de croissance et de mûrissement. S'il avait été d'Holloman, il se serait déjà fait remarquer.

— Je suppose, dit une voix, que tu n'aurais pas un autre bourbon, que tu ne me laisserais pas te piquer une partie de ton journal et te payer ensuite une pizza?

Fernando Vasquez, qui habitait un peu plus loin, se tenait devant chez lui en jean et chemise à carreaux.

— Ça peut s'arranger, répondit Carmine, à condition que tu ne veuilles pas les pages sportives. Je ne savais pas que tu étais célibataire.

— Soledad a emmené les gosses à Porto Rico. J'en ai tellement marre d'être seul que je pourrais me cogner la tête contre les murs.

Il gravit les marches et reprit :

— N'importe quelle section du journal fera l'affaire.

— Si mon visiteur de minuit jusqu'à l'aube n'était pas aussi timide, on pourrait être trois mais, après avoir été présenté aux animaux, il est devenu invisible. Frankie va l'accueillir, mais je ne le vois jamais.

— Hank Jones, le dessinateur?

— Ouais, il peint le paysage nocturne.

Fernando suivit Carmine, qui entra pour préparer un second verre. Puis, heureux d'être ensemble, les deux

hommes profitèrent de la fin de la journée sur la terrasse jusqu'au moment où le noir les força à se replier
à l'intérieur.

Lundi 18 août 1969

John Silvestri organisa un petit-déjeuner de travail dans son nid d'aigle, situé au sommet de la tour destinée, d'après l'architecte, à donner du cachet à son bâtiment administratif de la fin des années 1950. Un espoir vain, selon l'opinion la plus répandue, mais la tour permettait à John Silvestri de dominer tous ses collègues fonctionnaires.

L'assistance était un peu clairsemée en raison de deux absences : Buzz Genovese était en vacances et Tony Cerutti en déplacement. Il n'y avait donc que Carmine, Abe, Liam, Donny et Delia. Gus Fennell et Paul Bachman n'étaient pas là, et le nouveau dessinateur non plus. Le grade de Silvestri expliquait en partie pourquoi cette convocation à 7 heures du matin n'avait soulevé aucune objection, mais la nourriture et le café jouaient aussi un rôle. Il n'existait pas de donuts, bagels et viennoiseries plus frais et le café, également frais, était le meilleur.

En outre, Silvestri était un excellent patron. Il portait le ruban bleu pâle de la Medal of Honor en raison de ses exploits militaires pendant la Seconde Guerre mondiale, mais c'était essentiellement un bureaucrate qui n'avait utilisé qu'une fois son arme en service... avec une grande efficacité, démontrant ainsi que son œil n'avait rien perdu de son aptitude à distinguer une cible cachée et à la toucher en plein centre. Il s'appelait Silvestri, mais la majorité de ses ancêtres étaient des Cerutti et il était apparenté à plus de la moitié du personnel de la police d'Holloman, notamment Carmine Delmonico et plusieurs autres inspecteurs. Delia Carstairs était une Anglaise d'Oxford, mais aussi sa nièce ; sa mère était la sœur de Silvestri, qui avait stupidement cru pouvoir échapper à ses racines policières en épousant un universitaire spécialiste du vieil anglais dans un autre pays. Mais qu'était devenue sa fille unique ? Elle était flic dans le service de son oncle John !

Son épouse, Gloria, était considérée depuis des années comme la femme la plus élégante du Connecticut et lorsque les Silvestri sortaient ensemble, on estimait en général que le seul couple capable de rivaliser en prestance et élégance était M. M., le président de l'université Chubb, et son épouse, Angela, divinement gracile. Gloria n'était pas qu'un joli visage, comme le prouvaient son diplôme d'histoire de la Renaissance, obtenu à Chubb, et les trois fils qu'elle avait magnifiquement élevés.

Les enfants des Silvestri n'étaient pas flics. John Junior était major dans les Marines ; Anthony poursuivait une brillante carrière de chercheur en physique des particules à Berkeley et Michael était en voie de devenir un jésuite chicanier de plus. Les Silvestri avaient donc un militaire, un scientifique et un agitateur religieux ainsi que, grâce à John Junior, cinq petits-enfants, dont deux filles qu'ils adoraient. Ils étaient extrêmement fiers de leur ascendance italo-américaine et haïssaient la Mafia qui, à leurs yeux, défigurait la contribution positive de très nombreux immigrants à l'Amérique.

En général, Silvestri avait un sens de l'humour malicieux, qui ne se manifesta pas ce matin-là, malgré le luxe rare dont bénéficiait la tour : l'air conditionné. Dehors, il faisait déjà trente-deux degrés et rien n'annonçait la fin de la canicule.

La mort de Marty Fane avait contrarié le directeur, dont le beau visage était grave.

— Une guerre de territoire? s'enquit-il.

Carmine se chargea de répondre.

— Presque à cent pour cent non, monsieur le directeur, dit-il calmement. Si j'avais cru que c'était une guerre de territoire, j'aurais demandé la présence de Fernando, Virgil et Corey ce matin, parce que les agents en uniforme auraient été les premiers concernés. Il est possible que ça devienne une guerre de territoire, mais Marty n'a pas été tué dans le but d'en déclencher une.

— Développez, dit Silvestri.

— Je crois qu'il y a un nouveau venu en ville, monsieur le directeur, et que ce nouveau venu a tué Marty. Mais pas pour s'approprier son territoire. Quel qu'il soit, il ne s'intéresse pas à la prostitution.

— Dans ce cas, n'en parlons plus. Commençons par notre pléthore de disparus. Abe, avez-vous progressé sur l'affaire des John Doe?

— Nous avons identifié les quatre derniers, monsieur le directeur : John Doe Trois, John Doe Quatre, James Doe et Jeb Doe. Tous sont des jeunes hommes très séduisants de dix-neuf ou vingt ans et tous ont été employés, pendant des durées allant d'une semaine à plusieurs mois, par Rha Tanais et Rufus Ingham. Ils travaillaient à Busquash Manor, qui abrite une scène de théâtre, dit Abe.

— Des éléments liés à l'homosexualité?

— Oui, monsieur le directeur, mais je ne suis pas convaincu qu'il y ait un lien entre l'homosexualité et les meurtres, répliqua Abe avec fermeté. Tout indique que les Doe ont été enlevés, castrés puis sont morts de faim. Maintenant que nous savons qui étaient ces jeunes gens, il semble que le lien avec Rha Tanais et Rufus Ingham fournisse un ensemble de victimes potentielles au meurtrier. Le type d'activité, allié à la liberté sexuelle entourant Rha Tanais et son pote, attire chaque année des dizaines de jeunes des deux sexes... du point de vue du meurtrier, monsieur le directeur, c'est l'Eldorado. Je peux affirmer que John Doe Un et John Doe Deux provenaient aussi de cet ensemble. Tony Cerutti est allé interroger les familles et les amis des victimes identifiées et il est de plus en plus probable que le coupable joue un rôle central au sein du zoo de Busquash Manor, ou bien en est si proche qu'il peut se faire passer pour un personnage central.

Silvestri sourit.

— Bonnes nouvelles, Abe. Vous avez beaucoup progressé depuis notre dernière réunion. Que projetez-vous de faire maintenant? Pouvez-vous nous en faire part?

— Tony devrait rentrer demain ou après-demain, monsieur le directeur. Ensuite, nous nous intéresserons de très près aux occupants de Busquash Manor, à commencer par Rha Tanais et Rufus Ingham.

Abe fronça les sourcils et reprit :

— Je dois ajouter, monsieur le directeur, que, selon moi, ces deux hommes ne sont pas coupables. Cependant, il est très probable qu'ils ne disent pas tout ce qu'ils savent. J'ai l'intention de les soumettre à la question.

Les yeux noirs du directeur fixèrent Delia.

Elle portait un ample pyjama informe au décor le plus bizarre qu'ils eussent jamais vu ; sur un fond couleur de soupe aux pois cassés gambadaient des dizaines de chats et de chiens au large sourire, aux couleurs voyantes, parmi des motifs plus étranges encore : taches, bandes, zigzags, spirales, carrés, triangles. C'était à la fois aveuglant et fascinant, mais rien ne pouvait égaler son gigantesque sac à main : partie avant d'un chat adossée à la partie avant d'un chien, s'ouvrant d'une paire d'oreilles félines à une paire d'oreilles canines. Il contenait sans doute son arsenal habituel, mais elle aurait aussi eu la place d'y mettre un mortier et plein de munitions.

— Malheureusement, monsieur le directeur, dit-elle d'une voix claire, je suis aux antipodes d'Abe. Je n'ai pas avancé d'un pouce. Les disparues sont toujours des ombres.

— Delia, si tu ne peux pas trouver dans cet embrouillamini un fil sur lequel tirer, personne n'en est capable, dit Silvestri sur un ton aussi rassurant que possible. Je ne peux pas imaginer que tu sois complètement bloquée.

— Pas complètement, monsieur le directeur, répondit-elle, son sourire dévoilant ses dents tachées de rouge à lèvres. Je suis tombée sur un livre, ce week-end, qui apporte quelques éclaircissements… mais, malheureusement, pas dans une direction permettant de résoudre l'affaire.

— Carmine ? demanda le directeur.

— Delia retournera à son livre et à ses disparues pendant que je me chargerai du nouveau venu. Il a une grosse moto mais n'appartient pas à un gang de motards et il préfère le meurtre à l'agression. Nous n'avons jamais été confrontés à son mode opératoire et c'est pourquoi je crois qu'il vient d'arriver dans notre ville. La mort de Marty Fane est horrible, parce qu'elle était absolument inutile et les voyous sont trop futés pour s'en prendre à un mac installé tel que Marty, qui a sans doute tué ses premiers rivaux alors que sa voix n'avait pas encore mué. On peut en déduire que, contrairement aux voyous, notre nouveau venu ne tient pas à la vie. Ou bien qu'il est convaincu de pouvoir prendre le dessus.

— Vous décrivez un psychopathe solitaire, Carmine.

— Ouais.

— Très bien, soupira Silvestri. Mangeons.

S'étant excusée d'une voix charmante, Delia posa plusieurs viennoiseries sur une assiette qu'elle emporta dans son bureau, regrettant de devoir se contenter de café ordinaire mais trop impatiente de se plonger dans son livre pour se livrer à une orgie de sucre dans le nid d'aigle de l'oncle John.

L'ouvrage était extrêmement technique et, sur de nombreux plans, dépassait ses compétences, mais ce qu'elle comprenait en justifiait la lecture. Il ne provenait pas de la bibliothèque municipale, ni même de la bibliothèque centrale de Chubb, qui comptait cinq millions de volumes; il appartenait à la bibliothèque médicale de Chubb. Elle s'y était rendue samedi dans l'espoir d'y trouver des documents susceptibles de l'aider à comprendre ce que faisait Jess Wainfleet, en quoi consistait sa psychiatrie originale et super-spécialisée et, avec l'aide d'un bibliothécaire peu coopératif, avait fini par trouver un livre qui semblait prometteur. Puis Marty Fane avait été tué et elle n'avait pas pu consacrer son dimanche à la lecture.

À mesure qu'elle avançait, ayant oublié la qualité du café, les souvenirs d'une période ayant suivi la Seconde Guerre mondiale mais antérieure aux grands progrès du traitement chimique de la maladie mentale s'éveillèrent et se déployèrent… Fascinée, elle continua sa lecture, tournant des pages et des pages de charabia à la recherche de passages éclairant une partie au moins de son affaire. Peu avant 13 heures, elle ferma l'ouvrage, s'apercevant soudain que son cou et ses épaules étaient douloureux en raison d'une tension nerveuse dont elle n'avait pas eu conscience.

Le livre à la main, elle se mit à la recherche de Carmine, qu'elle trouva dans le laboratoire de Paul Bachman. À son arrivée, il remercia Paul et regagna son bureau en sa compagnie.

— J'ai quelques idées à propos des Ombres, annonça-t-elle en s'asseyant dans le fauteuil du visiteur.

La main de Carmine, qui tirait l'oreille soyeuse du chien, s'immobilisa ; Frankie, comprenant qu'il n'intéressait plus son maître, se coucha.

— Explique, Deels.

— Lobotomie ou leucotomie, dit-elle, selon la façon dont le chirurgien décrit son opération. S'il pense à son objectif : couper les connexions entre la matière grise du lobe frontal du cortex et le reste du cerveau : lobotomie. S'il envisage de supprimer la connexion en coupant ses voies au sein de la matière blanche : leucotomie. La lobotomie est la mesure la plus radicale, utilisée pour neutraliser les troubles du comportement les plus effrayants. Avant la lobotomie : des animaux sauvages, dangereux. Après la lobotomie : des êtres humains neutres et incapables d'émotions.

Ses yeux marron clair, bordés de pointes de mascara, brillèrent.

— Mais heureusement, poursuivit-elle, le traitement chimique des maladies mentales s'est développé, évitant ainsi que nos hôpitaux psychiatriques soient pleins de zombies lobotomisés. Carmine, j'ai trouvé un livre merveilleux qui retrace toute l'histoire des démences dangereuses de l'Antiquité à 1965. Si on laisse de côté la piste des portraits des Ombres, tous ceux qui les ont croisées au cours des six mois pendant lesquels elles ont occupé un appartement décrivent des femmes neutres, sans affectivité. De mon point de vue, leur personnalité n'est plus mystérieuse, même si le reste le demeure. Je crois qu'elles prenaient de fortes doses d'un produit altérant le comportement ou l'esprit, de la chlorpromazine peut-être.

— C'est une bonne déduction, Delia, mais où te conduit-elle ? questionna Carmine.

— Elle montre que ces femmes devaient être réduites à l'état de zombies, grâce à un produit chimique, pour qu'il soit possible de contrôler leurs allées et venues.

— S'il s'agit du mode opératoire de meurtres, il relève de la science-fiction, objecta Carmine.

Il réfléchit et ajouta :

— Ou de la science-fantasy.

— Il faut interroger Jess Wainfleet, dit Delia. Ici, au siège du comté, et je veux le faire avec toi.

Il leva un sourcil noir et sourit.

— Est-elle suspecte ?

— Non, mais j'ai besoin d'informations plus précises et j'ai davantage de chances de les obtenir dans un cadre officiel que dans son pré carré. Dans l'idéal, il faudrait qu'elle se sente en sécurité mais un peu déstabilisée, incapable de prétexter une urgence ou de nous imposer la présence de Walter Jenkins. Son ego est énorme et elle se montre parfois arrogante. Nous pouvons jouer sur son ego en lui demandant humblement de passer nous voir au siège du comté sous prétexte que nous voulons éviter que l'IH apprenne que nous avons besoin de son aide, dit Delia.

— Ta perception des Ombres a-t-elle changé ? demanda Carmine, qui préférait attendre avant de lui proposer ses théories.

Elle avait une façon très personnelle de voir les choses et devait bénéficier du temps de décider par elle-même de la valeur de ses idées. De son point de vue, elle était aussi compétente qu'Abe Goldberg, donc…

— Les droguer pour les maintenir sur un plateau émotionnel juste au-dessus du niveau de la mer donne davantage de renseignements sur le manipulateur que sur elles, répondit Delia, concentrée. Beaucoup de patience, aucun désir de se rapprocher sentimentalement d'elles… il est très calme, mais je ne sais pas s'il est froid. J'ai vraiment besoin de Jess Wainfleet.

— Ne sois pas déçue si elle n'est pas à la hauteur de tes espoirs. Personnellement, je m'adresserais à Aristede Melos, dit Carmine.

— Bonne idée. Si Jess ne m'apporte rien, j'essaierai. Merci!

Mardi 19 août 1969

Carmine constata avec soulagement que Delia avait choisi une tenue moins voyante en prévision de cet entretien totalement informel; si Delia avait reçu le docteur Wainfleet avec les chiens et les chats de la veille, cette dernière aurait pu, à juste titre, penser n'importe quoi. La salle 1 était plus grande que la salle 2 et mieux ventilée; Delia avait même tenté de l'humaniser en y apportant un vase de fleurs d'été.

L'agent en uniforme se contenta de faire entrer Jess; Delia se chargea d'installer le docteur Wainfleet sur la chaise la plus confortable, puis fit les présentations quand Carmine fut arrivé. Une lueur d'étonnement brilla dans les yeux de Jess... visiblement, son aspect n'était pas celui auquel elle s'attendait. Elle portait un ensemble pantalon bordeaux et un chemisier rose pâle en coton; son visage et son corps étaient détendus, mais son sourire ne touchait pas son regard, qui resta méfiant.

— Dans le meilleur des cas, cet entretien est semi-officiel, docteur Wainfleet, dit Carmine, debout dans le coin où se trouvait le magnétophone, et la raison pour laquelle nous vous avons demandé de venir est purement égoïste. Notre matériel d'enregistrement est en parfait état de marche et le sujet si singulier qu'il nous semble nécessaire d'enregistrer cette conversation afin d'en conserver la trace dans nos archives, dans l'intérêt de l'enquête en cours. À notre connaissance, vous êtes l'autorité la plus accessible en matière de neuro-anatomie et c'est en cette qualité que nous souhaitons nous entretenir avec vous. Il ne semble pas que vous soyez impliquée dans la disparition de six femmes sur laquelle enquête le sergent Delia Carstairs et vous n'avez donc pas besoin d'avocat mais, si vous avez des raisons de croire, ou savez, que tel n'est pas le cas, vous avez le droit d'en demander un. Si vous renoncez à ce droit, vous pourrez revenir sur cette décision à tout moment, dit Carmine.

Jess leva les yeux au ciel.

— Si cet entretien est vraiment informel, capitaine, vous êtes parvenu à lui conférer toute la gravité d'un oracle de la Pythie de Delphes, répondit-elle avec un sourire. Mais je comprends. Et, surtout, je renonce, en tout cas ce matin, à la présence d'un avocat.

— Dans ce cas, soyons aussi détendus que les circonstances le permettent, déclara Carmine en lui rendant son sourire. Le café est frais et vient du Malvolio, et ce n'est pas du lait, mais de la crème. D'accord?

— Je vous remercie de votre prévenance, dit Jess. Pourrai-je fumer une cigarette de temps en temps?

Delia tendit le bras derrière elle et posa un cendrier en verre sur la table puis les portraits des six Ombres.

— Connais-tu ces femmes, Jess? demanda-t-elle, prête à encaisser le non inévitable.

Mais, presque immédiatement, Jess s'écria :

— Oh oui !

— Tu les connais? insista-t-elle d'une voix étranglée.

— Absolument, assura-t-elle, sortant une cigarette de son paquet et l'allumant. Ce sont des patientes.

Carmine dévisagea la psychiatre, à la fois ébahi et furieux contre lui-même et sa stupidité, parce qu'il n'avait pas envisagé qu'il pût y avoir un lien entre un groupe de femmes présentant les mêmes symptômes et une psychiatre susceptible de les soigner. Toutes avaient un comportement caractéristique de la dépression, pourtant l'idée d'interroger les nombreux psychiatres d'Holloman ne lui avait pas traversé l'esprit. Naturellement, cela n'aurait pas débusqué Jess Wainfleet, puisque c'était une fonctionnaire responsable des fous meurtriers, mais cela l'aurait rendue plus visible. En fait, elle n'avait attiré leur attention qu'en qualité de spécialiste dans un domaine qu'ils ne connaissaient pas.

Delia prit la parole :

— Quand as-tu vu ces femmes, Jess ? Les as-tu reçues séparément ou en groupe ?

— Séparément, répondit Jess avec indifférence. Elles ont toutes été mes patientes.

Elle fronça les sourcils, fixa Delia et insista :

— Je ne comprends pas. Je croyais que mon rôle consisterait à vous donner des informations sur la neurochirurgie, pas à identifier des gens.

— Nous aussi, Jess. C'est une énorme surprise, dit Delia. Personne, au sein de la police d'Holloman, n'a imaginé que ces six disparues étaient des patientes de l'IH ou de l'Asile… En réalité, on pensait qu'il n'y avait pas de femmes parmi les détenus.

— Il n'y en a pas, confirma Jess sur un ton neutre. Toutes étaient des patientes privées.

— Des patientes privées ?

— Oui, bien sûr. Je suis autorisée à soigner des patients privés, dit Jess, visiblement étonnée. Toutes ces femmes étaient des patientes privées.

Elle rit, se moquant apparemment de leur naïveté, et ajouta :

— Tout est transparent et dans les archives de l'IH.

— Et Margot Tennant, en 1963, a été la première ? demanda Carmine.

— Oui, c'est exact.

— Est-ce qu'une période donnée correspondait à chaque femme? s'enquit Carmine.

— En ce qui me concernait, oui, répondit Jess. Le 2 janvier de l'année correspondante, sans exception.

Touchant successivement les photos, elle poursuivit :

— Donna Woodrow en 1964. Rebecca Silberfein en 1965. Maria Morris en 1966. Julia Bell-Simons en 1967. Elena Carba en 1968. C'est la dernière.

— Et c'est tout ? Seulement le 2 janvier de chaque année ?

— Oui.

Jess se pencha, but une petite gorgée de café puis croisa les mains sur la table, pas du tout déstabilisée.

— En fait, reprit-elle, je suis heureuse d'avoir appris l'existence de votre enquête… Je dispose d'exemples concrets capables d'illustrer les procédures qui vous intéressent. Prenons la deuxième femme, Donna Woodrow, en 1964. On l'a adressée à moi parce qu'elle souffrait d'une psychose incontrôlable mettant sa vie et celle des autres en danger. L'alternative consistait à pratiquer une grossière amputation de toutes les voies aboutissant au lobe frontal antérieur ou à recourir au type de chirurgie que j'ai mis au point.

»L'amputation est une horreur. Elle transforme des patients à la démence incontrôlable en zombies stupides qui marchent en traînant les pieds… en créatures dépouillées de leur âme ! Elle est irréversible parce que le tissu cérébral n'est pas capable de se régénérer. Toute possibilité de guérison future est anéantie. Ces malheureuses créatures ont perdu leur humanité. Pourquoi le fait-on ? Pourquoi transforme-t-on un chien enragé en légume sans âme, en sous-homme ?

»Pour permettre à l'État d'économiser de l'argent et du personnel. Mais, capitaine, sergent, je crois fermement que nul n'a le droit de dépouiller les êtres humains de leur âme. Il serait préférable de les tuer.

La passion s'était emparée de sa voix et animait son regard; c'était Jess Wainfleet la tigresse se battant pour tous les Walter du monde. Pas étonnant qu'il compte tellement à ses yeux! Sa vie avait été une horrible succession de violences et de meurtres, mais il était maintenant la preuve vivante que l'amputation de toutes les connexions entre le cerveau et le cortex antérieur n'était pas la seule façon de soigner les causes profondes.

— Dans le cas de ces femmes, j'ai modifié les procédures afin que les patientes conservent leur âme humaine. Après l'intervention, elles étaient capables d'une sorte d'existence humaine de base: lire, regarder la télévision, écouter et comprendre une émission d'informations à la radio, rester propre, manger et s'intégrer à la société, même si ce n'était que partiellement.

Elle se tut, l'explication étant apparemment terminée.

— Vous avez donc loué des appartements à l'intention de ces femmes et supervisé leurs progrès après l'opération? dit Carmine.

Jess Wainfleet se crispa.

— Absolument pas, rétorqua-t-elle sèchement. Elles sont venues se faire opérer, puis sont reparties avec des instructions précises sur ce qui devait être fait et la demande d'un rapport complet, destiné à mes archives, sur leurs progrès. J'ignorais tout de la patiente avant le 2 janvier concerné, et j'ignore aussi ce qui s'est passé ensuite.

— Une digression, si vous permettez, dit Carmine. Quelle est la nature de l'opération pratiquée sur ces femmes?

— Le cerveau est incapable de ressentir la douleur, répondit Jess sur un ton montrant qu'elle était habituée à ce type de question. Lorsque l'intrusion est relativement superficielle et bénigne, il n'y a pas lieu de s'inquiéter de séquelles dues à l'incursion elle-même. Il est *capital* que le patient demeure conscient! J'ai besoin

219

d'une anesthésie générale pour fixer le cadre stéréotaxique dans les os du crâne... Le crâne doit rester
absolument immobile et le cadre joue ce rôle. Naturellement, des sangles maintiennent le patient en position.
Il n'y a pas de cicatrices parce que les trous des fixations du cadre sont entourés de cheveux et que je ne
procède pas à une craniotomie. Je passe par les orbites,
les trous ronds qui abritent les yeux. C'est simple, je me
contente d'extraire l'œil... Qu'y a-t-il, Delia?

Delia avait blêmi.

— Tu sors l'œil?

Jess rit.

— Non! Extraire signifie que j'écarte très dou-
cement le globe oculaire afin de pouvoir introduire
mes instruments derrière lui. L'œil lui-même n'est pas
endommagé! Le cerveau se trouve de l'autre côté de
l'os postérieur de l'orbite. Si la stéréotaxie est bonne,
et grâce à mes connaissances, je peux percer cet os
postérieur, introduire mes micro-électrodes et atteindre
la zone malade du cerveau du patient. Celui-ci étant
conscient, je stimule électriquement, guidée par ses
réactions, jusqu'au moment où je peux déterminer les
zones qu'il faut amputer... c'est-à-dire détruire. Même
s'il n'a pas tenu de propos logiques depuis des années,
il le fait lorsque je stimule. C'est un processus très long
et éprouvant.

— Comment un dément peut-il réagir logiquement?
demanda Delia.

— La démence cède le pas quand les voies sont
modifiées.

— Qu'entendez-vous par modifiées? s'enquit Carmine.

— Je détruis des voies neuronales et de ce fait
d'autres, débarrassées de l'influence malsaine de celles
que j'ai détruites, se mettent à fonctionner comme elles
auraient dû le faire, répondit Jess sur un ton neutre.

— Qu'est-ce que la stéréotaxie? murmura Carmine.

— C'est une représentation mathématique du cerveau, comparable aux coordonnées géographiques, mais différente. Le cadre stéréotaxique immobilise le crâne et comporte des coordonnées mathématiques calculées sur la base de nombreux cerveaux et constituant ce qu'on appelle l'atlas stéréotaxique. Cet atlas me permet de placer mes électrodes et mes autres outils exactement au bon endroit. Il y a, malheureusement, des limites, dit-elle sur le même ton. L'atlas a été élaboré sur la base de crânes ordinaires, de crânes comparables à ceux de ces six femmes, à ceux de nombreuses personnes, y compris des hommes... Il est possible d'extrapoler dans un sens ou dans l'autre à condition que les proportions soient identiques... Le crâne de Walter Jenkins, par exemple, présente ces proportions, mais est plus gros.

— Tous les patients ne peuvent donc pas bénéficier de votre intervention, dit Carmine.

— Exact. Je dois disposer de toutes les radios, normales ou avec adjonction de teinture ou d'air, ainsi que d'un ensemble de mesures spécifiques avant de prendre une décision.

— Voulez-vous dire que ces éléments pourraient... vous être envoyés par la poste?

— Pourquoi pas? De même que les analyses de sang et d'autres informations nécessaires.

— Combien de temps prenaient les soins que tu dispensais à ces femmes? demanda Delia, qui commençait à comprendre.

— Admission à 6 heures, sortie à 21 heures, le 2 janvier, de 1963 à 1968 inclus, détailla Jess. Mais je les recevais à 7 heures et leur rendais une dernière visite à 18 heures. Je peux donc affirmer que j'ai vu toutes ces femmes pendant onze heures, dont neuf en salle d'opération. Les patientes n'ont pas présenté d'effets secondaires et sont donc parties en ambulance, conformément aux dispositions prises avant l'intervention.

— Qui vous assistait, docteur? demanda Carmine.

— Ernest Leto, un technicien spécialisé en neurochirurgie. Nous avons travaillé ensemble au National Hospital de Queen Square, à Londres. Il est indépendant depuis 1959 et peut donc travailler avec les chirurgiens qu'il admire.

— J'ai besoin de son adresse, dit Delia.

Jess leva les sourcils.

— Je ne vois pas pourquoi, mais bonne chance! Quand j'avais besoin de lui, je faisais passer une petite annonce dans le *New England Journal of Medicine*.

— Je vois. Compte tenu de la gravité de l'opération, crois-tu qu'un séjour de quinze heures à l'hôpital soit suffisant? s'enquit Delia.

— La période postopératoire de ce type d'intervention est exempte des complications habituelles: hémorragie, infection, violentes douleurs. J'opère à l'aide d'instruments scrupuleusement propres, dans un environnement scrupuleusement propre et je n'ai jamais déploré d'infection. Les patients ont parfois mal à la tête, mais ça n'atteint jamais l'intensité d'une migraine. Des analgésiques sans ordonnance suffisent.

— Recours-tu à un anesthésiste? demanda Delia.

— Non. Je me charge de l'anesthésie et M. Leto m'assiste. C'est possible parce que M. Leto est un spécialiste de la mise en place du cadre stéréotaxique. Je le laisse accomplir cette tâche pendant que je pratique l'anesthésie générale puis j'injecte un anesthésique local dans les orbites. Quand le cadre stéréotaxique est en position, je réveille le patient. M. Leto prépare ensuite une seringue d'anesthésique général qu'il peut injecter très rapidement dans la perfusion si le patient se montre violent. Les patientes en question, ayant préalablement reçu les calmants adaptés, ont toujours coopéré, dit Jess, visiblement fière.

Carmine, morose, la dévisagea.

— Docteur Wainfleet, nous vous avons fait venir ce matin pour obtenir des informations sur les possibilités offertes par la chirurgie du cerveau dans le traitement des maladies mentales, mais j'avoue que je ne m'attendais pas à ce que vous résolviez – du moins partiellement – une affaire de disparitions sur laquelle nous enquêtons depuis plusieurs années. Franchement, je n'en reviens pas. Avant de prendre une décision vous concernant, je dois vous poser une question supplémentaire, mais il faudrait qu'un avocat soit présent si la réponse risque de vous incriminer. C'est à vous de décider. Nous pouvons mettre un terme à cet entretien et nous réunir à nouveau quand vous aurez un avocat... et je dois vous avertir qu'il vous en faudra peut-être un ; ou bien nous pouvons continuer sans assistance juridique.

— Continuons, répondit-elle, indifférente. Je n'ai rien fait de mal et je ne peux pas m'incriminer, comme vous dites. Posez votre question, capitaine.

— Saviez-vous, docteur, que la police s'intéressait aux six femmes que vous avez opérées ?

— Absolument pas. Les interventions se sont toutes déroulées à un an d'intervalle.

— Malgré vos relations personnelles avec le sergent Carstairs ?

— Je savais qu'elle enquêtait sur des disparitions mais, capitaine, nous ne parlons pas travail lorsque nous nous voyons.

— Docteur, vous savez forcément ce que sont devenues vos patientes après l'opération. Les chirurgiens ne se désintéressent pas du suivi de leurs interventions... ce serait contraire à la déontologie.

Jess Wainfleet soupira, croisa les mains comme si elle s'efforçait de garder son calme.

— Vous voulez des informations que je ne peux vous fournir, monsieur, parce que je ne les possède pas, riposta-t-elle. Les patientes n'étaient pas américaines. L'agence qui me les a adressées n'était pas américaine. Cela arrive tous les jours, capitaine ! Quand on est le meilleur praticien dans un domaine – généralement en médecine, mais aussi dans d'autres spécialités –, on est souvent sollicité depuis l'étranger. Ces six femmes m'ont été adressées depuis l'étranger et sont venues dans notre pays pour subir une opération de neurochirurgie du simple fait que je suis une spécialiste dans ce domaine.

— Dans ce cas, les services de l'immigration possèdent sans doute des dossiers.

— J'ignore tout de la procédure qui a précédé leur arrivée, mais je présume qu'il y en avait une. À ma connaissance, elles ont quitté le pays une semaine après l'opération.

— Mais vous ne vous êtes pas renseignée sur ce point ?

— Mon contrat était très précis. Seulement l'opération et une liste très détaillée des soins postopératoires nécessaires pendant six mois.

— Pouvez-vous produire ce contrat, docteur ?

— Bien sûr, répondit-elle, hautaine.

— Dans ce cas, je vous demande de le produire.

Carmine se tut ; plus la conversation se prolongeait, plus Jess Wainfleet lui déplaisait, mais il savait que Delia l'appréciait et cela le plaçait dans une situation inconfortable.

— Espérez-vous vraiment, docteur, me faire croire que vous ne saviez pas que vos patientes ont mené pendant six mois, à Holloman, une existence discrète mais normale ? poursuivit-il.

— Je savais qu'elles étaient nécessairement quelque part, mais je supposais que c'était à l'étranger. Il est inutile de me… euh… cuisiner, parce que je ne sais rien de plus sur ces femmes, à ceci près que j'ai pratiqué sur elles un type de lobotomie radicalement améliorée. Je les ai vues le jour de l'opération, un point c'est tout.

— J'ai besoin du nom et de l'adresse de l'agence qui vous les a envoyées, ainsi que de votre contrat, docteur.

— Je ne peux pas vous les fournir, répondit-elle sur un ton neutre.

— Le nom, au moins, figure nécessairement dans votre contrat.

— Exact, mais vous n'avez aucune chance de remonter sa piste.

— Docteur Wainfleet, vous êtes une scientifique maîtrisant un savoir sans égal en matière d'anatomie du cerveau… et vous admettez que votre réputation est si grande qu'on vous adresse des patients depuis l'étranger, dit Carmine, s'efforçant de fissurer le vernis d'assurance hypocrite. Espérez-vous vraiment me faire croire que vous vous êtes désintéressée des conséquences de vos interventions?

— Oh, je m'y suis intéressée, mais pas en personne parce que mes patientes étaient retournées dans leur pays. Les rapports que j'ai reçus indiquaient un rétablissement conforme à mes espérances… En fait, dans deux cas, Silberfein et Bell-Simons, le rétablissement dépassait mes prévisions. Je crois que vous ne comprenez pas, capitaine, que ces femmes étaient des démentes internées. Les malades mentaux ont peu de droits et de moyens de se défendre. Ils sont à la merci d'institutions dont le personnel, malheureusement, ne connaît guère la compassion. Je ne détruis pas les âmes, car je crois que l'âme est l'étincelle qui, dans le cerveau, fait d'un organisme un être humain plutôt qu'un animal. Créer un zombie est une injure à la nature. C'est une simple mesure d'économie et je n'adhère pas à de telles

225

mesures. Je n'ai rien fait de mal et je vous mets au défi de prouver le contraire.

Delia avait joué un rôle mineur dans la conversation, qui s'était abattue sur elle comme un glissement de terrain ; un goutte-à-goutte de petites choses troublantes dont la taille et la fréquence augmentèrent et finirent par la dépasser, l'emporter. Comment pourrait-elle poser le même regard sur cette femme qui avait été une bonne amie ? Elle essaierait mais elle était rationnelle et savait que ce serait en vain. Elle ne dirait rien à Carmine, mais elle ne pouvait éviter de tenir compte de conversations qui s'étaient déroulées entre Jess, Ivy et elle. Elle avait parlé des Ombres, elle en était sûre. Jess avait délibérément caché qu'elles avaient été ses patientes. Connaissant son amie, Delia devinait pourquoi elle avait gardé le secret : Jess s'était simplement dit que ce qu'elle savait ou avait fait ne permettrait pas à l'enquête de progresser. La seule preuve consisterait à présenter une disparue en vie et en meilleure santé après l'opération. Mais elle s'y refusait. Pourquoi ? La seule solution, selon Delia, était que Jess ne savait ni qui elles étaient ni ce qu'elles étaient devenues après l'opération.

C'était pardonnable entre amis, mais sa carrière était affectée ; le comportement d'une femme qui s'était prétendue son amie la mettait en difficulté et cette sensation était très désagréable.

Carmine avait repris la parole.

— Vous rendez-vous compte, docteur Wainfleet, que vous êtes maintenant suspecte dans une affaire de meurtres multiples ?

Jess sourit et fit claquer la langue.

— Ridicule ! dit-elle sèchement. Ce que je vous ai dit devrait vous permettre de classer le dossier, capitaine. Il y a une chance sur un million pour que mes patientes aient été tuées. Visiblement, elles ont réussi un test d'adaptation sociale conforme à mes recommandations et sont retournées dans leur pays. Il est extrêmement difficile de prouver un meurtre sans corps, mais six meurtres sans le moindre cadavre... le tribunal vous rira au nez.

— Vous avez tout à fait raison, docteur, admit Carmine. Vous pouvez vous en aller. Cependant, il y a un point que je voudrais clarifier, si vous permettez.

— Je vous le permets, répondit-elle, hostile, libre maintenant de montrer que la tournure prise par les événements la scandalisait, et sans regarder Delia.

— Walter Jenkins. Quel est son rôle ? Est-il, lui aussi, une des victoires de votre technique chirurgicale ?

Elle ne put empêcher son visage de s'illuminer.

— Absolument !

— Souffrait-il de la même maladie mentale ?

— La seule similitude était son comportement antisocial et, même sur ce plan, les différences étaient aussi nombreuses que les feuilles d'un arbre. Le syndrome de Walter était unique. Je suis toujours à la recherche de son équivalent mais, jusqu'ici, je ne l'ai pas trouvé. Bonne journée.

Et elle s'en alla, ayant remporté la bataille, selon Delia.

— Elle nous a remis à notre place, dit celle-ci à Carmine.

— Je suis désolé, Deels. C'est ton amie.

— C'était, plutôt, mais je ne lâcherai pas le morceau, patron. Elle ne peut pas avouer six meurtres et espérer qu'on la croira sur parole quand elle affirme n'en avoir commis aucun, dit-elle avec fermeté. Elle m'impressionnait, ce qui signifie qu'elle a fait de moi une marionnette dont elle tirait les ficelles, dans un but dont j'ignore tout. Ou bien c'est ce que j'éprouve après cette matinée. Je ne sais pas, Carmine ! Et pourquoi, si elle a pratiqué des interventions susceptibles de les guérir ? Ce n'est pas logique.

— Tu as raison. Mais c'est une sorte de fanatique. J'espère, dans notre intérêt, qu'elle est du genre à se réfugier derrière le droit. Elle va retourner à l'IH, sortir le contrat et les comptes rendus d'opérations des six femmes. Transparence totale, à nous de prouver qu'elle a menti.

Carmine éjecta la cassette et la glissa dans une pochette en carton sur laquelle il écrivit au feutre : WAINFLEET JESSICA ; les lettres étaient si nettes et régulières qu'elles auraient pu être imprimées.

— Ton premier conflit entre le devoir et l'amitié, constata-t-il.

— Il faut s'y préparer, n'est-ce pas ?

— On devrait, mais on ne le fait pas, dit-il avec gentillesse. C'est pour ça que c'est très douloureux. Si tu ne veux plus t'occuper des Ombres, Delia, il suffit de demander.

— Non, patron, je ne suis pas une mauviette. Si elle a vraiment commis ces crimes, il sera très difficile de la coincer, aucun doute là-dessus. Je crois que je commence à détester les professions qui commencent par «p» : psychiatre, prêtre, politicien…

Il esquissa un sourire.

— Et policier ? Ça commence par un «p».

— Par un «f», comme flic, marmonna-t-elle. J'ai oublié de l'interroger sur les portraits des femmes.

— Sans importance, dit-il. Ce sera peut-être un peu tendu avec Jess pendant quelque temps, mais il te restera Ivy.

Delia sourit.

— Oui, mais elle est très troublée, Carmine, et je ne sais pas pourquoi. Au bout du compte, ces deux amitiés risquent de se révéler éphémères.

Il fronça les sourcils.

— Tu as une famille et les familles ne changent jamais. Les emmerdeurs restent des emmerdeurs et les pierres précieuses demeurent aussi brillantes que tes yeux.

Elle le regarda affectueusement ; il avait raison, comme toujours. Elle avait besoin, en fait, de prendre le thé avec sa tante, Gloria Silvestri.

Samedi 23 août 1969

Quand elle en avait envie, Ivy était capable de très bien cuisiner; le problème était d'en avoir envie. La vague de chaleur s'était terminée dans une succession terrifiante d'orages dont la fureur s'était déchaînée sur le Connecticut pendant deux jours, amenant les habitants à se demander comment une région aussi glaciale en hiver pouvait être aussi torride en été. Du point de vue d'Ivy, la meilleure justification d'une orgie dans la cuisine... mais pas celle de Little Busquash. Quand elle faisait la cuisine, elle réquisitionnait la merveille en acier inoxydable du manoir de Rufus. Tout cela était bel et bien mais n'expliquait en rien la cause profonde de l'envie d'Ivy.

Cette cause était Jess, pour qui elle se faisait du souci parce qu'elle avait été interrogée dans les locaux de la police d'Holloman mardi matin et refusait catégoriquement d'en parler. Elle avait même refusé de dire à Ivy qui était présent!

Par conséquent: dîner à Busquash Manor samedi soir, avec un nombre de convives très réduit: Rha, Rufus, Jess et Ivy. Pas de serveur. Une intimité extrême et trois amis loyaux, aimants, devraient remettre Jess en selle, surtout si la nourriture était exceptionnelle. Bien sûr, Jess n'était pas sensible à la gastronomie, mais cette dernière engendrait une ambiance et les deux hommes les plus charmants du monde savaient assurément l'apprécier; si Jess pouvait résister à Rha et Rufus, préalablement briefés, ce serait une première. Personne ne savait mieux qu'Ivy que l'alliance de plusieurs personnes intelligentes et imaginatives stimule souvent l'énergie du combattant solitaire. Il fallait que Jess comprenne qu'elle n'était pas aussi seule qu'elle le croyait. Le spectre de Walter Jenkins apparut dans l'esprit d'Ivy pendant qu'elle préparait le repas et elle ne sut si elle devait rire ou frissonner: Walter était le seul allié que Jess acceptait et cette décision était à la fois brillante et désastreuse; elle était aussi totalement, absolument, inadéquate. Jess avait besoin d'alliés... au pluriel.

Il y aurait, en entrée, une salade de fruits de mer avec des farfalles, des morceaux de homard et de crevette géante, le tout assaisonné d'une mayonnaise rose et de crème au raifort; elle y ajouta de fines tranches de poivron de plusieurs couleurs et des lanières de crabe. Viendrait ensuite un plat de viande et de pommes de terre cuites au four dont la saveur extraordinaire démentirait l'apparente simplicité.

Tout en travaillant, Ivy réfléchit, se demandant quelle issue s'offrait à eux. Le problème était que personne ne pouvait voir précisément ce que réservait l'avenir même si, autrefois, l'avenir s'était imposé, n'aurait pas pu être autre. Puis on s'apercevait qu'il était effectivement autre, bien qu'il fût identique en surface – ses strates inclinaient les plans et leur conféraient des formes géométriques à l'aspect trompeur –, d'aplomb et parfait de loin mais, de près et en réalité, voilé, torsadé et embrouillé. C'est comme vieillir, pensa Ivy, qui vieillissait. Ses yeux illustraient parfaitement la façon dont on regarde l'avenir: tout semblait parfait parce que sa vision n'était plus aussi nette qu'elle l'avait été. Quand la loupe impitoyable s'interposait entre elle et ce qui semblait lisse, on découvrait une succession de rides.

Lorsqu'elle revint, vers 18 heures le samedi, pour apporter les touches finales au repas, Rha et Rufus n'avaient pas été aussi joyeux depuis longtemps ; ils portaient tous deux un pantalon noir, mais Rha avait un polo en lamé bleu et Rufus une magnifique chemise de pirate en soie rouge foncé aux manches très larges et aux poignets ajustés. *King Cophetua* devait bien avancer.

— Est-ce à cause de *King Cophetua* que vous avez l'air aux anges ? demanda-t-elle.

Rufus regarda attentivement sa sœur de substitution. Elle est en forme ce soir…, pensa-t-il, qui pourrait deviner son âge ? Elle portait une robe tunique rouge, à la coupe toute simple, sous un tabard vaporeux à pois de couleurs assorties ; la ressemblance de ce dernier avec une chasuble lui conférait l'aspect d'une prêtresse et il savait qu'elle aimait donner cette image. Pas une ride sur son visage, même aux coins des yeux et des lèvres. Quelle que fût la nature des gènes d'Ivor Ramsbottom, ils étaient juvéniles.

— On a traîné Roger Dartmont de la Grosse Pomme jusqu'ici et il a protesté pendant tout le trajet… il nous a même accusés de l'enlever ! Chérie, on aurait dû le faire il y a des semaines ! dit Rha en servant l'apéritif. L'intrigue est faible, mais ne le sont-elles pas toutes ? Les auteurs habitent des lofts, chérie, que savent-ils de la vie réelle ? L'âge de Roger s'est révélé un avantage… on a décidé de présenter Cophetua comme un vieil amant et Servilia sous les traits d'un major du KGB plutôt que sous ceux d'une danseuse du Bolchoï tuberculeuse. *La Belle de Moscou* qui aurait mal tourné. Le librettiste viendra faire les ajustements cette semaine.

— Cédera-t-il ?

— Thetford Leminsky? s'exclama Rha dans un rire. C'est une lavette.

— Pourquoi ce dîner? demanda Rufus en s'asseyant dans son fauteuil préféré avec un verre de vin rouge.

— Je crois que Jess a des ennuis avec les flics.

— Ahhhh, fit Rufus avec une grimace. Pourquoi as-tu besoin de nous?

— Nous devons lui montrer qu'elle a de meilleurs amis que Walter Jenkins, cet horrible monstre. Elle est si seule au monde!

— Comment le sais-tu? rétorqua Rha.

— Parce qu'elle ne parle pas. Elle n'a jamais mentionné sa famille, d'où elle est originaire, ni même dans quelle faculté de médecine elle a obtenu son diplôme, répondit Ivy. Nous avons tous nos secrets et je ne cherche pas à déterrer ses éventuels cadavres.

— Drôle de métaphore, Ivy, constata sèchement Rufus.

Ivy poursuivit comme si Rufus n'avait rien dit:

— Je veux seulement lui faire partager le sentiment de sécurité que j'éprouve tous les jours de ma vie parce que j'ai deux frères qui seront toujours de mon côté. Jess n'est pas aussi forte qu'elle voudrait le faire croire et ses collègues psychiatres… je ne dirais pas que ce sont des amis. Ari Melos convoite son poste et les Castiglione… ce ne sont pas des requins en maraude, mais ils pourraient très bien être les éclaireurs d'un banc de piranhas. Nous nous réjouissons tous les trois des succès des autres, mais ce n'est pas ce que je ressens chez les psys de Jess. Quant à Walter Jenkins… c'est un monstre au sens propre.

Rha se leva et alla embrasser sa sœur.

— Ça ne servira peut-être à rien, Ivy, mais nous ferons ce que nous pourrons.

Il inclina la tête et reprit:

— La sonnette. Je reviens.

234

Jess arriva en ensemble pantalon noir et pull en coton noir, son corps évoquant davantage celui d'une adolescente que celui d'une femme mûre mais, dans son for intérieur, Rufus le trouva asexué et se demanda si, lorsque l'intellect était si abondant, la déshumanisation n'était pas un des prix à payer. Si sa personnalité avait été différente, Jess Wainfleet aurait pu ressembler à Audrey Hepburn… visage mutin, jolis yeux noirs… Mais elle rebutait, dégoûtait. Coucher avec elle serait revenu à s'accoupler avec Médée la sorcière et Méduse la pétrificatrice.

Rufus adorait Ivy, une des rares influences stabilisatrices dans une vie étrange, mais face à Jess, son amie, il admit une fois de plus qu'elle lui posait un problème, parce qu'il ne pouvait purement et simplement pas l'apprécier. Que pouvait-il faire si Ivy voulait lui apporter son soutien ? Et la soutenir sur quel plan ? Un soutien moral général, apparemment.

Pour Rha, le frère de sang d'Ivy, c'était à la fois plus difficile et plus facile. Percevant chez Ivy un lyrisme et un romantisme qu'elle était totalement incapable d'exprimer, il comprenait que sa sœur était amoureuse de Jess, même si elle ne ressentait aucun désir sexuel. Ce qui attristait Rha, c'était que Jess était un objet d'amour inadapté ; elle n'éprouvait pas d'émotions tendres et ne pouvait donc les percevoir chez les autres. Si seulement Delia avait été là, autrefois ! Mais elle ne l'était pas et Jess était au centre des rêveries d'Ivy. Jess la destructrice, pensa Rha, qui écrase ou écarte tous ceux qui lui barrent le chemin de la réussite.

Ainsi, lorsqu'ils s'assirent à table pour déguster un merveilleux repas, Ivy ignorait que ses frères n'appréciaient pas Jess et se fichaient de son bien-être comme de leur première chemise.

Pendant le repas, la conversation fut joyeuse et la saveur des plats occupa le devant de la scène ;

personne n'avait encore mentionné le passage au poste de police, Rha et Rufus laissant Ivy ou Jess aborder ce sujet.

— Restons ici, dit Ivy après avoir débarrassé le plat de viande et de pommes de terre. Quelqu'un veut du café ?

Personne n'en voulait ; le plateau de fromages, les fruits et les digestifs furent servis, puis une étrange tension s'insinua dans une ambiance de satiété jusqu'ici agréable et détendue.

— Que s'est-il passé pendant ton entrevue avec le capitaine Delmonico ? voulut savoir Ivy.

— Ah, je vois ! ironisa Jess. Je dois payer mon dîner.

— Ce genre de réponse ne me découragera pas, Jess, et tu le sais, dit Ivy avec gravité. Nous sommes tous amis, autour de cette table, et les amis se font des confidences, se serrent les coudes, forment un cercle avec les chariots quand il le faut… mais ils ne se divisent jamais. Tu es psychiatre et tu sais parfaitement qu'il n'est pas indiqué de refouler ses sentiments. En tant que personne, tu sais très bien que l'intérêt qu'on te porte ici, ce soir, n'a rien de malsain. Alors laisse tomber cette connerie d'amour-propre et raconte.

Le silence s'installa ; Jess fixa les bulles de l'eau minérale de son verre, les lèvres serrées, ses paupières à demi baissées cachant ses yeux. Quelques instants plus tard, elle haussa les épaules.

— Pourquoi pas ? demanda-t-elle, mais les trois autres ne purent déterminer à qui s'adressait cette question, car ils eurent tous la sensation que c'était à quelqu'un d'autre.

— Pourquoi pas ? répéta Jess. Pourrais-je avoir une cigarette ?

Rufus gagna le vaisselier et en rapporta une boîte. Il l'ouvrit pour qu'elle prenne une cigarette, puis lui donna du feu.

— C'est mieux, marmonna-t-elle. Parfois, les ciga-rettes m'aident à réfléchir.

Elle les regarda, une lueur sarcastique dans les yeux, et reprit :

— Il semblerait que je sois la principale suspecte de six meurtres.

— Les Ombres de Delia ? demanda Ivy, ébahie mais pas étonnée.

— Oui.

Jess souffla de la fumée.

— Mais qu'est-ce qui peut bien leur faire croire ça ? s'étonna Ivy.

— Je les ai toutes opérées.

Trois paires d'yeux restèrent rivés sur Jess, mais seule Ivy prit la parole.

— Tu les as opérées ensemble ou une par une ?

— Une par une sur une période de six ans.

— Étaient-elles des internées de l'IH ?

— Non, des patientes privées. Je ne les ai vues que lors de l'opération.

— Pourquoi la police te considère-t-elle comme suspecte ?

— Parce qu'elle est dépassée et que je suis le lien entre ces six femmes. Malheureusement, mon éthique professionnelle ne me permet pas de donner toutes les informations concernant ces patientes et, quand on refuse de répondre aux questions, la police suppose qu'on est coupable. Delmonico ne veut pas croire que je n'ai vu ces femmes que lors de l'opération et que j'ignore tout d'elles. Il est convaincu que je mens alors que je n'ai rien à cacher. C'est pour cette raison que je ne suis jamais intervenue dans l'affaire des Ombres. Je savais que je n'obtiendrais qu'un seul résultat si je le faisais… l'évidence de ma culpabilité, dit Jess d'une voix calme, tranquille et raisonnable.

— Va-t-on t'inculper ? se récria Ivy, horrifiée.

Jess eut un sourire ironique.

— Bien sûr que non! Ils ne peuvent pas prouver que j'ai tué et, comme je ne l'ai pas fait, leurs soupçons ne les conduiront nulle part. En plus, je me suis montrée totalement ouverte, sincère, et j'ai reconnu que j'avais opéré ces femmes… C'est moi qui ai appris à la police que c'étaient des malades mentales. En réalité, j'imagine que toutes ces femmes, en ce moment, sont vivantes, en bonne santé et assez apaisées psychologiquement pour jouir d'une existence plus ou moins ordinaire.

— Les flics ignoraient que tu les avais opérées? demanda Rha.

— Totalement, répondit Jess. De mon point de vue, l'opération du cerveau que j'ai pratiquée sur elles ne regardait ni la police ni personne… et précédait leur installation dans un appartement d'Holloman, puis leur disparition. Je suis impliquée alors que je suis innocente, et je savais que cela se produirait si on apprenait que je les avais connues.

— Peut-on te poursuivre pour dissimulation d'informations, outrage ou obstruction à la justice? s'enquit Rufus.

Jess Wainfleet écrasa sa cigarette et se leva.

— Qu'ils essaient! lança-t-elle, résolue. Mais j'aurai peut-être besoin d'un bon avocat.

— Le meilleur est Anthony Bera, dit Rha. Il pourrait te faire acquitter si tu tuais ton mari dans un lieu public, devant témoins, et je présume que ton affaire serait pour lui une sinécure.

— Dans ce cas, je l'engagerai.

Elle sourit et ajouta :

— Merci pour ce merveilleux dîner et plus encore pour votre sollicitude.

Ivy accompagna Jess jusqu'à la porte.

— J'aimerais pouvoir agir concrètement, dit-elle, au bord des larmes.

Le visage de Jess s'adoucit.

— Tu es là, Ivy, et c'est un grand réconfort. Je suis heureuse de savoir que je ne suis pas seule.

Rha et Rufus demeurèrent silencieux jusqu'au retour d'Ivy.

— Un dîner formidable, mais notre proposition d'aide a coulé comme un navire torpillé, constata Rufus. C'est le chat de Kipling, cette femme.

Ivy soupira.

— Elle ne se confiera pas à nous, n'est-ce pas ?

Rha eut un rire sans joie.

— Je ne la comprends pas.

— Mais nous savons qu'elle est soupçonnée de six meurtres et c'est grave, dit Ivy. La pauvre ! Si seulement elle n'était pas aussi fière ! Affronter le monde la tête haute, voilà Jess.

— Ne pleure pas, Ivy, dit Rufus, sortant son mouchoir et le lui donnant. Elle aura du mal à faire oublier l'accusation, mais les charges ne tiendront pas. Je crois que Jess le sait. Elle n'est pas idiote, n'oublie pas !

— Tu as raison, Rufus, admit Rha, mais ce n'est pas tout. Le travail est ce qui compte le plus aux yeux de Jess et, de son point de vue, les flics font peser une menace sur lui. C'est un risque... pour les flics.

Sa voix se fit songeuse, comme s'il extrayait ses pensées des strates inférieures de son esprit, et il reprit :

— Les psychiatres sont comme les prêtres catholiques ou les chamans... les dépositaires des secrets. Il faut pouvoir confier à une personne au moins ce qui accable l'esprit et, quand il n'y a pas de famille, on est forcé de s'en remettre à un confident digne de confiance. Autrefois, ces confidents juraient devant Dieu de garder ces secrets... les prêtres le font encore et, je crois, les psychiatres aussi. Et si Jess garde des secrets, les flics ne pourront jamais, quoi qu'ils fassent, la contraindre à les dévoiler.

— Tu veux dire qu'elle n'a peut-être pas tué mais connaît le meurtrier? balbutia Ivy.

— Exactement, répondit Rha.

— Selon toi, Jess ne peut pas se confier à nous parce que les flics risquent de nous interroger? demanda Rufus.

— Réfléchis! Nous ne sommes pas tenus par serment de garder le secret, en revanche nous sommes tenus de répondre sincèrement aux questions des flics. Jess ne peut pas se confier à nous mais ça ne fait pas d'elle une coupable.

— Oui, je vois, dit Ivy.

— Moi aussi, dit Rufus.

— Je ne crois pas que Jess soit en danger et je suis convaincu qu'elle le sait, déclara Rha avec force. Ce qui l'inquiète, c'est ce qu'il restera de l'opprobre quand les choses se seront tassées. Supposons que le capitaine Delmonico décide de l'accuser de six meurtres, l'arrête, et que le procureur la défère devant un tribunal. Même si son comportement peut sembler suspect, quelle preuve tangible l'accusation pourra-t-elle produire pour la faire condamner? Elle ne disposera que de son refus de s'expliquer, fondé sur son éthique professionnelle. Aucun jury ne marchera. En fait, aucun procureur ne marchera.

— Il n'y a pas de corps, ajouta Rufus. L'*habeas corpus* ne signifie-t-il pas qu'il faut produire un corps? Quelque chose comme: «J'ai un corps»?

Rha leva les yeux au ciel.

— Oh, Rufus, vraiment! Le corps dont il s'agit dans le cadre de l'*habeas corpus* est celui de l'accusé, et il faut qu'il soit en vie. Ça signifie qu'on ne peut t'emprisonner qu'après t'avoir jugé. En d'autres termes, on ne peut pas t'envoyer au trou sans jugement. *Capice?*

— Il y en a là-dedans, dit Rufus en montrant la tête de Rha.

— Dans la tienne, c'est le désert.

Quand Jess entra dans son bureau, peu après 23 heures, Walter s'y trouvait. Il a l'air en pleine forme, songea-t-elle, puis elle se sentit, aussitôt après, coupable de n'avoir pas pris le temps de l'interroger à fond afin d'établir combien de voies nouvelles s'ouvraient. Ses yeux, poursuivit son esprit rebelle, sont les plus beaux que j'aie jamais vus : leur extraordinaire couleur d'aigue-marine, la lumière brillant dans leurs profondeurs, et les longs cils d'un blond translucide qui les mettent en valeur. Suis-je victime du syndrome de Pygmalion ? Est-il ma Galatée ? Non, il ne faut pas. Je ne *dois* pas !

— Bon dîner ? demanda-t-il.

— Oh oui, Ivy est une merveilleuse cuisinière.

— Qu'as-tu mangé ?

— Une salade de fruits de mer exceptionnelle, puis du bœuf rôti.

— J'ai pris un cheeseburger.

— Avec des légumes, j'espère ?

— Non, je n'avais pas envie de nourriture pour lapin.

— Où as-tu entendu dire que les légumes étaient de la nourriture pour lapin ?

— À la télévision.

— C'est ce que tu as fait ce soir ? Tu as regardé la télévision ?

— Seulement un film, *Sur les quais*, avec Marlon Brando. Il est bon. Mais je suis surtout resté assis près de ma fenêtre à regarder le noir et réfléchir.

— À quoi ?

— J'essayais de me souvenir comment c'était avant toi. Quand j'étais un dément et un monstre.

241

— Je t'ai déjà dit, Walter, que le personnel n'a pas la moindre idée de ce que signifient les propos qu'il tient sur toi. Puis-je te donner un conseil?

— Oui.

— Quand tu as envie de fixer le noir et de réfléchir, ne dirige pas ton esprit vers l'arrière, vers le passé… ça ne sert à rien. Le passé et ce que tu étais ont disparu à jamais. Ce que j'espère t'avoir donné, c'est l'aptitude à regarder devant toi… à te projeter. C'est la capacité de prévoir qui différencie l'homme de l'animal et tu as beaucoup de chance, Walter. Tu as une page blanche sur laquelle tu peux écrire, que tu peux remplir de projets tout neufs. Tu es Walter Jenkins, un être pensant, et tu disposes de nombreux sujets de réflexion. Tu es relativement jeune et il est possible que les commissions soient un jour assez éclairées pour t'accorder la possibilité de vivre dehors, dans le monde, avant que tu ne sois vieux. En attendant, la vie au sein de l'IH peut être planifiée. Tu devrais réfléchir à ce que tu aimes faire et établir un programme où ces activités auront leur place. Par exemple : tu es très fort en électricité, en électronique… tu aimerais peut-être suivre des cours d'électronique par correspondance? Peu importe, ce ne sont que des idées. Tu es très fort en dessin architectural. Je suis sûre qu'il existe un cours par correspondance. Mais, surtout, vois-tu où je veux en venir? Comprends-tu que ton esprit doit impérativement rester occupé et intéressé?

Il avait écouté ce discours – long, du point de vue de Walter – les yeux rivés sur le visage de Jess et éclairés par la compréhension.

— Oui, je vois où tu veux en venir et je comprends que mon esprit doit rester occupé par des activités intéressantes.

— As-tu des préférences?

— Plein, répondit-il avec gravité. Mais il faut que je réfléchisse encore, et plus en profondeur, avant de t'en parler.

Il se leva.

— Café? J'en ai moulu juste avant ton arrivée.

Le visage de Jess s'éclaira.

— Oh, très volontiers. Ivy n'en avait pas fait et je dois travailler.

En attendant le café, elle revint sur les minutes écoulées et fut troublée. Il y avait quelque chose… oui, il se passait quelque chose et Walter n'était pas complètement sincère sur sa nature ou sur lui-même. Fixer le noir… pourquoi cela était-il inquiétant? Parce que ça ne signifiait pas le noir de la nuit, de l'autre côté de la fenêtre. C'était le noir de l'intérieur de son esprit. Et pourquoi avait-il envie d'y chercher le noir? C'était là que les monstres étaient tapis, chez tout le monde, même les gens sains d'esprit, et Walter avait fréquenté son monstre avec l'intimité d'un meurtrier sadique… ni loi ni limite. Il avait beaucoup progressé, sur un rythme qui avait époustouflé Jess; elle se demanda à cet instant si elle saisissait bien toute l'ampleur de ce triomphe psychologique. Tous les tests avaient été effectués, mais ne s'appliquaient pas vraiment; son QI était exceptionnellement élevé, mais elle était responsable et présumait qu'il y avait toujours eu un homme brillant sous le monstre. Ses aptitudes étaient stupéfiantes – il était très adroit de ses mains et ambidextre – mais, là aussi, elle devait supposer qu'elles avaient toujours été présentes, sous le monstre. Quelle tragédie! avait-elle pensé chaque fois qu'une nouvelle facette de son cerveau physique était apparue; que serait devenu Walter Jenkins si les circuits de son cerveau n'avaient pas banni tous ses dons derrière la porte ouverte à la volée qui avait libéré le monstre?

La tasse de café et l'arôme arrivèrent en même temps ; elle battit des paupières, adressa à Walter un sourire très chaleureux.

— J'ai appris quelque chose, dit-il en s'asseyant, sa tasse à la main.

— Qu'est-ce que tu as appris ? s'enquit-elle calmement.

— Que les flics t'ont accusée de six meurtres.

— Non. Ils ne peuvent pas : ils n'ont pas de preuves. Ne tiens pas compte des racontars, Walter. Ce n'est que ça.

— On ne t'arrêtera pas, Jess. Je ne le permettrai pas.

Elle ne put retenir un rire ; s'il s'était agi de quelqu'un d'autre, elle aurait posé une main affectueuse sur son bras, mais l'espace personnel de Walter était inviolable.

— Merci, mais ça ne sera pas nécessaire, dit-elle. Je n'ai commis aucun meurtre et la police le sait très bien. Ce qu'elle veut, en réalité, ce sont des informations, que je ne possède pas, sur les victimes ; mais elle est convaincue que je les ai. Cette situation est semblable à de nombreuses autres : le temps montrera qu'il s'agit d'une impasse. Ils s'en apercevront et abandonneront la théorie qui m'implique.

— Il y a intérêt, dit-il, maussade, parce que je ne laisserai personne te harceler, Jess.

— Calme-toi, Walter, je ne suis pas en danger. Tu as ma parole, répondit Jess en le regardant avec gravité.

— Je serai calme, c'est promis.

Il se tut puis demanda soudain :

— Qui est ce capitaine Carmine Delmonico ?

— Un des hauts responsables de la police d'Holloman. Un inspecteur. Il est aussi membre de la commission chargée de constater tes progrès et c'est donc, de ton point de vue, un personnage important. Jusqu'ici, il s'est montré très compétent… il ne laisse jamais ses préjugés influencer ses décisions et il accepte mes opinions professionnelles comme une commission sénatoriale accepterait celles de Richard Feynman sur le sujet de l'atome.

— Un ami.

— Oui, Walter, absolument. C'est pourquoi l'affaire de ces six femmes est si contrariante. Elle sape son respect vis-à-vis de moi.

Walter se leva, contourna le bureau et se pencha pour composer la combinaison du coffre.

— Nous ne pouvons pas accepter ça, Jess, dit-il, pensif. Non, nous ne pouvons pas l'accepter.

Lundi 25 août 1969

Walter Jenkins ne disposait pas de voies neuronales conduisant à la frustration, mais beaucoup aboutissaient à l'aptitude à projeter et il s'attela à sa tâche calmement, sans précipitation. Il ne comprenait pas la nature complexe du conflit opposant Jess Wainfleet au capitaine Carmine Delmonico et à la police d'Holloman et décida que la réaction correcte était aussi la plus directe : priver Carmine Delmonico de sa légitimité et attirer le reste de la police d'Holloman sur une piste sans lien avec Jess. Par conséquent, conclut-il, il ne suffisait pas d'éliminer le capitaine ; il fallait agir de telle façon qu'il semblerait avoir fait volte-face, décidé de se consacrer à une activité nouvelle.

Il avait passé son dimanche à la bibliothèque de l'IH qui, heureusement, disposait d'une collection de microfiches sur tous les crimes importants commis dans le Connecticut ; l'IH était un établissement destiné aux fous meurtriers et les membres de la direction aimaient pouvoir consulter les articles de journaux ou de revues traitant de leur spécialité. Il avait ainsi appris l'existence des Ombres de Delia et, du même coup, ouvert plusieurs voies nouvelles... voies qui auraient passionné et consterné Jess. Il trouva aussi une biographie de Carmine Delmonico, ainsi qu'une demi-douzaine de photos superbes, des négatifs qu'il dut tirer avant de pouvoir se faire une idée précise de la personnalité de l'adversaire. Delmonico avait plus de quarante ans mais était toujours dans la force de l'âge... Puis Walter trouva, dans une revue locale, un article sur la police d'Holloman, long texte récent présentant d'autres personnages importants : John Silvestri, le directeur, Fernando Vasquez, le capitaine des agents en uniforme, et le sergent Delia Carstairs, que le journaliste trouvait fascinante parce que c'était la nièce du directeur, qu'elle venait d'Oxford et que ses tenues étaient tout sauf discrètes. Cet article mentionnait aussi un jeune dessinateur d'un genre radicalement nouveau, un certain Hank Jones, dont l'approche moderne avait permis l'identification de plusieurs cadavres qualifiés de «Doe».

Walter adorait les films. Il en avait vu des centaines et des centaines depuis qu'il avait tourné le dos à la démence et presque tout ce qu'il savait sur le monde provenait du cinéma ou de la télévision. Il comprit donc très vite qu'il n'arriverait à rien en attaquant de front. Cela reviendrait à placer une serviette pleine d'explosifs dans la «tanière du loup» d'Hitler... quelqu'un risquait de la déplacer et de la poser derrière le pied en chêne massif d'une table. Non, il fallait être plus subtil !

À l'instant où ce dessein s'imposa, Walter renonça à l'idée d'une expédition diurne et éprouva une émotion intense qui aurait enthousiasmé Jess. Son milieu serait la nuit, où il pourrait se déplacer plus discrètement que le prédateur poursuivant sa proie.

Le plan ! Quel devait-il être ? Premièrement, il fallait disqualifier le capitaine ; deuxièmement, il fallait laver Jess Wainfleet de tout soupçon dans l'affaire des Ombres ; et, troisièmement, il fallait remplacer Jess par un autre suspect sans lien avec elle.

Faire croire que Delmonico était le meurtrier ! On était toujours en août, même si on approchait de la fin, et la femme pouvait avoir disparu aux environs du milieu du mois, comme les autres. Peut-être Delmonico l'aurait-il retenue un peu plus longtemps si c'était une femme spéciale? Une femme si spéciale que, l'ayant tuée, Delmonico se serait soudain rendu compte qu'il n'avait qu'une issue: placer le canon de son arme dans sa bouche et tirer. Oui! Oui, c'était parfaitement logique! Il avait une femme et deux enfants, mais il avait surpris une conversation téléphonique entre Jess et Delia, dont le sujet était les vacances de la famille de Delmonico sur la côte Ouest. Le capitaine devait être seul chez lui. Idéal, idéal!

Le type de la femme lui apparut et il souffla bruyamment, l'air sifflant comme s'il jaillissait de la soupape d'un compresseur, violent, strident et inquiétant. Il fallait que ce soit ce genre de femme, même s'il était peu probable qu'elle loue un appartement puis disparaisse. Le capitaine commençait à s'ennuyer, c'était ça, et avait jeté son dévolu sur un type de femme plus relevé, plus juteux, plus savoureux. C'était ce que faisaient les tueurs en série, hein? Il faudrait un mot et le mot expliquerait tout. Delmonico était cultivé, tout le monde s'accordait sur ce point, et le mot devrait tenir compte de cela. Concret mais poétique...

Débordant de joie, Walter peaufina son plan... Jess ne pourrait retenir un sourire de triomphe si elle savait son sujet capable d'élaborer un tel projet. La logique n'était pas difficile, elle était facile.

Agirait-il en deux étapes ou en trois? Autant que nécessaire, décida Walter. Mon plan est parfait.

À 23 h 30, il était sur la route. Il commença par s'arrêter à une station-service employant des pompistes, pour prendre de l'essence; il en demanda pour cinq dollars, les obtint et s'en alla sans avoir laissé au jeune homme le temps de voir son visage. Roulant lentement pour que le bruit de l'échappement ne risque pas d'irriter les occupants des maisons voisines, Walter concentra son attention sur le côté gauche de la 133 parce qu'il ne voulait pas manquer le haut mur de briques quand il arriverait à sa hauteur. Deux ou trois boutiques, puis celui-ci apparut, ponctué en son milieu par un portail voûté surmonté d'une croix. Il ralentit, le dépassa puis sortit de la route et s'engagea dans la forêt qui la bordait. Quelques mètres plus loin, il coupa le moteur, descendit de sa machine et sortit d'une sacoche les outils dont il avait besoin : un rouleau de ruban adhésif, une paire de gants de chirurgien et du fil de fer. La pince coupante, les tournevis et les ciseaux se trouvaient dans une des poches de son blouson.

Le mur de briques ne concernait que la 133 ; les trois autres côtés de la propriété, donnant sur la forêt, étaient clôturés par un grillage surmonté de fil de fer barbelé ; pas un problème pour Walter qui, avec sa pince, découpa un rectangle dans le grillage, lequel n'était pas protégé par un système d'alarme. Une fois la clôture franchie, il pénétra dans un parc soigneusement entretenu où de nombreux gros arbres étaient entourés d'un banc. Il y avait deux bâtiments, le plus éloigné étant visiblement une école. Le vaste parc comportait des courts de tennis, un terrain de basket et, sans doute, un gymnase. Ignorant tout des écoles, Walter ne pouvait savoir que la quiétude modeste qui émanait de ce lieu montrait avec force qu'on n'y trouvait ni jeunes garçons ni hommes. L'immeuble le plus proche, beaucoup plus petit et n'ayant qu'un étage, était l'objectif de Walter. Il se dirigea très rapidement vers lui, mais garda une main sur son poignard au cas où il y aurait des chiens… mais il n'y en avait pas.

Il ouvrit la porte grâce à la petite spatule métallique d'un tournevis… très facile. Il en conclut que les occupants ne se souciaient pas de sécurité. L'entrée était silencieuse et sombre, une flamme minuscule, dans un bol rouge, émettant une faible lumière couleur de rubis sous le Sacré-Cœur. Il n'y avait personne et il n'eut pas besoin de torche pour voir, même dans les recoins les plus obscurs, car le noir était son élément. Il gravit le bel escalier jusqu'à l'étage, où le personnel dormait.

Toutes les sœurs bénéficiaient d'une grande chambre et cela lui facilita la tâche. Derrière la cinquième porte à droite, il trouva ce qu'il cherchait. Une femme endormie de vingt-cinq ou trente ans : mince, visage et peau lisses. Elle dormait sur le dos, ses bras, dans des manches en coton beige, le long du corps. Fermant la porte, il longea silencieusement le lit jusqu'à la hauteur de sa poitrine puis saisit son cou à deux mains et la fit asseoir ; son hurlement, un simple soupir. Deux yeux terrifiés, dilatés, le fixèrent, ombre noire dans la chambre noire, quand il bondit et l'enfourcha, les genoux sur ses épaules, le poids de son derrière sur sa poitrine quand elle fut à nouveau couchée, le visage à quelques centimètres du sien. Ses doigts serrant son cou, les jambes de la jeune femme s'agitant en vain derrière lui, il regarda la vie s'échapper d'elle. Ce fut délicieux. Il eut l'impression d'aspirer son existence et de devenir plus que la somme de deux personnes. Ce fut un acte de Dieu. Ce fut l'expérience ultime, que le Je-Walter nomma extase. Car il était le Je-Walter et savait enfin ce que voulait le Je-Walter. L'extase. Rien que l'extase.

Pour être absolument sûr, il resta plusieurs minutes assis sur elle, les mains autour de son cou... était-ce ce que Kris Kristofferson voulait dire quand il parlait de «descente[1]»? Il y avait tant de choses qu'il ne savait pas, sauf quand il tombait sur une explication et une définition à la télévision, dans un film ou à la radio, et

---

1. La chanson s'intitule «Sunday Morning Coming Down».

il eut la très nette impression de descendre d'un niveau supérieur. Il se souvint d'un autre mot : transcendance. Il pensa qu'il s'appliquait aussi à lui.

Mais il fallait agir. Il posa le corps sans vie sur le plancher et refit vaguement le lit ; il n'avait rien touché d'autre. Il souleva le cadavre et le plaça sur ses épaules ; Walter Jenkins s'en alla, fermant la porte derrière lui. Près de la moto, il posa la femme, la regarda à la lumière de sa lampe torche et éprouva une intense satisfaction. Vêtue d'une pudique chemise de nuit en coton beige la couvrant des poignets au cou et aux pieds, elle avait un très joli visage même si ses cheveux châtains étaient aussi courts que ceux d'un Marine et sa peau exempte de tout maquillage. Il sortit d'une sacoche une housse mortuaire en plastique, volée à l'IH, et y plaça le corps de la religieuse. Il jeta un coup d'œil sur sa montre : 2 heures. Il était temps de rentrer.

Ayant sanglé la housse sur le coffre du porte-bagages et les sacoches, son contenu à plat ventre et formant un U inversé, il lança le moteur de la moto, accéléra et regagna la 133. Il n'y avait pas de circulation ; les semi-remorques roulant toute la nuit préféraient l'I-95 ou l'I-91 et les habitants du coin dormaient. Il parcourut les quelques kilomètres le séparant des environs de l'Asile sans croiser âme qui vive, s'engagea dans la forêt et coupa le moteur à quelques mètres de sa destination. Walter s'enhardissait. S'il n'emballait pas le moteur, les sentinelles n'entendraient rien.

À l'intérieur de la muraille, il gara la moto sur sa béquille, le corps toujours sanglé sur le porte-bagages. Il pouvait parfaitement l'y laisser parce que la rigidité cadavérique serait passée quand il le déplacerait, lors de la phase suivante. Et, d'ici là, il n'aurait pas davantage besoin d'utiliser l'essence de ses bidons en plastique. Mais il devait s'assurer que la moto et ses chaussures n'avaient pas laissé de traces dehors et il sortit, redressa les hautes herbes et les arbustes, cassa les branches endommagées. Ensuite, il remit son T-shirt et son short gris puis reprit le chemin de sa chambre. S'il croisait quelqu'un, son explication était prête : nervosité, migraine, ennui. Jess était obsédée par l'ennui, mais le Je-Walter savait qu'il ne pouvait lui dire que Jess elle-même était ce qu'il y avait de plus ennuyeux.

Walter n'était pas un homme heureux.

Mardi 26 août 1969

La première prière des sœurs de l'école de filles du Sacré-Cœur avait lieu à 6 heures ; sœur Mary Therese Kelly étant absente, la mère supérieure, Perpetua Gonzales, la chercha en vain dans tous les bâtiments du couvent. À 7 heures, la supérieure appela la police d'Holloman et avertit le capitaine Delmonico.

— J'arrive, dit Carmine. Ne touchez à rien.

Sirène hurlante et ayant demandé à Delia et Donny de le rejoindre, il fonça dans une circulation dense à l'approche de l'heure de pointe et arriva à destination vingt minutes plus tard.

Quand mère Perpetua avait appris à lire à Carmine, à six ans, c'était une petite religieuse maigre d'un peu plus de vingt ans ayant le don de transmettre l'amour de l'apprentissage aux enfants ; une longue carrière d'institutrice se déployait devant elle. Désormais, à plus de soixante ans, elle dirigeait l'école d'une main ferme. Les vocations s'étaient effondrées dans des proportions telles que de nombreux enseignants étaient des laïques, mais mère Perpetua était toujours capable de susciter des vocations. Quand elle prenait une sœur sous son aile, cette dernière semblait s'adapter naturellement à la vie religieuse dont les problèmes, partagés, paraissaient toujours avoir une solution.

À l'arrivée de Carmine, bientôt suivi par Delia et Donny, mère Perpetua faisait les cent pas devant le portail du couvent.

— La scientifique est en route, annonça Delia.

— Delia, occupe-toi des bâtiments de l'école. Donny, fouille le parc. Si vous avez terminé avant moi, je serai avec mère Perpetua.

Très lentement, Carmine traversa le hall d'entrée puis gravit l'escalier élégant conduisant à l'étage.

— Les portes des chambres sont-elles généralement fermées? questionna-t-il devant celle, close, de la chambre de sœur Mary Therese.

— Seulement lorsque l'intimité est indispensable et tu peux imaginer pourquoi.

— Avait-elle demandé à bénéficier de cette intimité?

— Absolument pas. C'est pourquoi nous avons été très étonnées, ce matin.

Carmine sortit une loupe de sa poche et examina la poignée de la porte.

— Les empreintes sont dégradées… La dernière main ayant touché la poignée portait un gant humide.

Il ouvrit la porte et pénétra dans une pièce vaste mais modeste. Lit, meubles ordinaires, grand bureau bien éclairé, étagères chargées de livres, fauteuil face au poste de télévision, tableau en liège parsemé de morceaux de papier. Delia et Donny entrèrent alors qu'il finissait de prendre la mesure d'une existence laborieuse, utile, heureuse. Il y avait aussi un petit autel consacré à la Sainte Vierge.

— Je ne crois pas que nous trouverons quelque chose ici, dit-il.

— Dans ce cas, venez prendre le petit-déjeuner et le café avec nous, proposa mère Perpetua. Vous devez être affamés.

— Il a refait le lit, constata Delia.

— Quel âge a sœur Mary Therese Kelly? s'enquit Carmine après un excellent petit-déjeuner.

— Elle aura trente-quatre ans en mai prochain, répondit la supérieure. Presque toutes les religieuses paraissent plus jeunes que leur âge. La vie en communauté permet à l'esprit de rester jeune parce que nous partageons nos soucis. C'est un merveilleux professeur d'arithmétique.

— Est-elle arrivée aussitôt après ses études, ma mère?

— Oui. Elle a obtenu son diplôme à Albertus Magnus.

— De la famille?

— Un frère prêtre à Cleveland, dans l'Ohio, et un autre agent d'assurances, marié, deux enfants. Pas de sœur.

— Je présume que le père Kelly est le chef de famille, dit Carmine. Voulez-vous que je prenne contact avec lui?

— Si c'est possible, Carmine, je préférerais m'en charger.

— Ma mère, c'est une tâche que je suis heureux de vous confier, croyez-moi! dit Carmine avec ferveur.

— Sais-tu ce qui pourrait lui être arrivé? demanda la supérieure en les accompagnant jusqu'à la porte.

— Pas encore, répliqua Carmine sur un ton neutre. Il est trop tôt, ma mère, et l'enlèvement semble improbable... Pourquoi elle, alors qu'il y avait de meilleures candidates plus près de l'escalier? Mais j'ai averti l'archevêque, au cas où on réclamerait une rançon.

Delia attendit que le portail soit fermé et de se retrouver seule avec Donny et Carmine.

— Je crains que sœur Mary Therese ne soit morte.

— Pourquoi? murmura Carmine en frissonnant.

— C'est l'homme mystérieux... le nouveau venu sur sa grosse moto.

— Personne n'a entendu une moto, fit remarquer Donny.

— Ni vu, je sais. Mais c'est lui. Même si tu soutiens le contraire, persista Delia. En plus, c'est le début d'un plan. Ce type est un solitaire et je suis prête à parier qu'il n'est pas obsédé par les religieuses. La sœur Mary Therese est essentielle.

Walter avait découvert qu'il lui était aussi facile d'écrire en miroir que normalement ; il lui suffisait, comme il disait, de « rétrograder », comme pour prendre un virage serré, et, presto, il se retrouvait de l'autre côté du miroir. La droite et la gauche, côte à côte, l'avaient toujours troublé, mais pas les points cardinaux de la boussole ; il en déduisit que c'était lié à la nature des deux univers : la linéarité de la droite et de la gauche, la circularité du nord, de l'est, du sud, de l'ouest, puis du retour au nord. Le problème était que les explications l'ennuyaient. S'il avertissait Jess, elle tiendrait absolument à consacrer des heures et des heures d'analyse et de discussion à ce sujet. Le Je-Walter se désintéressait complètement des Jess-Walter parce que les Jess-Walter étaient un patchwork. Le Je-Walter était une entité cohérente, un tout.

Il connaissait le but du Je-Walter, même s'il lui apparaissait encore, parfois, par bribes ou flou et déformé. L'absence de frustration était la conséquence d'une patience infinie que seul un homme ayant passé toute sa vie derrière les barreaux peut acquérir.

Son plan fonctionnait, il en était convaincu et, après avoir rédigé son mot en miroir et l'avoir relu, il sourit. Jess avait raison : quand une sensation agréable se répandait en lui, il était de plus en plus souvent tenté de trahir sa présence par un sourire. C'était dangereux. Le sourire disparut aussitôt. Il pourrait profiter du plaisir quand tout serait terminé, lorsqu'il serait certain que tout avait bien fonctionné. De nombreuses voies recélaient des dangers ; les événements se précipitaient. Il ne pouvait pas ralentir la succession des événements, mais il pouvait se contrôler.

— Qu'as-tu fait aujourd'hui ? lui demanda Jess pendant le dîner.

Il connaissait les sujets qui plaisaient à son mentor et il la dirigea vers l'un d'entre eux.

— Tu te souviens du jour où je me suis aperçu que je pouvais écrire aussi bien de la main gauche que de la droite ?

— Comment pourrais-je l'oublier ?

L'amusement fit briller ses yeux, mais il savait que ce n'était pas une émotion méprisante ; Jess croyait que le Walter qu'elle avait créé était une des merveilles du monde.

— Ne me dis pas que tu as appris quelque chose de nouveau ?

— Rien de nouveau. Tu te souviens de mes orteils ?

La lueur d'amusement disparut.

— Tu veux dire… ?

— Oui, maintenant je peux écrire avec mes orteils.

— Ceux du pied droit ou ceux du pied gauche ?

Ce fut comme s'il avait saisi la lueur d'amusement, dans les yeux de Jess, à l'instant où elle s'éteignait, et se l'était appropriée.

— Les deux.

— Qu'est-ce qui t'a conduit à essayer, Walter ?

— Ari Melos a dit que mes orteils étaient préhensiles, alors j'ai cherché ce mot dans le dictionnaire et appris qu'il signifie : capable de saisir un objet. Les stylos sont des objets alors j'en ai pris un avec mes orteils et j'ai écrit.

— Tu es extraordinaire, Walter, souffla-t-elle.

— Tu le noteras dans mon dossier ?

— Bien sûr.

— Je suis fatigué, dit-il. Je crois que je vais essayer de dormir.

— C'est ce qui t'est le plus difficile et je ne te retiendrai pas.

— Tu crois que je pourrai un jour contrôler mes rêves, Jess?

— Si tu y parvenais, je recevrais le prix Nobel.

— C'est important?

— C'est ce qui peut arriver de plus important à un médecin.

Jess conservait les notes concernant Walter dans son sac à main... ou, plutôt, les plus significatives, celles que Walter ne devait pas voir; il lisait tout sur tout le monde, surtout sur lui. Mais il avait une idiosyncrasie étonnante compte tenu de son amoralité: il refusait de fouiller le sac à main des femmes. L'origine, selon Jess, en était un de ses brefs et rares séjours dans une famille d'accueil, avant sa treizième année. Jess ignorait quelle avait été la réaction de la femme qui l'avait surpris fouillant dans son sac à main, mais elle avait été si terrifiante qu'elle avait résisté à la démence et à deux cents heures de neurochirurgie.

Walter découvrirait donc quelques lignes anodines dans son dossier, quand il l'ouvrirait, mais elle seule verrait les notes rangées dans son sac à main. Les dizaines de minces cahiers qui s'étaient accumulés pendant les trente-deux mois ayant suivi les opérations pratiquées sur Walter se trouvaient dans le sous-sol de sa maison, parmi des milliers d'autres.

Pendant que Walter dormait, Jess prit dix pages de notes dans le cahier le concernant, qu'elle glissa dans son sac à main; elle put ensuite se consacrer à d'autres patients.

À 22 h 30, Walter était dans la muraille, faisant le plein avec l'essence d'un de ses bidons en plastique; cette nuit, il ne prendrait pas le risque de s'arrêter à la station-service. Sœur Mary Therese avait dépassé le stade de la rigidité cadavérique... mais c'était sans importance parce qu'il l'avait placée exactement dans la position qu'elle occuperait à l'arrière de la Harley. À minuit, il ouvrit la porte donnant sur l'extérieur et poussa la moto dehors, fronçant les sourcils quand il se dit que deux nuits d'affilée risquaient peut-être de laisser des traces visibles. Mais le sol était encore mouillé, en raison des orages, et l'herbe poussait. Après son retour, il devrait prendre le temps d'effacer les traces de son passage. Si on trouvait sa porte, il serait fini, *kaput.*

Après un kilomètre et demi, il mit la moto en marche, suivit la 133 sur une courte distance puis prit Maple, longue rue sinueuse traversant Holloman des faubourgs proches de la 133 jusqu'au centre. Quand il apercevait les gyrophares d'une voiture de patrouille, il s'arrêtait dans le noir et attendait ; la présence policière était forte, cette nuit, à cause de l'enlèvement de la religieuse. Après avoir traversé le centre, il prit la direction d'East Holloman et d'East Circle, rue qui longeait, à l'est, la courbe du port et offrait aux maisons, toutes bâties sur un vaste terrain, une vue à la fois belle et originale. À la faveur de conversations entendues au réfectoire, Walter avait appris que la plus belle maison d'East Circle, avec sa tour carrée surmontée d'un belvédère, appartenait au capitaine Carmine Delmonico, de la police d'Holloman. Il était convaincu que personne ne se souviendrait d'avoir prononcé ce nom en sa présence !

Hank Jones avait d'excellentes raisons d'apprécier cette maison : arrivé après que le capitaine fut allé se coucher, il avait été accueilli par un Frankie fou de joie, mais relativement silencieux, qui avait reçu une friandise en récompense. Puis, heureux d'être ensemble, le jeune homme et le chien s'installèrent, Hank en prévision d'une nuit devant son chevalet après avoir déplié la table de bridge sur laquelle il posait sa boîte de pinceaux et de couleurs. Lorsque Hank s'intéressa davantage à sa toile qu'à l'animal haletant assis à ses pieds, Frankie poussa un long soupir canin et regagna son panier sur le palier de l'étage… où il se sentait seul, la maison n'étant occupée que par Carmine.

En raison de la présence de la police, Walter décida de laisser la moto sous le pilier est de l'I-95 ; le pilier ouest se trouvait à l'extrémité d'un long viaduc surplombant les usines et l'aéroport d'Holloman. Le port de North Holloman et le Pequot étaient donc beaucoup plus près du pilier est, édifié sur la rive.

Cependant, il y avait un chemin, quelques dizaines de centimètres au-dessus de la marque de la marée haute ; sœur Mary Therese sur les épaules, la main gauche tenant le fil de fer qui liait ses poignets et le manche de son poignard, la droite serrant le fil de fer qui immobilisait les chevilles de la religieuse et la crosse de son .45, Walter vit la maison à l'instant où il sortit de l'ombre du pilier. Ah, facile ! Il longerait la rangée d'abris à bateaux… cabanes miteuses occupées par des barques équipées d'un moteur hors-bord, des canoës et des kayaks… rien à voir avec des yachts de millionnaires !

Quand Walter se déplaçait en silence, on aurait pu entendre respirer la nuit, et l'alarme du chien endormi ne se déclencha qu'à l'instant où l'intrus posa le pied sur la première marche de l'escalier de la terrasse : l'animal poussa un cri de terreur, les quatre pattes raidies, et se mit à japper.

Les aboiements furieux de Frankie accentuèrent l'intense horreur d'Hank face à l'apparition qui se dressa devant lui, l'étrange Créature du lac noir portant un fardeau sur les épaules. Hank ne put s'empêcher de hurler.

Pinceaux, tubes de peinture et palette voltigèrent quand Hank s'enfuit à quatre pattes pour échapper à la Créature. Cette dernière lança son fardeau, qui renversa le chevalet, sans doute en réaction aux aboiements de Frankie et aux hurlements d'Hank. Les jappements du chien firent voler en éclats le silence de la nuit, les cris d'Hank accentuant la sensation de terreur. Puis un rugissement plus puissant encore retentit et, aussitôt, un paroxysme de douleur s'empara du bas du dos d'Hank ; les cris se muèrent en plaintes.

Le chien et le flic arrivèrent en même temps sur la terrasse, Carmine en caleçon, le bras levé et le Beretta à la main. L'arme émit quatre détonations, mais l'intrus avait filé et il y avait un blessé sur la terrasse. Frankie s'était lancé à la poursuite de l'agresseur ; un sifflement strident le fit revenir sur ses pas.

La lumière s'alluma dans les autres maisons et Fernando Vasquez, en caleçon, gravit les marches quatre à quatre, son pistolet à la main.

— Merde, Carmine ! dit Fernando, abaissant l'interrupteur et éclairant la scène. Merde ! répéta-t-il.

— Une ambulance, tout de suite !

Sœur Mary Therese gisait parmi les restes du chevalet ; un bref regard, puis Carmine l'enjamba et se pencha sur Hank, couché dans une flaque de sang grandissante, l'esprit entièrement occupé par une douleur plus horrible que toutes celles qu'il aurait pu imaginer.

— Essaie de ne pas bouger, Hank, dit Carmine. Une ambulance est en route et tu ne te videras pas de ton sang.

Malgré sa blessure, Hank répondit :

— Je voudrais presque être mort, je voudrais presque ! Je ne sens plus mes jambes, mais mes reins sont en feu ! Oh, Carmine, à l'aide !

— Je resterai près de toi jusqu'à ce que les ambulanciers me chassent et, ensuite, ils seront à tes côtés.

Ils·commenceront par te faire une piqûre pour calmer la douleur.

Le regard de Carmine croisa celui de Fernando et il reprit :

— Je ne pourrai pas t'accompagner… je suis flic et je dois rester sur la scène de crime, mais je t'enverrai Delia le plus vite possible. Dois-je prendre contact avec quelqu'un, Hank ?

— Il n'y a que moi, souffla le jeune homme, pleurant sous les effets conjugués du choc et de la souffrance. Bon sang, ça fait mal ! Je voudrais seulement ne plus avoir mal !

— C'est la priorité. Que s'est-il passé ?

— Je ne peux pas ! La douleur ! La douleur ! sanglota Hank.

— Mais si tu peux ! Ça t'aidera à penser à autre chose.

— Je peignais, capitaine, je ne pensais qu'à l'eau noire et aux miroitements des lumières… j'ai presque fini. J'ai mal ! J'ai mal !

Hank gémit pendant quelques instants puis reprit :

— Et l'étrange Créature du lac noir s'est soudain dressée devant moi à l'instant même où Frankie se mettait à aboyer… j'ai eu si peur que je me suis mis à crier sans pouvoir m'arrêter. La Créature portait une femme sur les épaules, elle l'a jetée… je m'étais accroupi pour me protéger. Puis il y a eu une explosion et j'ai été projeté à terre, comme un gamin percuté par une voiture… *boum !* Elle m'a tiré dessus, la Créature, hein ?

— Exact mais, grâce à la faculté de médecine de Chubb, les médecins de notre ville sont les meilleurs. Des prix Nobel à gogo.

L'ambulance surgit moins de cinq minutes plus tard, un médecin à bord. Hank reçut une injection de morphine qui atténua la douleur et fut conduit, sirène hurlante, aux urgences. À son arrivée, une équipe de spécialistes de la moelle épinière, comportant un neurochirurgien, était réunie ; le chef du service était sous escorte policière.

East Circle avait connu des troubles, au fil des années, depuis que Carmine Delmonico y avait acheté sa maison, mais celui-ci était le plus grave, et il s'était produit à une heure où les habitants dormaient paisiblement. Cependant, la popularité du capitaine compensait largement cet inconvénient et personne ne se plaignait. Après tout, deux policiers de premier plan habitaient East Circle et cela comportait de nombreux avantages.

— La seule solution est d'attendre le matin et de prier pour qu'il ne pleuve pas, dit Carmine à Fernando.

— Il ne pleuvra pas et la chance tourne, répondit Fernando en buvant une gorgée de thé. Le vent tombe.

Une idée lui traversa l'esprit ; il leva la tête et reprit :

— Pourquoi as-tu sifflé Frankie pour le faire revenir ?

— Mes garçons l'adorent, Fernando, et ce type avait une arme qu'il n'hésitait pas à utiliser. Frankie est un excellent chien de garde. Ce soir, grâce à lui, j'ai eu le temps d'enfiler un caleçon, de prendre mon arme, d'ôter la sécurité et de me préparer au pire. Hank était le facteur imprévisible, le pauvre garçon, et je ne pouvais pas accepter que le chien soit blessé.

Mercredi 27 août 1969

Ils se réunirent à 10 heures dans le nid d'aigle de John Silvestri pour analyser les conséquences du raid sur la maison de Carmine. Le directeur avait demandé à Abe, Liam et Tony d'être présents, même si l'équipe du lieutenant Goldberg n'était pas directement concernée, et la pièce était surpeuplée ; Gus Fennel et Paul Bachman étaient également là, de même que Fernando Vasquez et Virgil Simms de la brigade en uniforme. Delia avait cédé sa place au chevet d'Hank Jones à Simonetta Marciano, qui n'avait perdu aucune de ses sources de potins depuis que son mari avait pris sa retraite de capitaine de la police. Informée de la situation d'Hank – *pas de famille !* –, elle avait réuni ses amies et s'était chargée de tenir compagnie au jeune dessinateur. Connaissant Netty depuis longtemps et certaine qu'Hank serait entre de bonnes mains, Delia regagna son monde avec un soupir de soulagement.

— Tout d'abord : comment va Hank ? demanda Silvestri.

— Les nouvelles sont meilleures que ce qu'on redoutait au début, répondit Delia. Le projectile a perdu de la vitesse, après un ricochet, avant de toucher Hank et cela l'a sauvé. Il a fracassé partiellement la partie droite du bassin, trop bas pour que la moelle épinière soit touchée directement. Un faisceau de petits nerfs appelé queue-de-cheval est endommagé, mais les dégâts les plus importants affectent la fesse droite. Des neurochirurgiens et des spécialistes de chirurgie plastique s'occupent de lui et les premiers ont déjà opéré en vue d'ôter les éclats d'os et de réduire la dilatation de la moelle épinière.

— Remarchera-t-il ?

— Oui. Dans quelles conditions, c'est entre les mains des dieux.

— Un long séjour à l'hôpital ?

— Oui. Il sera ensuite transféré dans le service du professeur Prarahandra, où de nombreuses greffes permettront au pauvre garçon de s'asseoir normalement sur les deux fesses.

Silvestri soupira.

— Tout cela est plutôt rassurant. Il semble que ça aurait pu être pire.

— Absolument, intervint Paul. La balle contenait du mercure, mais le tireur a saboté le boulot.

— Carmine, que s'est-il passé au juste ?

— Un individu, identité inconnue, s'est introduit dans ma propriété à 1 heure du matin avec le corps de sœur Mary Therese, disparue hier. Je crois qu'il avait l'intention de la déposer chez moi… à l'intérieur, pas à l'extérieur. Hank Jones se trouvait sur la terrasse où il peignait le paysage nocturne, comme il disait… Il s'y installait tous les soirs, à partir de minuit, depuis une semaine. Selon les quelques informations qu'il a pu me donner, le type est apparu devant lui et lui a flanqué la frousse de sa vie. Frankie s'est mis à aboyer, Hank à hurler, l'agresseur a jeté le corps de sœur Mary Therese sur Hank puis a tiré un coup de feu. À mon arrivée sur la terrasse, j'ai aperçu une silhouette indistincte qui descendait l'escalier en courant. J'ai tiré quatre fois, puis j'ai cessé pour ne pas risquer de blesser un voisin sortant voir ce qui se passait.

— As-tu entendu une voiture ? Une moto ? s'enquit Abe.

— Non, rien, répondit Carmine.

— Gus, que pouvez-vous nous dire sur sœur Mary Therese ?

— C'était une jeune femme en bonne santé, bien nourrie, qui aurait sans doute pu vivre jusqu'à quatre-vingt-dix ans, précisa Gus d'une voix qui tremblait légèrement. Quand je l'ai examinée, elle était morte depuis environ trente-deux heures. Elle a été étranglée, très brutalement et avec une grande force. Rien n'indique qu'elle ait été frappée au menton ou qu'on ait tenté de l'assommer ; je n'ai relevé que des contusions sur la face antérieure du cou. D'une carotide à l'autre. Je n'ai pas pratiqué l'autopsie et tout cela est le résultat de l'examen préliminaire.

— Paul ? demanda Silvestri au patron de la police scientifique.

En guise de réponse, le technicien au visage anguleux posa une feuille de papier pliée sur la table puis glissa deux diapositives dans le projecteur.

— On a trouvé ce mot, plié exactement de cette façon, dans un sac en plastique épinglé sur la chemise de nuit de sœur Mary Therese. Il n'y avait ni empreintes digitales, ni traces, ni taches. Voilà ce qu'il dit.

Un fouillis à demi inintelligible d'écriture spéculaire apparut sur le mur.

— Voici la traduction, dit Paul Bachman.

FAUT-IL TOUT VOUS EXPLIQUER ?
IL N'Y A PAS DE DISPARUE CETTE ANNÉE.
SEPT SERAIT COMPLAISANCE.
SIX FEMMES C'EST BEAUCOUP !
YEUX PELÉS COMME DES BANANES
LANGUES LIÉES AVEC DE LA FICELLE ROUGE
CRÂNES PARLANT DANS LE VIDE.

— C'est le mot le plus bizarre que j'aie vu au cours de ma longue carrière, déclara le directeur. Ce type est givré !

— Ou bien il essaie de nous faire croire qu'il l'est, fit remarquer Abe. Ce mot est construit, mais il est aussi artificiel.

— En deux parties inégales, ajouta Carmine. Il prend bien soin de nous dire qu'il n'y a aucun lien entre le docteur Wainfleet et les Ombres, et aussi qu'il n'y aura plus d'Ombres. Puis il ajoute trois lignes de charabia pas particulièrement intelligent.

Delia semblait presque sur le point de vomir.

— Vous ne voulez pas dire qu'il a maintenant l'intention de s'en prendre aux religieuses ?

Silvestri répondit :

— J'en doute, Delia. Carmine ?

— La malheureuse sœur était une nécessité, Deels. Le meurtrier avait besoin d'un type précis de femme, expliqua le capitaine davantage à l'intention de John Silvestri qu'à celle de Delia. Selon moi, il voulait me déconsidérer en faisant croire que j'avais une aventure avec une religieuse. On aurait trouvé son corps sur ma terrasse ou dans mon lit… sans doute la seconde solution. Bien entendu, il avait aussi l'intention de me tuer comme si, écrasé par les remords après avoir tué ma maîtresse, je m'étais tiré une balle dans la bouche. Les gros titres des journaux auraient été juteux.

— Personne n'aurait cru ça, affirma Delia.

— Heureusement, le problème ne se pose pas, dit le directeur. La présence d'Hank a dû beaucoup l'étonner.

— Quel était son mobile ? demanda Fernando Vasquez.

— Selon moi, il voulait détourner l'attention de la police pour qu'elle renonce à enquêter sur les Ombres, dit Carmine. Une tentative maladroite et des tas d'erreurs.

— Comme lier les poignets et les chevilles de la sœur avec du fil de fer, fit remarquer Donny. De toute façon, il ne s'attendait pas à un comité d'accueil.

— J'admets que les Ombres expliquent en grande partie le mot, dit Delia. En fait, elles en sont peut-être la raison d'être. Mais s'il dit la vérité, c'est lui qui a tué les Ombres et Jess Wainfleet ne peut pas être impliquée.

— Il y a une certitude, intervint Liam Connor.

— Laquelle ? demanda le directeur.

— L'ego de ce type est colossal. Pas celui des meurtriers ordinaires, un ego stratosphérique. Le superlatif de l'ego.

— Invincible, incontrôlable, invulnérable et invisible, dit Silvestri. Ce type nous provoque.

Résolue à faire valoir son opinion sur Jess Wainfleet avant que les hommes, ces bouledogues, ne l'écartent, Delia insista :

— Quel qu'il soit, Jess Wainfleet n'y est pour rien !

— Tu as raison, Deels, dit Carmine. Paul, peut-on imaginer qu'il ait laissé des indices matériels ? Il est possible qu'il ait commis des erreurs après s'être trouvé face à Hank sur ma terrasse.

— Il n'a pas ôté ses gants, c'est une certitude, mais je peux vous dire ce que vous avez sans doute déjà déduit : ce salaud est extrêmement fort. Il a été capable de lancer un cadavre de soixante kilos à trois mètres, sans effort. Nous avons trouvé la douille, qui correspond au .45 automatique de Marty Fane. Une opinion sincère ? Il est plus adroit à mains nues qu'avec un pistolet, dit Paul. Vous ne l'avez pas touché, Carmine. Nous avons suivi le trajet qu'il a emprunté dans sa fuite sans trouver de sang.

— Y avait-il des traces d'un véhicule ? s'informa Carmine.

— Aucune, capitaine, répondit Virgil Simms. Il a pris une route goudronnée au sommet de la côte et sa piste disparaît. Je présume qu'il a laissé son véhicule sous le viaduc de l'I-95, sur la rive nord du Pequot. De nombreux camions empruntent cet itinéraire pendant la nuit et personne n'aura rien entendu.

— On ne peut donc pas conclure que c'est ce que ce type a fait, dit Carmine, qui se tourna ensuite vers Silvestri et conclut : C'est tout, monsieur le directeur.

— Merci, messieurs. Tout à fait captivant ! Vous pouvez disposer, dit le directeur. Carmine, un mot.

Carmine resta debout pendant que les autres sortaient, moroses et la tête baissée, puis s'assit face à son patron.

— Je me sens coupable, John.

— Pas plus que moi. Pauvre jeune homme ! Dire que je l'ai choisi à cause de son talent et voilà le résultat !

— Il remarchera. Le pire, ce sont les mois de chirurgie reconstructrice… greffes de muscles, de peau.

John Silvestri sortit son mouchoir et s'essuya les yeux.

— Une tragédie !

— Mais il ne renoncera pas à son poste, John. C'est un emploi sédentaire et nous devrions le réintégrer le plus vite possible, dit Carmine en feignant de ne pas voir le mouchoir.

Cela marcha ; le directeur bomba le torse.

— Je harcèle la compagnie d'assurances. Le pire est qu'il n'a pas de famille.

Carmine se leva.

— Il a ses collègues, John. Que ça lui plaise ou non, il a aussi Netty Marciano et ses troupes.

Malgré la présence du dessinateur sur la terrasse du capitaine Delmonico, Walter fut tout d'abord convaincu que son incursion était une grande victoire. Il s'affaira autour de la porte donnant sur l'extérieur, veillant à effacer toutes les traces de son passage. Il se tiendrait tranquille pendant au moins quelques jours tandis que la police d'Holloman ratisserait le comté à la recherche d'un meurtrier qui, elle ne pouvait l'imaginer, était déjà condamné à perpétuité et derrière les barreaux. Walter ne percevait pas cette situation comme une plaisanterie, mais il en saisissait le caractère ironique et éprouvait de la joie chaque fois qu'il pensait à son incarcération. Si seulement la police savait que son meurtrier était déjà en prison !

Il espérait, naturellement, que l'*Holloman Post* rapporterait ses exploits, mais il n'y eut pas d'article et ils ne furent mentionnés ni à la radio ni à la télévision ; le capitaine était apparemment en mesure de museler les médias. Puis, en fin d'après-midi, Delia Carstairs rendit visite à Jess à l'IH et Walter apprit enfin ce qui s'était passé au sein de la police… Quelle aubaine !

— Je sais que le service de neurochirurgie de Chubb est un des meilleurs du monde, Jess, dit Delia, mais je sais aussi que tu es la meilleure spécialiste mondiale de l'anatomie du cerveau. Pourrais-tu donner aux neurochirurgiens de Chubb des indications dont pourrait bénéficier ce pauvre Hank ? Nous sommes tous consternés à l'idée qu'il ne marchera peut-être plus jamais normalement, ou même plus du tout.

Walter était assis un peu à l'écart, dément hyper violent devenu, grâce à Jess, soldat doux et prévisible chargé de servir le café et d'aller chercher puis de ranger, en cas de besoin, des revues ou des dossiers. L'idée de demander à Jess de le renvoyer ne traversa pas l'esprit de Delia ; elle savait que Jess comptait beaucoup aux yeux de Walter et qu'il s'agitait quand il était exclu de conversations qu'il ne pouvait pas, de toute façon, suivre.

— Il s'agit du système nerveux moteur inférieur, Delia, et je n'en suis pas spécialiste, répondit Jess sincèrement attristée. Sam Kaminowitz est le meilleur dans ce domaine et Hank a de la chance d'être soigné par lui à l'hôpital d'Holloman. On accomplit de quasi-miracles aujourd'hui, en grande partie grâce à cette horrible guerre du Vietnam, où les soldats sont abattus par des projectiles beaucoup plus gros que les balles de .45. Sam a affiné ses techniques en opérant les premières victimes du Vietnam. Les recherches de la NASA apportent aussi leur contribution… La science est un vaste cercle qui tire souvent profit d'erreurs politiques stupides. Rien n'est jamais intégralement mauvais, y compris la guerre et la course à l'espace. Il est stupéfiant de constater que des machines destinées à tuer finissent par donner naissance à des machines destinées à soigner, mais ça arrive.

— J'en suis consciente. Tu me dis d'être optimiste.

— Pour l'année à venir, pas pour demain. N'oublie pas que les politiciens les plus stupides sont ceux qui réduisent les budgets de la recherche scientifique. Mais ceci est mon dada et pas ce que tu voulais entendre. Que s'est-il passé hier soir ?

Delia raconta brièvement et sans fioritures ; pendant son récit, elle se tourna un instant vers Walter, dont les beaux yeux fixaient un monde qu'elle ne pouvait voir… Écoutait-il ? Non, décida-t-elle, il n'écoute pas.

— Nous croyons qu'il conduit une Harley Davidson ou un autre type de grosse moto, conclut Delia.

— N'existe-t-il pas un répertoire des immatriculations ? demanda Jess.

— Le service des cartes grises du comté est affilié à celui du Connecticut et nous l'avons passé au peigne fin, répondit Delia. Ça n'a rien donné, hormis plusieurs motos volées, ainsi qu'une douzaine de voitures, mais elles n'ont pas été retrouvées. C'est une arme à double tranchant.

— Je regrette de ne pas pouvoir t'aider. Ari Melos a une Harley.

— Mise hors de cause depuis longtemps, affirma Delia avec un rire sans joie. Au moins, votre sécurité est un modèle du genre.

— Il le faut, sinon on courrait à la catastrophe.

— Merci de m'avoir consacré un peu de ton temps précieux, Jess, et merci pour votre délicieux café, Walter, dit Delia, se levant et souriant à Jess. Et surtout, Jess, merci pour les informations. Elles m'aident énormément.

Jess raccompagna sa visiteuse puis regagna son bureau.

— Que s'est-il passé ? s'enquit Walter.

— Un jeune homme, un dessinateur très talentueux, a reçu une balle dans le dos pendant la nuit. Il est en vie, mais ses jambes risquent de rester paralysées… enfin, de ne plus fonctionner. Mutiler est parfois aussi terrible que tuer.

Walter inclina la tête et réfléchit à cette affirmation.

— Non, ce n'est pas aussi terrible. Quand on meurt, la lumière s'éteint pour de bon. C'est la nuit éternelle.

— Mais tu ne te souviens pas d'avoir tué ! s'écria Jess, stupéfaite.

— Je m'en souviens. Je ne peux pas faire autrement. Et comment interpréter ça ?

Il était presque 18 heures quand Carmine put enfin aller voir Hank aux urgences. Les rideaux entourant son lit étaient ouverts et il gisait, les yeux fermés, dans un enchevêtrement de fils, tubes et câbles, des machines surveillant toutes ses fonctions vitales ; il y avait aussi deux poches destinées aux déchets et deux perfusions. Il ouvrit soudain les yeux, vit Carmine et eut un large sourire.

— Si c'est pas le patron ! dit Hank d'une voix forte.

— Un simple visiteur, corrigea Carmine, posant une chaise à l'endroit où, selon lui, elle ne gênerait pas. Tu vois ce qui arrive quand on s'adonne à des activités nocturnes? La nuit n'est pas la période propice, mon gars. Comment ça va?

— J'ai des fourmis dans les deux pieds, répondit fièrement Hank.

— Nom de Dieu! Elvis entre dans l'immeuble et la foule est en délire. Mon gars, tu as des couilles en acier.

— Sûr, je suis au courant! Mais pourquoi, selon vous, le métal s'y est-il introduit?

— Parce que, mon gars, tu as supporté Delia Carstairs et Simonetta Marciano pendant toute une journée. Des *cojones* en acier. De quelle couleur était le ruban que Netty portait dans ses cheveux?

— Vert émeraude. A-t-elle toujours l'air de sortir d'un film datant de la Seconde Guerre mondiale?

— Toujours, mais plutôt Betty Grable que Rita Hayworth. Très belles jambes!

— J'ignorais que le directeur avait un demi-frère colonel dans l'armée américaine!

— Ce n'est, Hank, que la pointe de la partie émergée de l'iceberg de potins. Quand tu sortiras d'ici, tu sauras tout ce que les habitants d'Holloman veulent cacher. Netty est un oracle, dit Carmine avec un sourire.

— Elle est aussi adorable. Si j'ai bien compris, elle oblige toutes celles qui viennent me voir à apporter de la nourriture ou du chocolat chaud.

Ses yeux de chat brillèrent et il poursuivit:

— Et je sortirai, Carmine. Je sortirai sur mes deux jambes! D'après les toubibs, c'est très probable.

— J'ai réussi à sauver ton tableau, dit Carmine avec gravité. Il semble qu'il n'ait pas souffert, malgré le remue-ménage. On n'annonce aucune évolution de la vue nocturne sur le port et tu pourras donc le terminer, plus tard. Et ne t'inquiète pas pour l'argent. Le directeur s'arrange avec l'assureur des flics et moi avec le mien. Delia viendra demain matin, quand tu seras reposé, et tu pourras lui dire ce que tu veux faire de ton appartement.

— Cool ! dit Hank, qui somnolait.

Cela permit à Carmine de se mettre en quête d'un neurochirurgien capable de lui donner des informations précises sur l'état d'Hank. En ayant trouvé un, il écouta attentivement les explications données dans des termes accessibles au profane et apprécia le tact du jeune médecin.

— L'état d'esprit d'Hank est formidable, capitaine, et il n'acceptera pas, n'abandonnera pas. La balle a fait de gros dégâts, mais si bas qu'ils ne peuvent empêcher un type déterminé de marcher à nouveau. Nous avons extrait tous les éclats d'os et réduit la dilatation de la moelle ; maintenant, nous devons placer les ramifications de la queue-de-cheval – un faisceau de nerfs ayant approximativement cette forme – dans les canaux et chenaux osseux restants. La tâche la plus longue sera celle des spécialistes de chirurgie reconstructrice, qui devront reconstituer la fesse droite d'Hank en remplaçant la partie arrachée par la balle lors de sa sortie. Ça prendra un bon moment.

Tout aussi importante était la nécessité de décider de ce qu'il dirait à Desdemona, qui ne devait pas rentrer sur la côte Est pour le moment. Quelques idées prenaient forme dans son esprit et il devait les partager. Avec Myron ? Non, avec Sophia. Bien sûr ! Il appellerait sa fille et lui raconterait ce qui se passait. Sophia n'était pas sa fille pour rien et elle saurait quel parti prendre. Face aux femmes, il est toujours préférable de laisser une femme décider.

Samedi 30 août 1969

Peut-être en raison de ses collections plutôt spéciales de vêtements pour femmes, ou peut-être à cause de son entêtement bien connu (il refusait de trancher), Rha Tanais organisait un défilé de mode le dernier samedi d'août. Si on lui demandait une explication, il répondait qu'il s'inspirait d'une réception à Buckingham Palace, mais les très rares invités qui avaient assisté aux deux événements s'accordaient pour dire que le buffet proposé par Tanais était plus copieux. Sa réception était aussi plus privée : il bannissait tous ceux qu'il n'appréciait pas, même s'ils étaient importants. Ainsi, lors de l'envoi des invitations, ceux dont le rang en exigeait une et qui n'en recevaient pas n'avaient plus qu'à se coucher en position fœtale et mourir. La reine ne disposait pas de ce pouvoir ; Rha Tanais l'avait. Les plaintes de désespoir des exclus retentissaient de l'Hudson jusqu'à la frontière canadienne.

Si cette chaude journée de fin d'été a besoin d'une touche finale, pensa Delia, ce sera Shirl (Simonetta) se promenant dans le parc de Busquash Manor vêtue de la robe de mariée la plus magnifique qu'on eût jamais vue, agrémentée d'un bouquet d'orchidées blanches et d'un voile aussi léger que la brume.

— Un mois horrible et torride, dit Delia à Rufus.

279

Ils étaient assis dans ce qu'il appelait maison d'été et elle folie : un petit temple rond, à quelque distance du manoir, qui offrait une vue splendide sur le parc et la baie de Busquash.

— J'ai fait la connaissance d'une autre Simonetta, aujourd'hui, quand je suis allé voir Hank, dit Rufus. Ravissante, sortie tout droit de la Seconde Guerre mondiale.

— Netty Marciano. Son mari était flic, répondit Delia. L'impératrice des potins. On a cru que, privée d'un informateur au sein de la police, elle perdrait son titre. Ha ! Elle a des yeux et des oreilles partout : au Capitole d'Hartford, aux chantiers navals, dans les entreprises, jusque dans les facultés les plus fermées de Chubb… et c'est loin d'être tout. Le FBI et la CIA la consultent sur les affaires liées à Holloman et au Connecticut. Netty est extraordinaire.

Ses yeux, devenus kaki, brillèrent.

— Vous me faites marcher, délicieuse Delia.

— Absolument pas.

— Ce mois d'août a eu un bon côté.

— Je voudrais pouvoir en dire autant.

— Je regrette que vous ne puissiez pas. Nous avons fait votre connaissance, Rha et moi.

Elle rougit.

— Et j'ai fait la vôtre.

— Nous croyons pouvoir vous donner un indice.

— Sur quoi ? demanda-t-elle, indifférente, en regardant Shirl.

— Nous croyons savoir qui est le John Doe prisonnier en ce moment.

Delia se tourna vers Rufus.

— Dites-le-moi… *tout de suite*!

— Case Stephens, mais son vrai nom est Chester Jackson. Shirl nous l'a remis en mémoire ce matin un peu après 6 heures. On étiquetait ses robes – vous savez, quand elle doit en changer et l'ordre dans lequel elle doit les porter – et il devait être 6 h 30. Elle était de mauvaise humeur, mais elle l'est toujours, à l'aube, quand on étiquette les robes. Elle a dit qu'elle voulait que Case Stephens soit son marié. Je lui ai répondu que c'était idiot, que Case nous avait quittés depuis deux mois, et elle a affirmé que c'était impossible parce que son chien était toujours là ! J'ai répété que c'était idiot et elle a répété que Case était toujours là. Elle s'est remise à parler du chien – un petit cabot, ressemblant à un rat, appelé Pedro – et elle a affirmé l'avoir vu à son arrivée, peu avant 6 heures. Il fouillait les ordures. Quel caractère ! Si Shirl n'était pas une mariée magnifique, on se débarrasserait d'elle, mais elle est irremplaçable.

— L'avez-vous crue, Rufus ? demanda Delia avec impatience.

Rufus réfléchit.

— Je pense que oui. À cause du chien, elle croyait vraiment que Case était toujours là. Case adorait ce petit cabot ! Il l'emportait partout dans un joli petit panier en rotin bleu… Le chien s'y tenait comme un prince et, devant ce spectacle, tout le monde se moquait. D'une certaine façon, je pouvais comprendre pourquoi Shirl était convaincue de la présence de Case : son chien et lui étaient inséparables.

— Vous avez bien fait de m'avertir, Rufus.

Elle se leva, l'air gêné, et reprit :

— Hélas, je dois aller aux toilettes !

Elle prit la direction du manoir alors que l'immense majorité des invités devaient se contenter des toilettes portables du parc. À l'intérieur, elle passa devant l'escalier majestueux puis entra dans l'atelier de Rufus, qu'elle connaissait mieux que les pièces réservées à Rha. Puis elle décrocha le téléphone et composa le numéro d'Abe.

— Goldberg.

— Abe?

— Oui, Delia, c'est moi. Que se passe-t-il?

— Dieu merci, tu es là! Abe, je suis à la garden-party de Rha Tanais et Rufus vient de m'apprendre qu'un jeune homme qui travaillait pour eux il y a deux mois est parti en abandonnant son chien, ce qui ne lui ressemblait pas du tout. Le nom de l'animal est Pedro et le pseudonyme du jeune homme est Case Stephens. Il s'appelle en réalité Chester Jackson. Il y a foule, ici, en ce moment, mais si tu venais demain à l'aube, tu pourrais peut-être trouver le chien. Un chihuahua ou une race similaire… petit et ressemblant à un rat. Si tu trouves Pedro, tu pourras obtenir un mandat et perquisitionner toute la propriété.

L'image d'Ivy Ramsbottom lui apparut; elle déglutit péniblement et ajouta :

— Veille à mentionner Little Busquash et Ivy Ramsbottom sur le mandat.

— Je te dois un service, Delia. Mille mercis.

À son retour à la folie, Rufus était parti, mais Ivy l'attendait. Delia avait l'impression d'avoir trahi son amie, mais elle s'assit.

— Desdemona adorerait tout ça, dit-elle.

— La femme du capitaine Delmonico? Une des rares personnes qui puissent me regarder dans les yeux, dit Ivy avec un sourire. Les très grandes femmes n'ont pas la vie facile.

— Homme ou femme, tous ceux qui se différencient du troupeau n'ont pas la vie facile, affirma Delia. Trop petit, trop grand, trop gros. Le plus bizarre est que trop mince est désirable, aujourd'hui, tout ça à cause de la mode! Quelle raison stupide! Ce n'est pas juste.

— Ce qui va à l'encontre des intentions de la nature est effectivement injuste, admit Ivy.

Dimanche 31 août 1969

Le parc de Busquash Manor avait été remis en ordre et nettoyé, constata Liam Connor quand il entra dans la propriété, le lendemain à 5 h 30 du matin. Lorsque des animaux étaient impliqués, on faisait généralement appel à Liam et, après plusieurs coups de téléphone samedi en fin d'après-midi, Abe avait décidé d'envoyer Liam, seul, à la recherche du petit chien de Case Stephens.

— Les indices montrent qu'il est craintif et il risquerait de paniquer, face à une équipe, de s'enfuir et de se cacher, du moins pendant quelque temps. D'après Delia, on l'a vu dans les arbustes séparant le manoir de la maison ; commence par là, avait dit Abe à Liam par téléphone. Si tu ne l'as pas trouvé à 10 heures – il s'appelle Pedro –, on organisera une battue.

Mais il était là, du même marron que les feuilles d'automne, caché au pied d'un des arbustes de la rangée plantée à dix mètres des fenêtres d'Ivy Ramsbottom. Liam se dirigea vers lui, calmement, puis s'accroupit. Un chihuahua à poil long, décida-t-il, ressemblant un peu moins à un rat que les autres. Il sortit un sachet de sa poche, l'ouvrit, déchira un petit morceau de viande blanche cuite.

— Hé, Pedro, dit-il, souriant, en tendant le morceau de poulet. Essaie, mon gars, c'est meilleur que les ordures.

Deux énormes yeux marron le fixèrent ; comme tous les chihuahuas, il tremblait, angoissé, mais les odeurs de la viande et de l'homme lui firent plaisir et le sourire de Liam indiquait que l'inconnu était une bonne personne.

Liam donna tout le blanc de poulet au chien qui, affamé, le dévora ; il était maigre, les poubelles de Tanais ne contenant apparemment pas beaucoup de produits comestibles, mais il ne s'était pas éloigné en quête de nourriture et il y avait une raison à cela. L'odeur de son maître bien-aimé, déduisit Liam, est toujours perceptible ici et nulle part ailleurs. Dans ce cas, en quoi cet endroit est-il différent ? Il aperçut sous l'arbuste, juste derrière le chien, ce qui ressemblait au fin grillage de la partie supérieure d'une cage à oiseaux. *Un ventilateur ? Bon sang ! Ça ne pouvait pas attendre !*

Moins d'une minute plus tard, il avait regagné sa voiture et demandait à Abe d'obtenir un mandat.

— Ce n'est pas seulement le chien, Abe… Il y a un ventilateur ! Case Stephens est de l'autre côté.

Ensuite, tout alla très vite. Confrontée sur le pas de sa porte à Abe Goldberg, Liam Connor et Tony Cerutti suivis d'ambulanciers, Ivy Ramsbottom ouvrit tout grand et fut menottée.

— Où est Case Stephens ? demanda Abe.

— Ouvrez la porte de la cuisine qui ne donne pas sur l'extérieur et vous trouverez un élévateur domestique. Asseyez-vous sur la chaise et appuyez sur DESCENTE. Pour remonter, appuyez sur MONTÉE, dit calmement Ivy. C'est le seul moyen d'entrer et de sortir.

— Tony, reste avec Mme Ramsbottom. Liam, viens avec moi.

La chaise était très vaste et les deux hommes, fluets, n'eurent pas de mal à s'y asseoir. La descente fut sans à-coups, la puanteur de la pièce capitonnée plus

284

supportable que le spectacle de ce qu'il restait de Case Stephens. Quand il s'agenouilla pour s'assurer que le cœur battait toujours, que l'étincelle de vie brillait toujours, Abe eut l'impression d'avoir été transporté à Auschwitz. Liam monta avertir les infirmiers.

— Pourquoi? demanda Abe à Ivy après être remonté, au moment de partir, alors que seule l'équipe de la police scientifique resterait sur place.

Elle demeura immobile, femme immensément grande d'une trentaine d'années, aux cheveux laqués, son rouge à lèvres rouge foncé suivant fidèlement la courbe de sa bouche généreuse, ses yeux bleus dilatés par l'incompréhension. Elle garda le silence.

— Pourquoi? répéta Abe.

Puis il reformula sa question :

— Pourquoi leur avez-vous fait ça? Que vous avaient-ils fait?

Le calme, l'absence de surprise et la demande immédiate de bénéficier des services de Me Anthony Bera au profit d'Ivy conduisirent Abe à conclure que Rha Tanais et Rufus Ingham estimaient qu'Ivy était coupable.

— Nous devrions enregistrer pour que ce soit officiel, proposa Rha, son doux visage marqué par la tristesse, ses yeux brillants de larmes, mais je suis très grand et les salles d'interrogatoire sont sans doute minuscules. Nous avons un studio d'enregistrement ici… pourrions-nous l'utiliser, vos collaborateurs s'occupant des machines? Nous pourrions en outre boire du bon café.

— Je vais voir avec le capitaine, répondit Abe sans s'engager.

Le problème fut résolu quand Carmine arriva, en compagnie de Delia, armés tous deux de blocs, de dossiers, de stylos et de crayons.

Carmine constata que les deux hommes, intelligents, ne tentèrent pas de faire valoir l'amitié qui les liait à Delia, ni de faire allusion à ce qu'ils voudraient qu'elle fasse ou ne fasse pas : cela montrait-il qu'ils ignoraient sincèrement tout ce qui s'était passé à Little Busquash ?

— Le studio est idéal, décida Carmine après l'avoir visité. Assez de place pour que tout le monde soit confortablement installé, plein de micros et du matériel électronique d'excellente qualité.

Son sourire dévoila ses dents blanches et il ajouta :

— En réalité, cette installation est meilleure que celle du siège de la police. Charlie et Ed se chargeront de la technique.

Les préparatifs ne prirent pas longtemps. C'est sans doute toujours le cas quand le capitaine Delmonico prend les choses en main, pensa Rufus. Rufus était assis près de Rha, face à Delia, qui se préparait rapidement à prendre des notes. Pauvre chérie ! Il tenta de lui envoyer un message télépathique… et elle le reçut ! Son regard plein de douleur croisa le sien, puis fixa la table.

— Avant de commencer, capitaine, comment va Case ? demanda Rha. A-t-il une chance de s'en tirer ?

— D'après le professeur Jim Pendleton, qui est une autorité mondiale en matière d'anorexie, il en a une. Même type de symptômes, évolution distincte et causes radicalement différentes, mais la privation de nourriture reste une privation de nourriture. Case avait de l'eau et de ce fait, selon le prof, ses reins n'ont pas encore déclaré forfait. Oh, il ne sera plus jamais le jeune homme robuste, en parfaite santé, qu'il était… les organes et les systèmes guérissent, mais il y a des cicatrices qui demeurent. Grâce à l'eau, il aurait pu vivre encore une semaine ou dix jours. Quoi qu'il en soit, il ne pourrait pas être entre de meilleures mains.

— Je ne comprends pas comment vous avez découvert ce qui se passait alors que nous vivions à proximité et n'avions rien soupçonné, dit Rha.

— Le mannequin qui présente vos robes de mariée a vu son chien... Pedro. Hier, à 6 heures du matin, et M. Ingham a parlé de cela à Delia. Elle a estimé que le chien était important. Ensuite, tout a été facile, dit Carmine. Le chien sentait l'odeur de son maître. Cela signifiait que Case était en vie et nous nous sommes aussitôt adressés au juge Thwaites. Il ne délivre de mandat que lorsqu'il l'estime indispensable. Aujourd'hui, il n'a pas hésité.

— Qu'est devenu le chien? s'inquiéta Rufus.

— Pedro est à la clinique vétérinaire d'Holloman, où on le nourrit et le gâte. On l'a déjà emmené plusieurs fois voir son maître, dit Abe. Théoriquement, les animaux ne sont pas autorisés à rendre visite aux êtres humains, mais les règles ont été assouplies et Pedro est désinfecté régulièrement.

— Pauvre Pedro, soupira Delia. À l'exception des chiens d'eau, les chiens détestent les bains.

Carmine en eut assez.

— Bon, sommes-nous prêts à enregistrer?

— Roger! répondit un des deux occupants de la cabine.

— Alors allons-y. Monsieur Tanais, votre nom complet et vos autres noms éventuels? Veuillez les épeler.

— Mon pseudonyme professionnel est Rha Tanais (il épela) et mon nom de baptême est Herbert Ramsbottom (il épela). Je suis né le 2 novembre 1929 à Busquash Manor.

— Vous avez une sœur?

— Oui, j'ai une sœur, Ivy Ramsbottom. Elle est née à Busquash Manor le 5 décembre 1910.

— Un instant, intervint Delia. 1910? Vous avez dit 1910?

— Vous devez faire erreur, monsieur, ajouta Carmine. 1910 signifierait qu'elle a presque soixante ans.

— Oui, Ivy a presque soixante ans. Elle fait jeune, c'est sa nature, mais elle a aussi subi plusieurs liftings et d'autres opérations de chirurgie esthétique.

— Alors vous m'avez menti, il y a quelques jours, quand vous m'avez dit qu'elle était née en 1920, l'année de la mort d'Antonio III.

Rha haussa les épaules.

— Nécessité fait loi, capitaine. Vous devez accepter sur parole la date que nous vous donnons, parce qu'Ivor Ramsbottom n'a pas déclaré la naissance d'Ivy. Officiellement, elle n'existe pas.

— Mentiez-vous quand vous avez affirmé que votre mère était attardée?

— Non, c'était vrai. Notre père avait…

Rha prit une profonde inspiration puis poursuivit :

— Des goûts étranges, capitaine. En fait, je vous ai donné une autre fausse date. Ivor a été engagé comme chauffeur en 1903, pas en 1909. En 1909, il contrôlait tout, y compris Antonio III. Sauf sur le plan de l'argent : il n'a jamais pu mettre le grappin dessus.

Nerveux, Rha changea de position sur sa chaise, puis se tourna vers Rufus.

— Explique, Rufus. Je suis… fatigué.

— C'est Ivy qui pourrait tout vous raconter, dit Rufus d'une voix ferme, une main sur celle de Rha, mais elle ne le fera pas. Pas maintenant, la pauvre! De nous trois, c'est de loin elle qui a le plus souffert… nous étions trop jeunes et c'est elle qui nous a raconté ce que nous savons. Elle avait six ans quand Ivor l'a agressée sexuellement pour la première fois et elle avait été violée des centaines de fois quand elle a eu ses premières règles. Ivor était un monstre qui n'avait pas l'aspect d'un monstre. Il avait l'air d'un ange du paradis descendu sur Terre.

— Ivor était In Connu ? s'enquit Abe.

— Oui. Ce portrait était le sien, mais Ivor avait les yeux bleus et nous croyions que ceux de l'homme du tableau étaient noirs. Alors on lui a donné un autre nom : Per Sonne.

— A-t-il eu une relation avec le docteur Nell Carantonio ? demanda Carmine.

— Qui n'a pas eu de relation avec lui ? Oui, c'était son amant, mais il voulait l'épouser pour mettre la main sur sa fortune. Elle a refusé.

— Connaissait-il les lois sur la bigamie ? intervint Liam. Ou bien la mère de ses enfants était-elle déjà morte ?

— Non, elle était en vie quand Nell a disparu.

— Était-il marié avec votre mère, monsieur Tanais ? questionna Delia.

— L'acte de mariage indique qu'il a épousé Uta Lindstrom en 1910 dans le Wisconsin, répondit Rha. Ivy nous a dit qu'il était obligé de l'épouser... elle était enceinte.

— Rha est en possession de cet acte, dit Rufus, mais Ivy n'a jamais compris pourquoi il n'a pas martyrisé ou tué Uta. Nous avons conclu, Rha et moi, après mûre réflexion, qu'Ivor aimait faire souffrir et tuer ceux qui partageaient sa vie.

— Y compris le docteur Nell ? s'étonna Carmine.

— Oh oui ! s'écria Rufus, qui frissonna. C'était diabolique. Les espaces clos la terrifiaient et elle avait peur de mourir noyée.

— Que lui est-il arrivé, Rufus ?

— Ivor l'a enfermée dans une malle en acier, a entouré cette dernière de lourdes chaînes, l'a placée dans une barque et, de nuit, a gagné le milieu de la baie à la rame. Puis il a jeté la malle à l'eau. Elle a coulé comme une pierre, souffla Rufus, blême. Elle était enceinte de sept mois mais refusait de l'épouser.

— Quand a-t-il fait la connaissance de Fenella? demanda Carmine.

— Quand elle était enfant, répondit Rha, les traits creusés. Vous ne connaissez pas notre pire secret, mais nous devons vous le confier. Nous exigeons seulement qu'il ne soit pas divulgué. S'il l'était, cela ne profiterait à personne. Nous sommes demi-frères, Rufus et moi. Ivor Ramsbottom nous a conçus à peu près à la même époque puisque nous sommes nés à une heure d'intervalle. Nul ne peut savoir ce qu'on ressent quand on vit dans un corps dont la moitié des chromosomes appartenaient à un monstre obsédé par la cruauté et le meurtre. Mais nous, nous le savons. Chaque matin, la première idée qui nous traverse l'esprit est que notre père était Caligula. Et nous hissons le fardeau de ce savoir sur nos épaules, tentant désespérément de prouver que les chromosomes ne font pas l'homme, que nos mères nous ont donné une vraie bonté. Jamais nous n'aurions trahi Ivy, si nous avions été au courant, du simple fait que nous savons ce qu'elle a vécu.

Rha se redressa, le regard grave, et conclut:

— Nous ne nous excusons pas de vous avoir abusé. Parfois, la protection de la famille l'emporte.

— Mais vous ne vous reproduirez pas, dit Carmine.

— Vasectomie dès que c'est devenu possible, pour être complètement sûrs, déclara Rufus.

— Qu'est devenu Ivor? s'informa Liam.

— Ivy l'a tué en 1934, quand elle a compris qu'il épuisait Fenella. À la réflexion, on suppose qu'elle a aussi estimé qu'il ne tarderait pas à nous molester, Rha et moi, dit Rufus. C'est une de nos dettes envers Ivy. Quels que soient ses crimes, c'est au fond une bonne personne.

— La cave capitonnée existait-elle à cette époque? questionna Carmine.

— Non, mais la cave elle-même, oui. Antonio III en a eu assez que le personnel vole les bouteilles de sa cave à vin et en a fait construire une près de Little Busquash. Personne ne pouvait se mesurer à Ivor qui, quelles que soient ses autres tares, ne buvait pas. Ivy a attiré Ivor dans la cave sous un prétexte quelconque… Elle était vide, à cette époque, à cause des hésitations de Fenella et de la fin de la Prohibition. Ivy l'a assommé, puis est remontée par l'ascenseur, qu'elle a verrouillé. Elle a dit à Fenella qu'Ivor en avait eu assez d'attendre son argent et avait quitté la ville pour une destination inconnue. Au bout de deux mois, elle est redescendue, a endormi Ivor avec de l'éther et l'a castré. Ensuite, elle l'a laissé mourir. On se souvient, Rha et moi, que Fenella pleurait sans cesse et qu'Ivy chantait, comme un chœur de tragédie grecque, qu'il était parti pour de bon.

— Combien de temps Ivor est-il resté dans la cave ? demanda Abe.

— Jusqu'à la construction des postes de défense aérienne de Busquash Point, en 1942, répondit Rha. À cette époque, il n'était plus que des os et Fenella était malade. Ivy l'a jeté dans l'énorme bétonnière. Personne ne s'en est aperçu.

Rha et Rufus semblaient moins affectés, comme si leur récit les avait délivrés d'un poids énorme.

J'aimerais savoir, pensa Carmine, si nous connaissons maintenant toute l'histoire ou s'ils cachent encore les touches finales ? Mais cela ne l'attrista pas ; tel n'était pas le cas des vies innocentes brisées par des forces qu'elles ne pouvaient contrôler… par le pouvoir d'un parent. D'un parent !

Deux heures plus tard, Carmine mit un terme à l'entretien. Aucun fait nouveau n'était apparu et la poursuite de l'interrogatoire n'apporterait rien. Niant toute complicité, Rha et Rufus s'en tinrent à leur récit. Mais, surtout, ils ne s'étaient pas une seule fois contredits.

À leur retour au siège du comté, ils apprirent qu'Ivy Ramsbottom était dans la cellule réservée aux femmes et refusait de réclamer sa mise en liberté sous caution. Le lit était trop court et trop étroit : on en cherchait un autre. Anthony Bera s'était entretenu avec sa cliente dans une salle d'audition et il ne s'était rien passé d'autre.

Delia avait décidé de rester à Busquash Manor en compagnie de Rha et Rufus, se demandant ce qu'elle pouvait faire ou dire mais convaincue, dans son for intérieur, qu'elle leur devait plus qu'une présence policière. En outre, il lui fallait poser une question capitale, une question qu'elle ne pouvait poser devant une demi-douzaine de flics.

— Comment était votre vie de famille après la mort d'Ivor ? fut son gambit, alors qu'ils prenaient le thé accompagné de petits gâteaux.

Rha plongea dans un silence angoissé ; très inquiet pour Ivy, devina-t-elle à juste titre. Mais Rufus, bizarrement, ne se faisait pas autant de souci ; il avait un côté intuitif qui faisait défaut à Rha, alors pourquoi n'était-il pas plus troublé ?

Les yeux soigneusement maquillés de Rufus brillèrent, exprimant un mélange étrange de satisfaction et de... chagrin ?

— Bonne les huit premières années, répondit-il. Fenella nous a gardés près d'elle ; elle n'était pas maternelle, mais elle nous aimait. Elle s'occupait de nous.

— Puis elle vous a envoyés en pension ?

— Oui, dans une très bonne école. C'était l'enfer.

— Pourquoi, Rufus ?

— Allons, Delia ! Regardez-nous et imaginez-nous à douze ans.

— Vous étiez différents.

— C'est le moins qu'on puisse dire.

— Avez-vous été agressés ? Molestés ?

292

— Non. Oh, c'était dans l'air mais on y a coupé court en affichant notre préférence l'un pour l'autre et en multipliant les excentricités. Tout le monde, même le directeur, a décidé de nous laisser tranquilles dans notre petit univers, expliqua Rufus.

— Oui, oui, oui! s'écria Delia avec un large sourire. J'ai raison!

— Je me demandais quel était le but de cet interrogatoire en règle! Raison sur quoi, Delia?

— Vous êtes frères, Rha et vous, pas amants. Vous n'avez jamais été amants, n'est-ce pas?

Brutalement tiré de sa rêverie, Rha éclata de rire; Rufus lui emboîta le pas.

— Dans le mille!

— Je crois connaître vos motivations, mais j'aimerais les entendre de votre bouche.

— L'homosexualité est acceptée parmi les artistes, dans le théâtre et la mode, dit Rha, sortant de son silence. Quand on était enfants, Rufus était trop beau et j'étais trop laid, trop gauche. L'école était un chaudron et notre intelligence nous permettait de survivre. Nous n'avons jamais dit que nous étions frères et que nous avions été élevés ensemble. Quel que soit notre héritage génétique, le sexe n'en faisait pratiquement pas partie. Nous ne sommes ni homos ni hétéros, Rufus et moi. Nous sommes asexuels.

Il poussa un profond soupir et conclut:

— C'est très confortable, Delia.

— Absolument, ajouta Rufus.

— Je crois que le capitaine Delmonico sait, dit Delia.

— Il est très intelligent, reconnut Rha. Ah, pauvre Ivy!

Ses théories ayant été confirmées, Delia fit dévier la conversation sur des sujets sans lien avec Ivy. Rha et Rufus avaient surmonté tout le reste; ils surmonteraient aussi Ivy.

Lundi 1ᵉʳ septembre 1969

Carmine allait dîner chez Delia, la perspective de ne pas être seul lui faisant plus plaisir encore que celle d'un bon repas maison ; on lui avait promis des beignets de pommes de terre en entrée et un Lancashire Hotpot, plat dont il ignorait tout. Sans doute mauvais pour les artères et la ligne, mais il lui arrivait rarement de dîner chez Delia et il se maintenait en forme. Frankie l'accompagna ; Winston préféra rester à la maison.

— Tu crois qu'on arrivera un jour à faire raconter la même histoire deux fois de suite à la bande de Busquash Manor ? demanda-t-il en croquant un délicieux beignet, qu'il fit passer avec une gorgée de bière glacée.

— Rha et Rufus ne connaissent sans doute pas toute la vérité, répondit Delia, les yeux fixés sur la plage, soudain déserte, au-delà de la vaste baie vitrée.

Étonnant comme l'été plie bagage et s'en va après le dernier jour d'août ! Jusqu'à novembre, ce serait le calme plat et, avec un peu de chance, un été indien long et parfait pendant lequel les arbres se prépareraient à l'hiver dans une débauche de couleurs.

— Sur la base de ce que m'a raconté Abe de la réaction de Rha et Rufus face aux portraits des Doe, je suis enclin à penser que ce jour-là, et précédemment, ils ignoraient totalement ce que leur sœur avait fait et faisait, dit Carmine. Les portraits les ont complètement… euh… pris de court.

— Et mis dans la merde.

— Oui, absolument. Ils ne savaient rien, Abe leur a brutalement ouvert les yeux et ils se sont retrouvés prisonniers du piège familial habituel. Je suppose, compte tenu de la différence d'âge, qu'Ivy a plus ou moins joué le rôle de mère. Mais il y a des gènes bizarres chez tous les protagonistes. Quel est l'opposé du complexe d'Œdipe?

— Le complexe d'Électre, mais c'est approximatif. Électre a convaincu son frère de tuer sa mère, elle ne l'a pas fait elle-même.

Carmine sourit.

— Typique des femmes, non?

— Si je ne savais pas que tu me provoques, patron, je te castrerais. Sérieusement : ces deux hommes sont de pures victimes.

— C'est ce que j'entendais par gènes bizarres. Je crois que je n'oublierai jamais Rha expliquant qu'il se réveillait le matin avec la certitude que la moitié de ses gènes étaient ceux d'un meurtrier sadique de la pire espèce, et qu'il passait le reste de la journée à tenter de bien faire tout en portant le fardeau de cette réalité.

— À mon avis, ils n'ont jamais fait de mal à une mouche, dit Delia sur un ton bourru.

— Et ça n'arrivera pas. C'est le plus triste, Deels. Les enfants héritent des péchés de leurs pères, en tout cas métaphoriquement.

— Je l'admets, Carmine mais, dans le cas de Rha et Rufus, on doit reconnaître que ce sont des héros au sens propre.

— Intéressant qu'ils aient décidé de ne pas se reproduire.

— Inévitable pour les héros.

Quand le téléphone sonna, Delia serra les lèvres… Pas Jess, je vous en prie, pas Jess! Les médias n'avaient pas été informés, alors comment…?

Carmine se tourna vers la baie vitrée et le crépuscule; des lumières puissantes, sur la côte de Long Island, se réfléchissaient sur l'eau du détroit… sans doute un match en nocturne.

— C'était Corey Marshall, dit Delia en revenant s'asseoir.

Il la fixa, stupéfait.

— Que voulait-il?

— Il remplace Fernando aujourd'hui. Ivy Ramsbottom s'est suicidée dans l'après-midi.

— Nom de Dieu!

Carmine se dirigeait à grands pas vers la porte quand il s'immobilisa.

— Nom de Dieu!

— Assieds-toi et bois un coup, Carmine, dit Delia, un verre dans une main et une bouteille de bourbon dans l'autre. Tu ne peux rien faire avant demain matin; Corey contrôle la situation.

Carmine but, l'alcool trop fort à son goût.

— Comment s'y est-elle prise?

— Elle a dit qu'elle était terriblement fatiguée et voulait se reposer. On venait de trouver un lit à sa taille – elle avait mal dormi sur celui de la cellule – et ça n'a étonné personne. Nul ne sait où elle avait caché la lame de rasoir, parce qu'on ne l'a pas trouvée pendant la fouille au corps. Elle a enfilé une chemise de nuit, s'est couchée et a demandé qu'on la laisse tranquille. La femme en uniforme chargée de la surveiller a éteint le plafonnier, s'est assise dans un coin, près de la lampe de bureau, pour lire. Ivy a entaillé ses deux poignets sous les couvertures… la femme n'a rien vu. Puis, immobile, elle s'est vidée de son sang sans une plainte ou un soupir… Ça devait être très étrange. Le livre de la femme devait être bon parce qu'elle n'est allée jeter un coup d'œil sur Ivy que plusieurs heures plus tard. Le matelas était imbibé de sang, qui coulait goutte à goutte sur le plancher. Comme tu peux l'imaginer, ça a été la panique. Les agents en uniforme détestent être responsables de prisonnières ; ils disent qu'elles portent malheur.

— Ça s'est confirmé dans le cas d'Ivy, aucun doute, soupira Carmine. Logique qu'elle l'ait fait, hein ?

— Trop fière pour ne pas le faire.

— Et les médias n'auront rien à se mettre sous la dent.

— Je suis sûre que ses frères lui en seront reconnaissants.

Le visage de Delia s'éclaira soudain.

— Ses cheveux ! s'écria-t-elle. Je parie que la lame de rasoir était cachée dans une boucle… elle porte de la laque et ses cheveux sont rigides. Qui penserait à cela ? On examine les dentelles, les écharpes, les ceintures.

Carmine alla ajouter du soda à son bourbon.

— Ce qui est fait est fait. J'espère que l'âme de cette malheureuse repose en paix.

— J'espère que l'autre monde sera plus tendre avec elle que celui-ci, dit Delia.

Mardi 2 septembre 1969

Rufus devait annoncer à Jess la nouvelle de l'arrestation d'Ivy, mais cela ne figurait pas en tête de la liste de
ses priorités et ne se produisit qu'après que Rha et lui
eurent appris la mort d'Ivy. Quand Anthony Bera avait
téléphoné, dix minutes après qu'Abe fut personnellement venu avertir les frères, proposant ses services
dans un procès intenté au comté d'Holloman pour
négligence, Rufus avait pris l'appel.

— Monsieur Bera, avait-il dit d'une voix fatiguée,
allez vous faire foutre.

Puis il avait raccroché.

Une réponse qu'Abe put rapporter au directeur, parce
qu'il était encore sur les lieux lors de l'appel de l'avocat.

Jess fut étonnée que Rufus Ingham — surtout lui —
veuille la voir, mais elle n'était pas très occupée et lui
dit qu'il pouvait venir quand il voulait. Elle le fut d'autant plus quand il arriva peu après, escorté depuis l'entrée par Walter Jenkins, qui avait du mal à cataloguer
ce type : maquillage, grâce des mouvements, allure
naturellement aristocratique. La colère s'empara de lui
quand Rufus demanda à rester seul avec Jess, mais,
visiblement, elle le connaissait et l'appréciait ; Walter se
retira dans sa chambre et pensa à autre chose.

Confrontée à une existence plus solitaire, Jess fondit
en larmes.

Rufus, qui avait pleuré toutes les larmes de son corps, la réconforta de son mieux puis attendit que le premier paroxysme du chagrin soit passé, ce qui ne pouvait manquer d'arriver. Chez Jess, cela ne prit pas longtemps ; elle se contrôlait et la tête prenait toujours le pas sur le cœur.

— C'était de loin la meilleure solution, dit-il.

— Oh oui, je suppose que je pleure parce qu'elle a beaucoup souffert.

— Comme tous ceux qui savaient. Que t'a-t-elle raconté ?

— Le minimum nécessaire. Mais je crois que sa mort est le moyen de vous envoyer un message, à toi et Rha.

Son visage se crispa et il se redressa.

— Lequel, s'il te plaît ?

— Qu'elle a expié la culpabilité. Vous devriez cesser de penser à la personnalité et à la nature de votre père… oui, elle savait qu'Ivor était votre père ! Le seul moyen de la trahir, maintenant, est de continuer de vivre dans la culpabilité parce que votre père était une mauvaise personne. Vous aurez quarante ans en novembre, Rufus… assez de temps a passé. Le matin, au réveil, soyez absous, pas souillés. C'est son message le plus important.

— Elle t'a vraiment *tout* raconté !

— Pendant une période, après notre rencontre, il y a des années, je crois qu'Ivy espérait que je trouverais un lambeau de tissu cérébral qu'il serait possible de qualifier d'HÉRITAGE GÉNÉTIQUE PATERNEL, mais j'ai dû la détromper en lui expliquant que le code génétique se trouve dans toutes les cellules du corps et qu'il est impossible de l'extraire quand l'œuf a été fécondé. Ça a été un choc… elle vous aimait tous les deux beaucoup !

— Oui, on le sait, dit Rufus en battant des paupières.

— C'est ainsi qu'elle a finalement décidé d'extirper les gènes. Pas grâce à un raisonnement, ni même à un fantasme. Je crois qu'Ivy s'est chargée de tous les péchés et a tenté de les abolir, au bout du compte, en les détruisant en même temps que sa vie. Vous devrez, toi et Rha, vivre en innocents, dit Jess.

— Cela n'a pas de sens, s'écria Rufus.

— Il n'y en a pas forcément un. Ce qui est, est.

Après le départ de Rufus, Jess n'appela pas Walter; elle ne se sentait pas assez maîtresse de ses émotions pour affronter Walter... Oh, Ivy! Il n'était pas difficile de comprendre pourquoi Ivy avait décidé de tuer de cette façon: elle infligeait de grandes souffrances sur une longue période sans verser une goutte de sang. Les castrations elles-mêmes étaient relativement peu sanglantes. Comme toutes les personnes de grande taille, elle avait grandi par à-coups, son corps exigeant de grandes quantités de nourriture, que son père lui avait refusées. Ivy avait eu faim pendant toute son enfance; il n'y avait que l'eau qu'Ivor ne rationnait pas. Un jour, pensa Jess Wainfleet, j'écrirai un article sur Ivy Ramsbottom. Il contiendra des faits que ses frères et la police d'Holloman ignorent parce que c'est à moi qu'elle a confié sa vie, ses amours, ses haines et ses meurtres. Elle eut un sourire amer. Imaginer que ces flics ridicules puissent croire Jessica Wainfleet capable de trahir le secret professionnel! Il faudrait d'abord la soumettre à la question et les services de police ne pratiquaient plus cela.

— La théorie selon laquelle il faut torturer les suspects pour obtenir des aveux est si ridicule qu'on pourrait en faire une comédie, dit-elle à Walter, souriante, quand il lui apporta du café.

— Vraiment? demanda-t-il en s'asseyant. Explique.

— Autrefois, on infligeait des souffrances aux suspects pour leur arracher des aveux. L'idée que la douleur physique produit plus de mensonges que de vérités ne traversait pas l'esprit de ceux qui pratiquaient la torture… mais je crois, en fait, qu'ils le savaient. Ils aimaient torturer, voilà tout. Les gens avouaient pour ne plus souffrir.

Elle sourit et reprit :

— Les dirigeants savaient qu'ils encourageaient simplement le développement d'une vermine qui tirait un plaisir psychologique et physique de la torture. Il n'y a pas si longtemps que la torture est tombée en disgrâce.

— Pourrait-il y avoir une raison de justifier la torture ?

— Absolument aucune, Walter. Prendre plaisir à la torture est un des premiers signes de la psychopathie.

— Est-ce pour cette raison qu'on anesthésie avant les opérations ?

Jess eut un bref rire ironique.

— Tu le sais très bien. Où veux-tu en venir, Walter ?

— Je ne sais pas, répondit-il sur un ton nonchalant. Je me posais la question, c'est tout.

— La réponse relève de la compassion et de l'éducation.

— Tu crois en l'éducation ?

— Absolument, sans la moindre restriction.

— À cause de Dieu ?

Elle eut envie de rire, mais son visage resta impassible.

— Dieu est un mythe rassurant, mon ami. Si Dieu existe, c'est simplement l'univers. La récompense et le châtiment sont des concepts humains, pas divins.

— C'est pour ça que Rose te hait.

— Comme c'est intéressant ! Je ne m'en suis pas aperçue.

— Il y a beaucoup de choses qui t'échappent, Jess. C'est pourquoi je vais dans la salle de repos pendant les pauses. À part le docteur Melos, ils me prennent tous pour un demeuré et parlent librement.

— Walter le futé, dit-elle, admirative. Quand j'en aurai le temps, tu pourras me confier tes impressions.

Le visage de Walter s'éclaira.

— Ce serait bien, Jess.

Un sentiment de culpabilité s'empara d'elle ; elle lui adressa un sourire contrit.

— Oh, mon très cher ami, je te néglige ! Je voudrais que tu sois mon seul patient, mais il y en a une centaine d'autres qui, à mes yeux, ne sont ni aussi importants ni aussi intéressants que toi.

Puis ça arriva… Walter sourit ! Un large sourire ! Soudain tendue, Jess le lui rendit.

Walter a souri ! Les vannes étaient ouvertes, un déluge s'écoulant dans ce qui n'avait été, jusqu'ici, qu'une ravine sèche et stérile ; les pensées et aussi les émotions jaillissaient, mêlées exactement comme elles devaient l'être… comment le triomphe pourrait-il acquérir un superlatif ? Parce que, depuis plus de trente mois, elle considérait Walter comme un triomphe et croyait qu'il s'immobiliserait après avoir atteint son apogée. Le sourire montrait qu'il ne s'était pas immobilisé et la complexité de plusieurs de ses actes récents indiquait qu'il évoluait peut-être de façon exponentielle.

— Maintenant tu es heureuse, constata Walter.

— Si je le suis, Walter, c'est entièrement grâce à toi.

La cave d'Ivy Ramsbottom n'avait rien d'une salle d'opération climatisée ; mais elle avait joué son rôle, ce qui était surprenant sur un plan mais logique sur un autre. Elle n'était pas à la hauteur de l'aspect méticuleux de la personnalité d'Ivy, mais Ivy tenait assez d'Ivor pour réaliser un cachot fonctionnel.

Paul Bachman croyait qu'Ivy, couturière compétente, l'avait reliée à l'eau et aux égouts, puis capitonnée de ses mains. Elle avait aussi remplacé l'ascenseur minuscule par une chaise imposante, apparemment pour pouvoir descendre et regarder, assise, ses victimes souffrir. Grâce au contenu de la salle de bains, attenante à la cuisine, où se trouvait la chaise, l'équipe de la police scientifique avait déduit qu'Ivy endormait ses victimes à intervalles réguliers, les montait dans la salle de bains, les lavait, baignait et rasait, allant même jusqu'à teindre les racines de leurs cheveux. Quand les victimes, trop affaiblies, ne pouvaient plus coopérer, elle cessait de s'occuper d'elles. Finalement, elle transportait le corps jusqu'à une décharge sauvage, où elle le jetait comme le cadavre d'un animal.

— La maison est si isolée que personne n'a entendu les hurlements, expliqua Carmine au directeur, alors qu'il y avait une bouche d'aération sous la haie. J'ai demandé à Tony d'aller dans la cave et de crier le plus fort possible et, bizarrement, le bruit s'est révélé très faible. Nous croyons que c'est parce que la cave et la salle de bains ne sont pas sous la maison. Elles se trouvent sur un des côtés, sous soixante centimètres de terre et de pelouse couvrant un plafond en béton. Pas d'écho. Seul l'ascenseur permet d'y accéder.

— Comment va la dernière victime? demanda Silvestri.

— Elle tient le coup, répondit Carmine. Chase mettra très longtemps à se rétablir, mais on m'a assuré qu'il ne mourrait pas. Le plus grave est qu'il a consommé l'essentiel de ses fibres musculaires pour rester en vie et qu'il ne suffira pas de le nourrir. Il aura besoin de kinésithérapie et de psychothérapie.

— Comment va son chien? s'informa Liam.

— Le personnel de la clinique vétérinaire conduit souvent Pedro au chevet de son maître, répliqua Carmine. Rha et Rufus paieront les soins ainsi que les frais d'hospitalisation et prennent des dispositions pour lui verser une pension quand il rentrera chez lui.

— Sur un autre sujet : du nouveau sur le type qui a attaqué votre domicile et tiré sur Hank ? s'informa le directeur. Hank va-t-il s'en tirer ?

— Hank marchera normalement à la fin de l'année, c'est du moins ce qu'on m'a dit. La moelle épinière n'a pratiquement pas été touchée, mais il a fallu reconstruire une partie du bassin. Cependant, les greffes de muscles et de peau l'obligeront à rester un bon moment à l'hôpital.

Il prit une profonde inspiration et poursuivit :

— En ce qui concerne l'agresseur… que dalle, monsieur le directeur. Aucune trace de lui. En fait, nous ne savons même pas s'il se déplace en voiture ou à moto, même si nous penchons plutôt pour une puissante moto. Il porte du noir, ce que nous a indiqué Hank, qui croit que ses vêtements étaient en cuir, mais n'en mettrait pas sa main au feu. Cependant, Hank est certain que la peau de son visage est blanche. Le type portait un casque, mais ni à l'ancienne ni semblable à ceux de la Wehrmacht. Pointu, d'après Hank, dont l'œil est plus attiré par l'exceptionnel que par l'ordinaire. Je ne crois pas qu'il appartienne à un gang de motards.

— Un loup solitaire ? suggéra Silvestri.

— À mon avis, il a toujours été un loup solitaire.

— Et un monstre.

Tout le monde acquiesça.

Le directeur donna ses directives.

— Il ne peut pas y avoir pire qu'un tueur de religieuse, dit-il d'une voix dure. Il faut arrêter ce salaud, et vite. Personne, à Holloman, ne sera en sécurité, même pas les plus innocents, tant qu'il ne sera pas derrière les barreaux. Fernando, vos agents en uniforme devront être sur le qui-vive jour et nuit. S'il se déplace à moto, les patrouilles auront de bonnes chances de le repérer.

— Bien, monsieur le directeur, répondit Fernando.

— Parfait, dit Silvestri qui, ensuite, murmura : Une religieuse !

Vendredi 5 septembre 1969

Elle n'avait pas imaginé qu'il serait aussi difficile de vivre sans Ivy. Le choc avait mis deux jours à s'estomper et ce n'était pas la dépression qui lui avait succédé, mais un état psychologique plus grave : l'apathie. Pour Jess Wainfleet, psychiatre, il y avait une différence. Oui, la dépression pouvait entraîner une forme d'indifférence mais, tout au fond, les émotions existaient toujours... la douleur et la souffrance étaient présentes. Mais pas cette fois : Jess n'éprouvait qu'une horrible apathie, l'absence totale de souffrance ou de douleur.

Naturellement, cela avait un avantage : elle était capable de bien travailler, efficacement, rapidement, avec précision. Reconnaissante, elle sortit cent dossiers du coffre et les étudia l'un après l'autre, découvrant soudain des perspectives que les émotions avaient masquées. Se noyer dans le travail était une panacée, une technique qu'elle conseillait à ses patients et à son personnel... même à Walter qui, elle s'en rendait compte, se faisait de plus en plus de souci pour elle. L'enthousiasme que cette constatation aurait suscité quelques jours plus tôt était totalement absent, mais elle savait qu'il réapparaîtrait quand le vide laissé par la mort d'Ivy commencerait à se combler, comme font généralement les vides ; elle reviendrait alors à Walter avec une énergie et une exaltation renouvelées.

— Sois patient, Walter, lui dit-elle. Sois patient pendant encore quelques jours et nous nous lancerons ensemble dans une aventure fantastique, je te le promets. Tu es le centre de mon univers.

Les yeux couleur d'aigue-marine la scrutèrent intensément, puis il hocha la tête.

Il n'en fut plus question et il était inutile d'y revenir. Walter retourna à l'atelier, où il fabriquait quelque chose et Jess se replongea dans ses dossiers.

Elle errait à nouveau dans le labyrinthe des mots, toujours convaincue que ces derniers étaient la clé des voies qui se dérobaient, et fascinée par «je veux». Corps calleux, pallidum, rhinencéphale, hypothalamus, locus niger…

— Jess?

Elle sursauta, leva la tête et vit Ari Melos dans l'encadrement de la porte.

— Oui?

— Le capitaine Carmine Delmonico est ici et voudrait te voir.

Elle soupira ; elle reporta son regard sur les dossiers et leurs rubans de couleurs différentes.

— Ce type m'emmerde, dit-elle. Ari, propose-lui une alternative. S'il peut attendre une heure, je le recevrai, sinon il peut s'en aller et prendre le risque plus tard.

Mais elle savait comment il réagirait ; quand Ari revint lui annoncer qu'il avait décidé d'attendre, elle rangeait déjà les dossiers et lorsque sa secrétaire, Jenny Marx, introduisit le capitaine Delmonico, les dossiers avaient disparu et le coffre était fermé.

— Capitaine, je regrette de vous avoir fait attendre, mais j'étudiais des dossiers confidentiels, à votre arrivée, et il me fallait les ranger… personnellement.

— Pas de problème, répondit-il avec bonne humeur en s'asseyant, car elle souriait, et il se demanda s'il obtiendrait un jour une réponse sincère… Pourquoi ce sourire triomphant? Les salles d'attente où on trouve le *Scientific American* sont rares, ajouta-t-il.

Dans le même temps, elle se demandait pourquoi elle n'avait pas remarqué que le capitaine était extraordinairement séduisant… Était-elle réellement très nerveuse pendant l'entretien avec lui et Delia? Il était à tomber à la renverse! Delia l'avait-elle aveuglée? Ou son humeur, ce jour-là?

Il y a des hommes qui, songea-t-elle, par accident ou à dessein, exercent la profession qui leur convient, la seule qui corresponde vraiment à leur nature, et c'est le cas de celui-ci. Extrêmement intelligent sans l'étincelle du génie, cultivé sans les travers des universitaires, d'une patience quasi infinie, rationnel jusqu'au bout des ongles mais subtil, autoritaire quand il le faut et bénéficiant d'un esprit analytique. Un policier par nature, qui aurait réussi dans des dizaines d'autres domaines mais était tombé sur celui qui lui convenait le mieux. Sa séduction masculine était indéniable mais ne faisait pas partie de son arsenal parce qu'il n'était pas imbu de lui-même. Sans s'en rendre compte, Jess passa la langue sur les lèvres et déglutit, son esprit se plaçant en ordre de bataille.

— Je suis venu vous voir, dit Delmonico, en sachant très bien que je n'obtiendrai pas de réponses dignes de ce nom, mais plutôt pour voir s'il serait possible de vous faire craquer. Vous ne vous débarrasserez jamais de moi. À l'instant où vous croirez que j'ai renoncé, je viendrai frapper à votre porte. Je sais, voyez-vous, que vous avez tué ces six femmes de sang-froid et je ne vous permettrai pas de vous en tirer. Vous avez commencé par Margot Tennant, en 1963, et vous avez tué, en tout, six femmes. Pourquoi? C'est la question principale et la raison pour laquelle je refuse de passer l'éponge. Quelle pourrait bien être la réponse? J'affirme, docteur Wainfleet, que je trouverai.

Les yeux étranges restèrent rivés sur elle et il ajouta:

— Non. Je n'abandonnerai pas!

Elle soupira.

— Capitaine Delmonico, il existe un délit nommé harcèlement et ce que vous avez l'intention de faire y ressemble beaucoup. Soyez sûr que je rapporterai vos menaces à mon avocat, monsieur Bera.

— Ridicule! dit-il. Je suis très connu, docteur, et pas pour harcèlement. Je vous mets au défi de prouver cela! Pourquoi avez-vous tué Margot Tennant? Ou Elena Carba? Ou encore Julia Bell-Simons?

— Je n'ai tué personne, réagit Jess Wainfleet d'une voix inflexible.

Carmine changea de position sur sa chaise et logiquement, sembla-t-il, changea aussi de sujet.

— Ernest Leto… un personnage insaisissable. En fait, son existence semble se résumer au travail qu'il a accompli ici, à l'Institut d'Holloman. Il a un numéro de sécurité sociale et, selon les services fiscaux, il a payé des impôts correspondant à des travaux non précisés, effectués ici de 1963 à 1968. À temps partiel. Nous avons le signalement de M. Leto, fourni par le personnel de l'IH : environ un mètre soixante-dix, maigre et fluet, cheveux noirs et peau brune. Ça pourrait être le docteur Ari Melos, vous ne trouvez pas?

— Ça pourrait, mais ce n'est pas lui! lança-t-elle sèchement, les yeux brillants. Ari Melos est un neurochirurgien formé et compétent, qui a travaillé pendant un temps à Johns-Hopkins! Si vous regardez ce qu'Ernest Leto a touché, vous constaterez que c'est une misère comparativement à ce que réclamerait un neurochirurgien de Johns-Hopkins. Ernest Leto a reçu un salaire de technicien.

— Le docteur Melos a-t-il déjà opéré ici? demanda Carmine.

— Bien entendu! affirma Jess, méprisante. Ses patients sont détenus à la prison, deux d'entre eux séjournent actuellement à l'IH et il accepte de temps en temps des patients privés, tout comme moi.

Carmine posa une enveloppe sur le bureau.

— Ceci est un mandat vous obligeant à fournir tout document en votre possession concernant Ernest Leto, dit-il. En réalité, c'est une copie. J'ai remis l'original au directeur du personnel.

— Nous ferons tout notre possible pour vous aider, dit-elle d'une voix blanche. Autre chose?

— Une question hypothétique.

Elle leva les sourcils.

— Hypothétique?

— Oui. Contrairement à la situation hypothétique que Sir Richard Rich a soumise à Sir Thomas More, ma question n'est pas destinée à vous piéger dans une salle d'audience.

— Vous m'intriguez, dit-elle sur un ton léger, soudain curieuse. Posez votre question hypothétique.

— D'abord, M. Leto, répondit le capitaine. Il est très difficile à trouver. Votre personnel a admis qu'il existe, qu'il est venu ici et vous a assistée lors de plusieurs opérations neurochirurgicales où vous étiez les seuls intervenants, mais qu'il n'a effectué aucune autre tâche. Ce qui m'intéresse est qu'il ne vous a pas assistée seulement six fois, mais quarante-huit. C'est un multiple de six, alors les quarante-huit opérations ont-elles toutes été réalisées sur les six Ombres disparues ou bien y a-t-il quarante-deux patients inconnus que M. Leto vous a aidée à opérer? Selon son dossier fiscal, il effectuait huit vacations par an et gagnait au total de quoi vivre confortablement, à condition de ne pas avoir douze enfants à charge. Est-il dans ce cas?

— Dans quel cas? demanda-t-elle machinalement, préoccupée par la question hypothétique.

— A-t-il douze enfants?

Elle abattit une main sur le bureau.

311

— Vraiment, capitaine! s'écria-t-elle.

— Je présume que c'est non, dit-il en notant quelque chose dans son carnet.

— M. Leto n'a pas d'enfants… ni de femme! ironisa-t-elle pendant qu'il continuait d'écrire. Quarante-huit procédures, cela semble correct, compte tenu du nombre d'années. Je m'adresse à lui quand je recours à la stéréotaxie.

— Quel type de stéréotaxie utilisez-vous, docteur?

— De toute évidence, je ne me limite pas aux lobotomies, répondit-elle sèchement. Des opérations correspondant à mes centres d'intérêt et à ma formation. Walter Jenkins est mon projet le plus ambitieux.

— Mais vous n'avez pas recouru à M. Leto dans le cas de Jenkins?

Elle leva les sourcils.

— Quand ai-je dit cela?

— Alors vous avez recouru à lui pour Jenkins?

Elle perdit patience, mais n'explosa pas; c'est plutôt, songea Carmine, comme la rupture d'un très vieil élastique.

— Suffit! dit-elle. M. Ernest Leto a bon pied bon œil, où qu'il soit en ce moment, et vous, capitaine, vous tâtonnez dans le noir. Renoncez ou accusez-moi.

— Je renonce. Mais je reviendrai.

— Comme le rhume des foins, vous voulez dire?

— Cette métaphore convient, docteur.

Elle rit.

— Une perte de temps pour nous deux. Dans la chirurgie que je pratique, les saignements et les crises d'épilepsie sont les principaux risques, pas les flics. Voyez le directeur du service de neurochirurgie de Chubb et il vous dira qu'on ne s'aventure pas dans les étendues sauvages du cerveau sans aide, notamment un anesthésiste et un assistant chargé des instruments. Un Ernest Leto était indispensable.

Carmine serra les lèvres.

— Vous voulez dire que personne, au sein de l'IH, ne s'est plaint de s'être vu refuser sa part du gâteau? Ernest Leto, selon les services fiscaux, a touché deux mille dollars par opération. Si les patientes étaient vraiment étrangères, je dirais dix mille dollars par opération. Leto en a sans doute touché quatre mille et déclaré deux. Plus les frais de déplacement.

Cette fois, le rire fut moqueur.

— Votre imagination est vraiment stupéfiante, capitaine!

— Pas du tout, dit-il sur un ton cordial.

— Vous devriez peut-être poser votre question hypothétique?

— Bonne idée, docteur. Disons qu'un psychiatre très occupé et surmené au sein d'un institut célèbre destiné aux fous meurtriers décide qu'il lui faut un hobby – j'ai oublié de préciser que mon psychiatre hypothétique serait une femme – et choisisse la photographie. Ses obligations l'accablent, d'où la nécessité d'un hobby. Elle réalise des portraits de femmes relativement jeunes qui ont toutes mystérieusement disparu. Elle sait qu'elle ne les reverra pas. Bizarrement, six femmes ayant mystérieusement disparu comptent au nombre de ses patients. Oh, elles ne relèvent pas de l'institut officiel! Ce sont des patientes privées qu'elle n'a pas besoin de revoir. Ma question hypothétique est: les six portraits sont-ils ceux des six femmes mystérieusement disparues?

Elle le regarda, confortablement installé, les yeux inexpressifs. Quand elle repoussa son attaque, elle lut dans le regard, soudain ironique, du capitaine qu'elle perdait la bataille.

— Hypothétiquement, dit-elle d'une voix ferme, je ne vois pas du tout où vous voulez en venir. Oh, je crois que vous savez où vous allez! Mais pas moi.

Elle regarda ses ongles et conclut :

— Désolée, capitaine.

— Inutile, répondit-il en se levant. L'hypothèse deviendra réalité.

Walter avait employé le temps passé à l'atelier de plusieurs façons. Si on était venu voir ce qu'il faisait au juste, on aurait surpris deux mains habiles façonnant un morceau d'acier doux sur un tour, le résultat étant une sculpture complexe, élaborée, qu'un amateur éclairé aurait été ravi d'exposer sur une étagère. Mais, si on s'était introduit discrètement dans l'atelier pour déterminer ce que faisait Walter, on aurait remarqué une masse laide, grossière, en acier, évoquant une imitation minable d'un Moore. Cependant, si une mouche était entrée et s'était posée sur le mur, puis était entrée dans un placard fermé à clé, elle aurait constaté que Walter fabriquait un silencieux destiné au .45 automatique et qu'il avait mis du mercure dans une boîte de cartouches.

Toutes les unités de recherche ont un atelier ; elles y sont obligées. Même dans ses rêves les plus fous, aucun inventeur professionnel ne peut imaginer les machines à la Rube Goldberg que les chercheurs des laboratoires exigent comme s'il s'agissait d'un grille-pain neuf, harcelant ensuite l'ingénieur jusqu'à ce que l'appareil soit terminé. Le résultat était toujours parfait : des micro-électrodes en tungstène ou en verre, à la pointe si fine qu'elle n'était visible qu'au microscope, étaient stockées dans des conditions idéales ; il y avait des micropompes capables d'émettre une fraction de goutte par heure ; tout ce qui était nécessaire devait être fabriqué, presque invariablement dans l'atelier. Il n'y avait qu'une condition : il ne fallait pas que ce soit « grand ». Comment définissait-on grand ? Un kilo et demi au plus, trente centimètres de longueur, de largeur ou de profondeur.

Les recherches de Jess Wainfleet et d'Ari Melos étant dans une phase de transition, l'artisan qui dirigeait l'atelier avait bénéficié d'un congé payé de trois mois lui permettant de voyager à l'étranger et d'étudier les techniques des ateliers d'autres laboratoires. L'atelier était donc à la disposition de Walter Jenkins qui, en cas de besoin, pouvait réaliser ce qui était nécessaire. Pas de problème, disait-il laconiquement.

Il aimait le pistolet de Marty Fane, personnalisé selon les goûts du maquereau ; plaqué or, avec une crosse en ivoire, il faisait des dégâts sur sa cible. Les projectiles ayant été traités au mercure, les dégâts étaient d'autant plus grands. Le Je-Walter en était très satisfait.

Désormais, il ressentait des émotions ; du moins, il le croyait. Lui seul pouvait juger de la réalité ou de l'irréalité de ce fait, car Jess était très troublée et le Je-Walter n'était plus son principal sujet de préoccupation. Cela ne suscita ni colère ni chagrin, si ce qu'il avait lu sur la colère et le chagrin était vrai ; cela déclencha un paroxysme de désir de vengeance dirigé contre ceux qui la déstabilisaient.

Le premier jaillissement de ce désir de vengeance l'avait poussé à décider de tuer le capitaine Carmine Delmonico… et quel fiasco ç'avait été ! Il avait délibérément choisi une religieuse dans l'intention de la mettre dans le lit du capitaine, de laisser entendre qu'ils étaient amants, puis de faire croire que Delmonico l'avait tuée avant de se suicider. Et cela avait tourné au désastre même si, tout de suite après, Walter avait considéré son raid comme un triomphe parce qu'il ne comprenait pas ses erreurs. Cependant, il en avait pris conscience lorsqu'il y avait réfléchi et cela avait anéanti sa sensation de triomphe. De si nombreuses erreurs ! Comme lier ses poignets et ses chevilles avec du fil de fer ; plus facile pour la transporter, naturellement, mais cela avait laissé des traces rouges sur sa peau. En outre, il n'avait pas fait de reconnaissance et avait été surpris par la présence de ce jeune type sur la terrasse du capitaine… qui peignait, nom de Dieu ! Tout avait dérapé, le jeune mec hurlant, le chien aboyant… quel fiasco !

Une sonnerie retentit : un système d'alerte qu'il avait conçu ; Walter rangea l'arme dans son placard, puis les cartouches, et ferma la porte à clé. Tranquillement, comme avec lassitude, il prit la sculpture.

— C'est du très beau travail, Walter, dit Ari Melos, debout derrière lui. Magnifique !

— Remarquable ! renchérit Rose, ne sachant quoi dire d'autre.

— Merci, répondit Walter, desserrant les fixations du tour et levant la pièce en acier. Ce n'est pas fini… vous voyez ça ?

Il montra un endroit où un enchevêtrement de rayures défigurait l'acier et reprit :

— C'est arrivé au début, quand j'apprenais encore à me servir du tour. Je voulais les polir, mais j'ai une meilleure idée. Je vais les transformer en motif, les transfigurer. Une gravure, pour ainsi dire.

— Je vois, dit Melos. Le donneras-tu à Jess quand tu auras fini ?

Walter haussa les épaules.

— Non, je n'ai pas l'intention de le donner.

— Je t'en offre cent dollars, proposa Melos.

— D'accord, convint Walter, mais seulement quand j'aurai terminé.

Le couple s'en alla.

— Je sais depuis longtemps qu'il a du talent, dit Melos sur le chemin de la sortie. Certains déments sont incroyablement doués et je crois que Walter est l'un d'entre eux.

Rien à foutre d'être incroyablement doué, pensa Walter. Tes yeux me donneront ton âme quand je t'étranglerai et tu ne seras pas différent des autres. Je devrais m'arranger pour faire croire que tu as étranglé Rose avant de te pendre, mais c'est beaucoup plus amusant d'étrangler. Autant laisser les flics croire que quelqu'un vous a tués tous les deux.

Il n'y avait pas de souvenirs sur lesquels revenir – Jess les avait tous amputés –, mais le Je-Walter émergeant de la vieille coquille de démence était un être pensant et le Je-Walter savait parfaitement bien qu'il commençait à prendre plaisir à tuer. La sensation avait été ténue quand il avait tué Marty Fane, mais elle avait eu un aspect spontané comme si, à l'instant où le poignard avait pénétré, il ne pouvait plus aller que dans une seule direction : plus profond et vers le haut, jusqu'à l'os... très peu de sang et très rapide. Pas vraiment passionnant.

Mais quand il avait serré le cou de sœur Mary Therese entre ses mains ! Il avait aussitôt été confronté à ses yeux écarquillés de terreur et, de ce moment à celui où il s'était éloigné de son corps sans vie, il avait fixé ses yeux. S'asseoir sur elle aurait suffi à l'asphyxier, son poids empêchant ses poumons d'aspirer assez d'air, même si ses doigts impitoyables n'avaient pas comprimé sa trachée. Une parodie grossière de l'acte sexuel, dont il n'avait jamais fait l'expérience ; le premier détenu qui avait tenté de le lui imposer avait connu une mort très sanglante ; c'était en tout cas ce qu'on lui avait raconté. Ce souvenir, comme d'autres, avait disparu.

Regarder les yeux de sœur Mary Therese fut le comble de la joie : Walter en était sûr. Mais, surtout, le Je-Walter en était sûr. Les expressions de ces yeux ! Suivre l'évolution de ces expressions tandis que se succédaient des émotions véritablement ultimes ! Il lui fallait voir cela encore et encore... le simple fait d'y penser les lui remit en mémoire avec une netteté déchirante ; il vit la panique, la terreur, l'horreur, le désespoir. Puis l'expression fut celle de la soumission. Alors que lui, qui infligeait ces tourments à ses victimes – oui, lui, le Je-Walter –, s'élevait, en regardant ces yeux, jusqu'à l'apogée de l'extase.

Tous les Walter, même les Jess-Walter les plus pitoyables, connaissaient désormais le but de son existence : l'extase ! Il lança la sculpture contre le mur, animé par une envie folle de frapper… non, d'étrangler.

Projets, machinations et plans déferlèrent sur lui, mais restèrent dépourvus de sens ; une partie de lui-même savait qu'il devait demeurer le Jess-Walter tandis que l'essentiel de son être n'aspirait qu'à revoir les expressions de ces yeux… les yeux de n'importe qui, de tout le monde… de la panique à la terreur, puis à la soumission…

— Oh, Walter, dit Jess d'une voix triste, as-tu vraiment oublié qu'on doit dîner au réfectoire de la direction ?

Le soldat silencieux parut contrit… de si nombreuses expressions, dans le monde, presque toutes destinées à cacher ou tromper.

— Je suis désolé, Jess, en plus, je m'en faisais une joie.

Elle rit et le prit par le bras.

— Mon très cher collaborateur, c'est sans importance ! Je savais que tu oublierais et je suis venue te chercher à temps.

Le réfectoire de la direction, fréquenté par huit ou neuf personnes, proposait un menu plus élaboré et bénéficiait de deux serveurs. Il était rare de pouvoir y dîner quand on n'appartenait pas à la direction.

Jess prit le cocktail de crevettes et le carré de porc, mais Walter se montra plus français, choisissant la terrine de campagne et le bœuf bourguignon.

— Tu te sens mieux? demanda Walter.

— Si tu penses à Ivy, je me remets du choc. Mais ce n'est pas important. Ce qui l'est, c'est que je t'ai honteusement négligé. Mais ne m'en veux pas! Très bientôt, nous pourrons parler et analyser les voies nouvelles que tu ouvres sur un rythme effréné. C'est absolument merveilleux.

— C'est ce que je ressens, Jess.

— Qu'est-ce qui te fait plus particulièrement plaisir?

Comment réagirait-elle s'il répondait : étrangler quelqu'un?

Mais le bon soldat dit :

— J'ai vendu ma sculpture cent dollars au docteur Melos. Ça m'a vraiment fait plaisir.

— Walter, j'en suis ravie! Venant d'Ari Melos, c'est un compliment extraordinaire. S'il ne croyait pas que tu as du talent, jamais il ne se serait séparé de son cher argent.

— C'est agréable de le savoir, dit-il avec un air satisfait.

— Peux-tu définir ce qui est agréable? s'enquit Jess.

Les sourcils froncés, il assimila.

— Je ne sais pas… Ce qui rend heureux, peut-être. Comme voir un très beau papillon.

— Dans ce cas, ce que tu as ressenti n'était pas seulement agréable. Tu étais comblé.

— C'est ça! s'écria-t-il. Comblé.

Il mangea un morceau de bœuf puis demanda :

— Y a-t-il des mots plus forts que «comblé», Jess?

Stupéfaite, elle éclata de rire.

— Bon sang, tu es opiniâtre! Plus fort que comblé… Transporté. Extatique. Enchanté. Tout dépend de quoi tu parles, Walter, tenta-t-elle d'expliquer. Le bon mot est celui qui correspond à la situation et à l'humeur du moment.

— Serais-je transporté si une de mes machines à la Rube Goldberg marchait?

— Probablement pas.

— Et si je faisais une super sculpture?

— Tu serais transporté ou injustement critique.

— Injustement critique?

— Walter, les artistes sont rarement satisfaits de leur travail.

À la fin du repas, alors que Jess s'apprêtait à parler vraiment avec lui, Walter se mit à battre des paupières, souffrant visiblement, et changea de position sur sa chaise.

— Jess, s'il te plaît, excuse-moi.

— Que se passe-t-il? demanda-t-elle, inquiète.

— L'aura d'une migraine.

— Décris-la, dit-elle sèchement.

— Une sorte de gros boomerang en haut du côté gauche. Il se compose de fléchettes pourpres et jaunes et il descend lentement.

— Bon sang, Walter, c'est bien l'aura d'une migraine. La céphalée se situera à gauche et peut commencer d'un instant à l'autre mais, si elle est conforme à ce qui se passe habituellement, tu disposes d'une vingtaine de minutes. Va te coucher immédiatement.

— Je sais, ça m'est déjà arrivé. Je m'enfermerai dans ma chambre.

— Je veillerai à ce qu'on te laisse en paix, dit Jess. Il ne faudrait en aucun cas qu'on te dérange à l'instant où tu parviens à contrôler la migraine.

Il sourit.

— Oh, merci, Jess. Tu comprends.

— Tu as raison. Je comprends. Moi aussi j'ai des migraines.

Samedi 6 septembre 1969

Walter avait fait le coup de la migraine un peu après 21 heures et devait donc attendre deux heures et demie avant de se mettre en route ; la meilleure solution était de s'allonger sur son lit dans le noir complet, sans bouger ni gémir. Le moindre mouvement, même celui qu'entraîne un gémissement, fait atrocement souffrir la victime d'une migraine, qui reste aussi immobile que possible et essaie de dormir. Walter, dont le cerveau avait subi des interventions chirurgicales, n'aurait pas supporté la morphine. Pour lui, c'était dormir ou souffrir.

Pendant ces deux heures, il tenta de se souvenir de ce qu'il avait dit à Jess et de ce qu'il lui avait caché : ses portes, la muraille creuse, son contenu, ses expéditions dans le monde extérieur et ce qu'il y avait fait, ce qu'il avait fabriqué dans l'atelier de l'IH et, surtout, son intense fascination quand il regardait la vie s'en aller dans une paire d'yeux. Tout cela appartenait au Je-Walter, entité distincte des nombreux Walter vagues qui étaient en fait, comprit-il soudain dans le noir, le Jess-Walter. Le Je-Walter n'était pas apparu à l'initiative de Jess... en fait, il l'aurait horrifiée. Il ignorait comment il savait cela, mais il le savait. Quel Walter était le vrai Walter ? Le Je-Walter, toujours le Je-Walter. Secrets ! Comme il aimait les secrets ! Puis, à plat dos sur

321

son lit, une petite pointe de douleur derrière les yeux, il bougea légèrement de bas en haut, d'un côté et de l'autre, sur les oreillers… WALTER, TU ES REVENU LÀ-DESSUS CENT FOIS! Tu sais tout ça, tu y as réfléchi! Tu es le bœuf sur le chemin de halage, les sabots complètement usés.

Ari et Rose Melos. Delia Carstairs. Oui, ce serait les trois premiers. Mais seulement après avoir pris du bon temps. Je mérite du bon temps.

Je suis le Je-Walter, mais Jess ne sait pas que le Je-Walter existe. Malgré cela, elle croit que je suis le centre de son univers. Pauvre Jess ignorante! Il est très facile de tromper les psychiatres; ils ne comprennent que ce qu'ils ont envie de comprendre.

À 23 h 30, dans la muraille, vêtu de cuir noir et d'un casque conique qu'il avait l'intention d'orner, plus tard, d'ailes, Walter Jenkins consulta sa carte à la lumière d'une lampe tempête neuve… Ici! Au-delà de South Rock, dans la forêt domaniale, à trois kilomètres de la grande route la plus proche… Parfait!

Il avait placé des bidons d'essence dans les sacoches et le coffre du porte-bagages; il ne devait pas approcher d'une station-service cette nuit, quoi qu'il arrive, et cela incluait des détours imprévus.

Il ouvrit la porte extérieure et poussa la moto sur une nouvelle piste; les précédentes avaient disparu et celle-ci ne serait pas utilisée dans les mois à venir. Pourvu que l'hiver soit doux! La neige l'emprisonnerait complètement.

Les feuilles ne jauniraient pas avant trois semaines et il y aurait encore de chaudes journées, mais une certaine fraîcheur annonçait l'automne. Le soleil en avait assez d'aller vers le nord; dans moins de vingt jours il s'arrêterait, épuisé, puis reprendrait la direction de son séjour méridional tandis que tout, derrière lui, frissonnerait.

Walter Jenkins frissonnait, lui aussi, mais pas à cause du vent froid, alors que sa moto filait vers l'ouest; il frissonnait d'impatience. Quelques kilomètres plus loin, il tourna en direction du sud mais ne s'engagea pas dans le tunnel de South Rock. Il reprit vers l'ouest pour contourner la masse de basalte puis emprunta une très petite route traversant des pommeraies. Voyant les arbres chargés de grosses goldens, il s'arrêta, gagna l'arbre le plus proche et dévora deux pommes, savourant ce plaisir simple les yeux fermés. Si sucrées! Puis il reprit la route, le goût du fruit idéalement mûr restant dans sa bouche et prolongeant le plaisir d'une façon inattendue.

Et il arriva à destination: un long bâtiment blanc d'un étage, en bois, entouré d'un parc bien entretenu parsemé de groupes de chaises et de tables et pourvu d'une véranda, courant sur toute la longueur de la façade, où, par beau temps, les pensionnaires pouvaient s'asseoir ou s'allonger. La Harley Davidson se trouvait près d'une issue défendue par une ravine profonde en travers de laquelle on avait placé des barres métalliques pour empêcher les chevaux, le bétail ou les moutons d'entrer.

Évitant la véranda, Walter gagna l'arrière du bâtiment, trouva la cuisine où le personnel de nuit, assis autour de la table, s'apprêtait à manger et boire. Il arrivait exactement au bon moment, même si c'était un hasard. Il ne tarda pas à constater que l'article du *Post* était équitable et correct: tous les résidents avaient une chambre avec salle de bains et, à en juger par le nombre de personnes attablées, le personnel soignant était amplement suffisant.

Walter eut l'impression d'entrer physiquement dans un rêve si dénué de forme qu'on ne pouvait le nommer, qu'il n'avait pas d'existence finie; il l'enveloppa dans des paires d'yeux successives, chemins parallèles d'étincelles vitales pâlissant puis disparaissant... et il en était la cause, ses mains l'administraient, son cerveau le buvait comme un chien affamé lape une flaque de sang.

Walter alla d'une chambre à une autre.

Les premiers hurlements retentirent, dans la maison de retraite, dix minutes après que Walter eut filé, sur sa moto, en direction de Millstone Beach. Il ne lui avait fallu qu'un quart d'heure pour étrangler trois vieillards cloués au lit; le plus jeune avait soixante et onze ans, le plus âgé aurait eu quatre-vingt-dix ans deux jours plus tard.

Delia se réveilla, désorientée, et se débattit, mais n'eut pas besoin de défendre sa vie. Le Je-Walter était provisoirement rassasié et le Jess-Walter avait des projets. Du ruban adhésif était déjà collé sur sa bouche, on lui liait les mains dans le dos en serrant impitoyablement, et ses yeux, qu'elle n'avait pas eu le temps d'ouvrir complètement, furent également couverts de ruban adhésif. Sa chemise de nuit était pudique mais féminine, en fausse soie rouge avec de la dentelle autour de l'encolure et des manches. Son agresseur – l'homme mystérieux, elle n'en doutait pas – la jeta sur ses épaules sans prendre la peine, malgré le froid, de lui enfiler des vêtements supplémentaires. Oui, une moto! Il l'enfourcha, posa Delia sur ses cuisses puis roula à une vitesse bien inférieure à la limitation; pour Delia, presque nue, ce fut un trajet glacial.

Elle avait surmonté le choc, était complètement réveillée et son esprit tentait désespérément de donner un sens à cet enlèvement insensé... pourquoi elle, pourquoi un sergent de la police? Où l'emmenait-on? Dans quelle direction? Pas de chaussures... elle ne pourrait pas fuir. Avait-il l'intention de la garder en vie? Elle n'était pas un enfant, elle n'était pas riche, elle ne faisait pas de politique. Malgré sa profession, elle n'avait nui à personne. Un trajet glacial et inconfortable, mais bref, constata-t-elle. Au bout de dix minutes, la moto s'arrêta. Debout, elle sentit le sol d'une forêt sous ses pieds.

Elle s'aperçut qu'il touchait son bras droit, pressé contre la partie supérieure de son bras gauche au niveau du poignet; une corde le comprima au-dessus du coude et elle comprit qu'il cherchait une veine. Une piqûre un peu douloureuse puis elle fut prise de vertige, ses genoux cédèrent et ce fut le noir.

Désorientée et groggy, elle reprit connaissance dans un noir presque total où quelqu'un sanglotait. Elle avait été ligotée, bâillonnée et avait eu un bandeau sur les yeux, mais elle était maintenant libre de ses mouvements, même si sa bouche et son visage lui faisaient mal là où on avait collé le ruban adhésif. L'endroit où elle se trouvait sentait faiblement la pourriture. Et les sanglots, agaçants, continuaient…

— Qui… est là? demanda-t-elle d'une voix rauque, se rendant soudain compte qu'elle avait soif.

Les sanglots cessèrent. Une voix d'homme répondit… pas celle de la personne qui pleurait.

— Ari et Rose Melos.

— Delia Carstairs.

— La flic à la robe hideuse? glapit une voix de femme.

— Où sommes-nous? Qui nous a enlevés?

— Je n'en ai pas la moindre idée, répondit Aristede Melos. Nous étions chez nous, endormis. On nous a soudain ligotés et bâillonnés. Quel choc! Il a commencé par conduire Rose ici… j'étais fou d'inquiétude. Puis il est revenu me chercher et ça m'a un peu rassuré. Mais c'est terriblement humiliant!

Delia se désintéressa d'eux et analysa la situation. Une cheville portait un anneau au bout d'une chaîne d'environ un mètre ; se déplaçant selon un cercle, elle toucha, à une extrémité, un mur et vit, à l'autre, les silhouettes noires des Melos. Rose sanglotait toujours.

— Bon sang, femme, cessez de pleurnicher, cria Delia, qui en avait assez de l'entendre.

— Vous n'avez pas le droit ! gronda Ari Melos. Ma femme est en état de choc.

— Connerie, rétorqua sèchement Delia. Votre femme fait le numéro de la petite épouse pétrifiée ! Elle ferait mieux de la fermer et de me laisser réfléchir au moyen de nous sortir de cette situation.

Elle était enchaînée à une pierre scellée dans le sol, pas au mur, et elle supposa que les Melos étaient dans le même cas ; il devait y avoir une raison, peut-être liée au risque d'être entendu ?

Rose sanglotait à nouveau, fontaine rejaillissant inlassablement.

— La ferme ! rugit Delia.

Silence. Une vraie bénédiction ! Elle pouvait réfléchir. Et, réfléchissant, elle se rendit compte qu'elle devait examiner l'anneau. Tirant sa chemise de nuit sous son derrière, elle s'assit et constata qu'une bande de fer entourait sa cheville. Les extrémités, à l'endroit où elles se rencontraient, étaient percées d'un trou ; une barre d'acier en forme de U passait dans ces trous… un cadenas ! L'entrave avait été fabriquée avec des outils et un matériel limités et il avait fallu se contenter de cintrer le métal pour qu'il entoure la cheville, puis de le plier à angle droit. Logiquement : un trou et un cadenas. Mais pourquoi, se demanda-t-elle, avons-nous été enlevés ? Un membre de la police, je peux comprendre, mais deux psychiatres ? Il y a un lien avec l'IH, c'est clair comme le jour, mais lequel ? Elle pensa soudain à Walter Jenkins, mais ça n'avait pas de sens ; en plus, il était détenu et ne pouvait sortir. Non, ne pense plus à lui. Il faut avant tout que je trouve le moyen de m'évader.

Derrière les Melos, il y avait un mur qui n'était pas le sien ; celui d'en face, peut-être ? Elle les voyait distinctement.

— Nous avons plein d'air... femme, ne recommencez pas à pleurnicher ! cria-t-elle à Rose, qui cessa aussitôt de sangloter. Vous êtes une grande professionnelle et vous êtes endurcie. Cette comédie de la femme faible et tremblante est simplement destinée à impressionner votre mari et s'il ne s'en aperçoit pas, moi si ! Essayez plutôt de réfléchir au moyen de sortir d'ici ! Qu'est-ce que vous portez ?

— Rien, souffla Ari Melos. Absolument rien.

— Des bigoudis, dit Rose, qui déglutit.

— Vous me voyez ? demanda Delia.

— Oui, répondit Rose, qui avait apparemment décidé de renoncer au personnage de femme faible. Vous êtes une tache noire devant le mur opposé.

— Alors il y a un mur opposé ? Savez-vous où nous sommes ?

— Nous sommes à l'intérieur de la muraille de l'Asile, affirma Ari.

— Ah ! y a-t-il une sortie ?

— Jusqu'ici, je ne savais pas qu'il y avait une entrée, s'étonna Melos.

— Hmm. Ça complique tout, marmonna Delia, qui réfléchit et ajouta : Rose, vous pouvez me lancer un bigoudi ?

Il y eut un crissement, un silence, puis un bruit sourd quand un bigoudi toucha le pied de Delia. Une minute plus tard, elle tenait dans sa main une cage cylindrique en plastique avec, sur le côté, une tige en plastique destinée à maintenir les cheveux en place. Delia soupira.

— Je suppose que vous n'avez pas d'épingles à cheveux ? s'enquit-elle.

Pour toute réponse, elle reçut une douzaine de grosses épingles à cheveux, trois atterrissant entre ses cuisses, sur sa chemise de nuit. En ayant saisi une, Delia arracha avec les dents le plastique gainant ses extrémités. Quand le métal fut nu, elle s'attela à l'ouverture du cadenas. Ce fut une longue et difficile bataille, mais elle finit par y parvenir. Avec un cri de victoire, Delia dégagea le U des trous puis, tirant de toutes ses forces, ouvrit le mince anneau et réussit à dégager sa cheville. Elle n'était plus enchaînée !

Le souffle court, elle se leva.

— Je suis libre, les gars !

— Maintenant, venez nous détacher, ordonna Ari Melos.

— Pas question ! Vous me ralentiriez et cette horrible femme sangloterait et se plaindrait. Je reviendrai vous chercher.

— Putain de salope, bredouilla Rose.

— J'en ai autant à votre service.

Plus solide sur ses jambes, Delia réfléchit.

La puanteur de vieille pourriture venait de sa gauche ; non, ce n'était pas la sortie, c'était la direction d'autres horreurs.

— Il est comme l'araignée qui stocke ses proies, dit-elle aux Melos, réduits au silence par son refus de les libérer. Sincèrement, vous me ralentiriez trop et nous serions repris tous les trois. Il ne reviendra pas de sitôt, mais moi si. Il y a forcément une sortie ! Il a besoin de vous pour une raison liée à l'Asile, sinon vous seriez morts. S'il revient, soyez plus malins que lui.

Rose sanglotait à nouveau, mais Ari avait écouté.

— Je crois toujours que nous sommes à l'intérieur de la muraille, dit-il, et qu'il faudra marcher longtemps.

Le noir s'estompait et les yeux de Delia s'adaptaient. Maintenant, elle voyait clairement les silhouettes des Melos et estima qu'ils se trouvaient au pied d'une tour. La faible lumière venait de sa droite et, au bout de quelques mètres, l'espace se mua en un couloir d'environ deux mètres de large. Une main effleurant le mur, elle avança et le bruit des sanglots de Rose s'estompa... Dieu merci!

— Fermez-la, idiote! cria-t-elle. Plus vous ferez du bruit, plus vite il reviendra vous égorger!

Silence.

Delia progressa très lentement, la lumière ne lui permettant pas de voir le sol; elle devait l'explorer des pieds, rencontrant parfois ce qui semblait au départ de profondes fissures et d'autres dangers qui, un pas plus loin, se révélaient imaginaires. Il était principalement constitué de gravier, mais il y avait des racines noueuses, des feuilles mortes, des carapaces d'insectes et des squelettes de rats. En un endroit, le sol était parsemé de morceaux de verre; ses pieds, entaillés, s'étaient mis à saigner, mais elle poursuivit néanmoins son chemin et, deux pas plus tard, laissa le verre derrière elle.

Son visage était en feu et son cœur battait à tout rompre; cet effort indispensable et frénétique l'avait réchauffée. La perspective horrible et innommable de se trouver face à son ravisseur venant jeter un coup d'œil sur ses prisonniers la poussa à avancer.

Puis elle arriva dans une caverne ronde éclairée par le haut d'une paroi, où l'on avait ôté plusieurs pierres, permettant ainsi au soleil d'entrer. Une Harley David-son reposait sur sa béquille, toutes sortes d'objets occupaient des étagères et, au-delà de la caverne ronde, deux portes s'ouvraient dans deux murs se faisant face.

Laquelle donnait sur l'intérieur et laquelle sur l'extérieur? Les yeux douloureux à cause de la lumière, Delia regarda le mur aux pierres manquantes et décida que c'était la paroi extérieure. Sa porte s'ouvrait sur la liberté.

Elle tourna la poignée et s'aperçut que la porte n'était pas fermée à clé; Delia sortit dans un épais bosquet

329

de rhododendrons et aperçut, sur sa droite, une clai-
rière herbue inondée de soleil. Sans tenir compte de
ses pieds, elle se mit à courir, s'éloignant le plus vite
possible de son horrible prison.

Une voiture de police la trouva, Silvestri ayant
ordonné de multiplier les patrouilles après avoir été
averti de la tragédie survenue à la maison de retraite
Hazelmere.

Dimanche 7 septembre 1969

Quelques minutes après que la voiture de patrouille eut signalé l'évasion de Delia, de nombreux flics s'engagèrent, le plus silencieusement possible, dans la forêt entourant la porte donnant sur l'extérieur de la muraille de l'Institut d'Holloman.

Seuls Carmine, Abe, Liam et Tony, ainsi que Fernando et six agents en uniforme triés sur le volet, entreraient, mais il fallait d'abord faire sortir les Melos en vie. Carmine s'en chargea, accompagné d'Abe et Tony, Abe tenant une puissante lampe torche et pas un pistolet ; ils couvrirent en cinq minutes la distance que Delia avait mis une heure à parcourir. Le couloir faisait environ deux mètres de large et aboutissait à la base circulaire d'une tour de guet ; elle faisait environ sept mètres de diamètre. L'espace comportant les deux portes était aussi, sur le plan, une tour de guet, mais on ne savait pas pourquoi cette dernière n'avait pas été édifiée.

Aristede Melos et sa femme étaient dans la situation où Delia les avait laissés, à ceci près que Rose en voulait à mort à Delia, qui avait eu le culot de les abandonner. Enroulés dans des couvertures, ils furent évacués vers l'hôpital. Quand ce fut fait, le rythme ralentit et se mit au diapason de celui de l'équipe de police scientifique, enthousiaste à l'idée de disséquer l'antre intact d'un tueur coupable de multiples meurtres.

Carmine retourna au quartier général où, logiquement, Delia l'attendait. Battant des paupières, il constata par lui-même, avec une joie intense, que Deels était indemne… non, on l'avait soignée. Des mules roses en forme de lapin cachaient les pansements de ses pieds. Un collant jaune uni, sur ses jambes rose pâle, faisait l'effet d'une banane trop mûre. Minirobe à rayures orange et vert, agrémentée de gros nœuds en satin bleu électrique. Merci, Seigneur!

— Tu devrais être chez toi et te reposer, dit-il, estimant qu'il devait le faire.

— Connerie! Je suis en pleine forme et j'en ai ma claque des soins attentionnés! Tu peux t'en rendre compte par toi-même. Comment vont les Melos?

— Ils s'en remettront. C'est leur amour-propre qui a le plus souffert… parce qu'ils étaient nus. Rose Melos ne pouvait pas s'empêcher de pleurer.

— À qui le dis-tu! fit Delia dans un rire. Je l'ai traitée d'idiote. Sais-tu qui nous a enlevés?

— Seulement que c'est un détenu de l'Institut d'Holloman. Hormis l'agitation, sur la 133, peu avant l'aube, ceux qui se trouvaient à l'intérieur de l'institut n'ont rien remarqué et je n'ai pas l'intention, pour le moment, d'avertir le docteur Wainfleet. Ni les gardiens, ni Hanrahan, le directeur de la prison.

— Tu as des soupçons.

— Pas toi?

— Oh oui! Walter Jenkins. Mais tu ne le connais pas, Carmine… pourquoi as-tu pensé à lui?

— Parce que j'ai lu les articles de Wainfleet. Il est sous contrôle, maintenant que nous savons comment il entrait et sortait, mais je ne dévoilerai nos cartes qu'après avoir vu le docteur Wainfleet dans des conditions qui sembleront à Walter parfaitement ordinaires. Je sais qu'il est armé et que c'est un risque, mais il serait plus risqué encore d'intervenir en nombre, l'arme au poing. Walter n'est pas un criminel ordinaire.

Delia redressa le nœud placé sur sa poitrine.

— Pourquoi les patrouilles étaient-elles si nombreuses? Heureusement pour moi, mais…

— Ton ravisseur a étranglé trois personnes âgées inoffensives à la maison de retraite Hazelmere. On ignorait qu'il vous avait enlevés, toi et les Melos, répondit Carmine, les lèvres serrées. Quand on t'a trouvée et lorsque j'ai appris l'existence de la porte dans la muraille de l'IH, j'ai immédiatement pensé à Walter. J'aimerais savoir pourquoi il vous a capturés, toi et les Melos, mais c'est un mystère aussi opaque que celui de sa personnalité.

— Je crois pouvoir éclaircir ce point, dit Delia. Il a décidé que nous – moi d'une façon et les Melos d'une autre – faisions peser une menace sur sa relation avec Jess Wainfleet. Elle est le pivot, la base. Présumant qu'elle était la cause, je suis remontée jusqu'à Walter, qui est un personnage terriblement inquiétant.

Elle frissonna et reprit:

— Jess le croit guéri, mais ses propos et ses actes me semblaient robotiques. Ça l'a beaucoup contrariée! Mais tu es arrivé à cette conclusion grâce aux articles? De mon point de vue, ils pourraient aussi bien être en chinois, mais ce ne sont que des textes scientifiques.

— Oh, pas seulement, Deels. D'une certaine façon, ce sont des éloges. J'en ai déduit qu'une sorte de miracle s'était produit. Quand le médecin responsable du traitement devient lyrique, comme Jess l'est à propos de Walter, tout flic digne de ce nom se méfie.

Carmine lui adressa un regard aigu et reprit:

— Tu connais bien Jess Wainfleet. Est-il possible qu'elle ignore sincèrement la culpabilité de Walter?

— Oh oui. J'en suis certaine. C'est son enfant.

Delia est vraiment, pensa Carmine, une formidable détective, dans tous les sens de ce terme : elle peut fonder une déduction sur un ensemble de faits sans lien entre eux. C'était pour cette raison qu'il lui avait donné la liste des Ombres et, s'il avait fourni personnellement le dernier indice, c'était simplement la conséquence d'éducations différentes ; il avait vu en Jess une neurochirurgienne et Delia une psychiatre. Cependant, l'affaire n'était pas terminée, elle s'était simplement heurtée à un nouveau mur de briques qu'ils finiraient, l'un ou l'autre, par contourner. Ils avaient tous les deux un rôle à jouer et cela, une fois de plus, plaidait en faveur de sa conception d'une équipe d'inspecteurs : des hommes et des femmes aux compétences et formations variées. Le hasard et la chance avaient aussi leur place. S'il n'avait pas été seul et loin de sa famille, il n'aurait pas eu le temps de lire les ouvrages et les revues scientifiques qui l'avaient aiguillé sur la neurochirurgie et la recherche stéréotaxique. Toutefois, ses lectures ne se seraient pas orientées dans cette direction si Delia n'avait pas demandé au dessinateur de la police des éclaircissements sur la similitude des crânes. Une main lave l'autre...

Walter s'était réveillé un peu avant l'aube, dimanche matin, et avait rejoint Jess, qui faisait les cent pas dans son bureau.

— Que se passe-t-il ? demanda-t-il en apportant du café frais.

Le visage de la psychiatre s'éclaira, l'intensité de son soulagement visible sur ses traits et aussi dans le tremblement des doigts qui saisirent la tasse.

— Oh, je suis si heureuse de te voir ! Ta migraine m'a fait peur, Walter. Quand tu es allé te coucher, hier soir, tu semblais... je ne sais pas... différent.

— J'ai eu très mal à la tête. Du côté gauche. Comme tu l'as prévu, j'ai été incapable de parler pendant quelque temps. Je ne pouvais pas, non plus, calculer.

Elle se laissa tomber sur une chaise et lui fit signe de prendre l'autre.

— Assieds-toi. Il faut qu'on parle.

Il s'assit, soldat obéissant, le menton levé, les yeux fixés sur elle.

— Sais-tu ce que j'ai fait les nombreuses fois où je t'ai opéré, Walter? questionna-t-elle.

— Oui. Tu m'as réparé.

— Effectivement, mais ce n'est pas à cela que je pense. Tu as énormément progressé depuis le jour où, il y a trente-deux mois, j'ai effectué la dernière opération! Je peux maintenant expliquer d'une façon plus complexe. Sais-tu ce qu'est un court-circuit?

— Oui, c'est simple. Le courant électrique qui devrait suivre un réseau de fils conçu à cet effet trouve le moyen d'en sortir et l'écoulement s'interrompt. Tout le courant est perdu, le circuit brûle dans un violent éclair d'énergie et le travail est détruit.

— J'aime ton choix de mots. Conçu à cet effet… merveilleux!

Jess but une longue gorgée de café, se demandant toujours, inquiète, si la migraine de Walter avait été un signe avant-coureur…

— Alors imagine, reprit-elle, qu'un nombre incalculable de ces réseaux ont court-circuité simultanément et qu'ils constituent la totalité de ton cerveau. En raison de cet énorme court-circuit, l'éclair d'énergie a complètement détruit toutes les voies neuronales de ton cerveau. Qu'est devenu ton cerveau, peux-tu me le dire?

— Il est devenu un non-cerveau.

— C'est exact. Je t'ai pris en charge, Walter non-cerveau et j'ai placé de nombreux terminaux minuscules dans la coquille de ton non-cerveau. Tous ces terminaux se trouvaient dans un groupe de cellules que je qualifie de batteries. Et toutes ces batteries étaient reliées, par des voies neuronales, à de nombreux autres points de la totalité de ton cerveau. N'oublie pas : plus rien ne marchait !

— Je te suis, dit-il d'une voix ferme.

— Ces terminaux que j'ai implantés, je les ai activés en les soumettant à un très faible courant électrique. Le courant a franchi les ruines brûlées et reconnecté les batteries à leurs voies neuronales. En répétant l'opération à de nombreuses reprises, j'ai construit un cerveau neuf sur les ruines du non-cerveau. Le nouveau cerveau est le nouveau Walter... le Walter que j'ai créé ! conclut Jess d'une voix stridente.

— Tu l'as fait, admit-il sur un ton neutre.

— Fichtre oui, Walter, je l'ai fait ! Pourquoi ? Pourquoi ai-je pu ? Parce que je suis seule à connaître tous les secrets du cerveau ! Je n'avais besoin que d'une structure et je l'ai trouvée dans la carcasse grillée de ton non-cerveau... une structure parfaite ! J'ai donné à Walter non-cerveau le cerveau d'un être humain sain, doux, convenable ! Je pourrais te surnommer Walter/Jess-cerveau.

Le sourire de Walter fut ostensiblement méprisant.

— Connerie ! Connerie totale ! Tu me parles comme si j'étais un enfant attardé. Mais je ne suis pas un enfant et je suis très loin d'être attardé, dit-il.

Elle éclata de rire, de ce rire involontaire, ébahi qui masque la paralysie totale de la pensée, chassée de l'esprit par un coup d'une violence extrême, par le choc le plus rude. La bouche ouverte, les yeux dilatés et stupéfaits, elle le fixa, ne trouvant rien à répondre.

— À t'entendre, je suis un assemblage de pièces de Meccano, reprit Walter, comme si l'intérieur de mon pitoyable crâne était un désert radioactif après l'explosion d'une bombe atomique. Tu n'as rien construit, Jess. Tu n'as fait qu'implanter des micro-électrodes en tungstène dans mon cerveau en te basant sur des coordonnées stéréotaxiques qui, selon ton atlas, étaient correctes. Ensuite, tu as stimulé électriquement les neurones situés entre les pointes d'une paire d'électrodes : c'était génial parce que tu savais où placer tes électrodes et quelle intensité de courant utiliser, mais tu ne pouvais réussir que si tu disposais d'un cobaye : Walter Jenkins, le fou meurtrier. De ce fait, à qui reviennent les applaudissements ? À toi, qui as effectué le travail matériel, ou à moi qui suis le seul propriétaire de mon cerveau ? Ta tâche est arrivée à son terme il y a trente-deux mois, après la dernière intervention neurochirurgicale. C'est en moi que des voies nouvelles se sont ouvertes, de plus en plus nombreuses. L'homme assis en face de toi ce matin est le Je-Walter.

Elle n'eut pas peur. Quand elle fut à nouveau capable de réfléchir, elle écouta, fascinée, émerveillée par la facilité et la fluidité de son élocution… Jamais, au grand jamais, elle n'aurait espéré obtenir ce qu'il lui donnait spontanément à voir : un paon déployant sa magnifique queue cérébrale… !

— Ton vocabulaire est extraordinaire.

— Je ressens, maintenant, Jess. J'ai trouvé ce qui me fait plaisir et ce qui me déplaît, dit-il sur un ton songeur. Si l'intensité de la sensation transforme ce qui fait plaisir en amour et ce qui déplaît en haine, alors je n'en suis pas encore là, mais il y a une activité qui me procure un plaisir très intense. Tous mes sentiments appartiennent au Je-Walter.

— Et *tu* as construit le Je-Walter, dit-elle.

— Oui. Le Je-Walter te vénère.

Où cela conduisait-il ? Cette zone régressait-elle toujours ? Il ne présentait aucun signe de désir sexuel et cela la conduisit à conclure que les voies aboutissant aux centres de l'érotisme étaient toujours barrées ou négligeables. Le Je-Walter !

337

Troisième personne ou première personne? Première…

— Peux-tu décrire ce que tu ressens quand tu me vénères, Walter?

— Je sens que sans toi je n'existerais pas.

— Tu sens que je t'ai fabriqué ou créé?

Une lueur de mépris éclaira les magnifiques yeux bleus.

— Non! Je me suis fabriqué et créé. Tu m'as donné la structure qui m'a permis de construire, Jess. Ne me suis-je pas bien fait comprendre?

— J'avais besoin de préciser le sens des mots, voilà tout. Les mots sont capitaux, ne l'oublie jamais. Sans eux, nous redevenons des animaux, nous ne pouvons pas exprimer clairement nos volontés, besoins, désirs et souhaits. N'oublie pas qu'il y a de nombreux types de «clarté»: celle qu'on discerne derrière une vitre couverte d'un siècle de crasse et celle qu'on perçoit derrière une vitre récemment nettoyée. Deux clartés, mais très différentes.

— Je te vénère parce que tu enseignes.

— Qu'entends-tu par vénérer?

— Je veux dire que je te protégerai à tout prix, que je te rendrai aussi heureuse qu'on peut l'être.

Ses genoux lui parurent sur le point de céder et la tête lui tournait; connaissant ces signes, Jess se leva.

— Je suis proche de l'hypoglycémie, j'ai besoin d'un petit-déjeuner, ou d'un déjeuner, selon ce que propose la cafétéria. Puis-je m'appuyer sur ton bras? demanda Jess.

Il se plaça aussitôt près d'elle.

— C'est encore le petit-déjeuner. Viens.

Malgré ses protestations énergiques, Delia se vit refuser l'autorisation de continuer à travailler et Carmine disposait du moyen de se faire obéir. Il téléphona à Rufus Ingham, lui raconta brièvement les épreuves de Delia et, une demi-heure plus tard, la fit monter dans la Maserati de Rufus, à l'entrée du poste de police donnant sur Cedar Street. Que cela lui plaise ou non, elle serait occupée pendant au moins une journée.

Cela fait, il regagna la porte de la muraille de l'IH, où l'équipe de la police scientifique avait fait de nombreuses découvertes. L'intérieur était éclairé comme en plein jour, dévoilant l'antre circulaire de Walter et les couloirs étroits qui, de part et d'autre, aboutissaient à lui. Les empreintes et les autres indices ayant été collectés, la moto avait été envoyée au laboratoire, où elle serait examinée plus en profondeur. Abe dirigeait les opérations.

Ses collègues et lui avaient trouvé le .45 automatique de Marty Fane, un chargeur et une boîte de cartouches.

— Heureusement qu'il n'a pas eu le culot de garder le pistolet sur lui, dit Abe en tendant une loupe à Carmine. Il a mis du mercure dans les pointes… de l'excellent travail, en plus.

On avait aussi repéré un couteau de chasse, lavé mais portant encore des traces de sang à la jointure de la lame et de la poignée.

Des vêtements noirs et chauds occupaient une étagère, une tenue de motard en cuir était accrochée à des clous enfoncés dans le mortier séparant les pierres du mur et un casque noir occupait la place d'honneur. Une caisse de bouteilles d'eau italienne, des produits alimentaires non périssables, une trousse de premiers secours comportant des aiguilles à suture et du fil de soie, des outils et un établi bricolé indiquaient que Walter projetait peut-être de soutenir un siège dans sa citadelle.

Les environs étaient sous surveillance, un guetteur ayant été posté au sommet de la tour de guet où Delia et les Melos avaient été détenus ; s'il apercevait Walter traversant le parc en direction de sa cachette, le guetteur devait faire retentir une cloche : les signaux radio ne pénétraient pas à l'intérieur de la muraille. Quatre agents en uniforme, armés de pistolets automatiques ainsi que de leur .38 Special Smith & Wesson de service, étaient postés derrière la porte donnant sur l'intérieur de l'IH. Carmine avait son automatique Beretta 9 mm et Abe avait pris la même précaution ; cette arme, plate, était plus pratique qu'un revolver et le chargeur contenait davantage de cartouches.

— Ce n'est pas tout, dit Abe en entraînant Carmine.

— Qu'est-ce qu'il y a ?

— Là-bas.

Abe le précéda en direction de la prison de Delia ; le couloir, éclairé, était plus obscur que terrifiant. Carmine constata que la terre battue du sol était parsemée des vestiges de cent cinquante ans d'abandon : squelettes de rongeurs, carapaces d'insectes, racines et même – comment étaient-elles arrivées là ? – feuilles mortes.

— J'espère que les pieds de Delia ont été bien désinfectés, à l'hôpital, marmonna-t-il en enjambant un rat mort.

— J'ai téléphoné aussitôt après avoir vu tout ça, dit Abe.

— Bonne initiative.

Dans la prison de Delia, il vit les reliques de l'incarcération : anneaux et chaînes, odeur d'urine. Une faible odeur de décomposition. Il s'aperçut que le couloir opposé était, lui aussi, éclairé.

— Qu'est-ce qu'il y a là-bas ?

Abe grimaça.

— Le glaçage de ce qui est peut-être un tout autre gâteau, Carmine, répondit-il.

Cent mètres plus loin, ils se trouvèrent face à six squelettes sans tête cloués au mur extérieur par des bandes d'acier fixées dans le mortier par des clous à tête plate.

— Nom de Dieu!

— Les Ombres, à ton avis? demanda Abe.

— J'en suis sûr, Abe. Elles n'ont jamais quitté le comté.

— Paul sait ce qu'il y a ici, mais on garde le secret pour le moment... Walter suffit. Sauf si tu n'es pas d'accord?

— Non! Non, non... Quelle différence pourraient faire un ou deux jours?

Ses yeux s'emplirent de larmes; il tourna le dos à Abe et déglutit péniblement.

— Dépouillées de tout, même du repos éternel, reprit-il. Les pauvres! Montant et descendant l'escalier sans attirer l'attention... C'étaient des zombies, bien sûr, comment a-t-elle pu ne pas s'en apercevoir?

— Pire que ce qu'a fait Walter, dit Abe. On les a tuées de sang-froid.

Carmine pivota sur lui-même et regagna le pied de la tour, où ni les vivants ni les morts ne pouvaient l'entendre, puis se tourna vers Abe.

— Notre stratégie, Carmine? s'informa Abe.

— Quelle heure est-il?

— 11 h 21.

— Bien. Les quatre agents en uniforme restent ici au cas où Walter tenterait de fuir. C'est un meurtrier condamné à perpétuité, des vies risquent d'être mises en danger et il faudra tirer pour tuer. Fernando a donné la même consigne. Notre autorité émane de celle de notre directeur. Je vais voir Hanrahan, le directeur de la prison, avec qui j'ai rendez-vous. Liam, Tony, Donny et toi, vous devriez aller manger un morceau chez Major Minor. J'espère que le directeur de la prison acceptera de coopérer. Nous nous retrouverons à 13 heures devant l'entrée de l'Asile. Une fois à l'intérieur, on gagnera l'IH. Je verrai le docteur Wainfleet et tout le monde m'attendra devant l'entrée de l'IH. Si Walter sort, vous l'arrêterez… poignets et chevilles entravés et reliés à une chaîne entourant la ceinture, c'est compris? S'il n'est pas sorti à 13 h 30, je vous rejoindrai.

— Espérons que tout ça sera bientôt fini, dit Abe.

— Je retourne dans la forêt. Je vous vois à 1 heure.

James Murray Hanrahan, le directeur, avait horriblement souffert, pendant des années, en raison des caprices de Jess Wainfleet, du moins est-ce ce qu'il raconta à Carmine pendant les vingt premières minutes courroucées d'un long monologue passionné. Son estomac grondant parce qu'il n'avait pas mangé, le capitaine des inspecteurs se résigna à une litanie de griefs en espérant que, faute d'opposition, la tirade d'Hanrahan serait plus brève, son auteur plus vite purgé de son ire.

— C'est ce qui arrive quand des fonctionnaires inexpérimentés tentent de réunir deux établissements disparates! rugit le directeur. Au lieu de me laisser diriger correctement un pénitencier de haute sécurité, on m'oblige à céder à une imbécile caractérielle qui ne connaît rien à la gestion d'un établissement pénitentiaire! Le pouvoir dont elle jouit à Washington, Hartford et Holloman me mystifie! Je ne suis que la personne chargée de m'occuper de ses animaux, de son cheptel de cobayes bien nourris. Cette femme est dangereuse, c'est moi qui vous le dis.

— Je sais, reconnut Carmine en souriant au directeur, mais, Jimmy, considérez ce jour comme le dimanche de la délivrance et moi comme votre archange Gabriel. Laissez-moi faire et l'IH sera remis à sa place. Agissez indépendamment et vous n'obtiendrez rien. Vous n'êtes pas sans amis, Jimmy, et ces amis travaillent discrètement pour votre compte. Le docteur Wainfleet surestime son pouvoir et vous sous-estimez le vôtre. N'intervenez pas et tout sera résolu.

Peut-être la réponse du directeur fut-elle hors de propos, mais Carmine la trouva merveilleuse.

— Vous aimez la salade d'œufs? demanda-t-il.

— Je l'adore, répondit Carmine avec ferveur.

— Bien, nous pourrons parler en mangeant. Ce ne sont que des sandwichs, mais le pain est frais. Si je ne mange pas, les acides risquent de percer la paroi de mon estomac.

Parfois, songea le capitaine des inspecteurs, les demandes les plus ordinaires suscitent les plus grands plaisirs.

— Veillez à réserver votre meilleure cellule capitonnée en isolement total et maintenez l'établissement en sécurité maximale après mon départ, dit Carmine un peu plus tard. Walter Jenkins doit être capturé mort ou vif, de préférence par la police mais, en cas de besoin, par votre personnel. Mais surtout, après sa capture, vous devrez le maintenir en isolement total… aucune visite, même pas celle de Jess Wainfleet.

— Ce sera fait, capitaine, vous avez ma parole.

Jess et Walter passèrent la matinée à la cafétéria puis décidèrent de déjeuner avant de s'en aller. Les longs silences étaient habituels entre eux mais, pendant ce repas, l'aridité de la conversation ne fut pas la conséquence des raisons normales.

Jess n'était pas complètement remise du choc lié à la prise de conscience des progrès énormes de Walter… et de son aptitude à les cacher. De plus, elle était certaine qu'il ne lui avait pas tout dit; de nombreux éléments restaient à dévoiler et elle était très impatiente de les connaître. D'un côté, son ego était si énorme qu'elle se considérait comme un puissant soleil face aux braises moribondes de Walter mais, d'un autre côté, son ego était si petit qu'elle se représentait Walter comme une supernova et elle comme une lune blafarde. Elle n'avait pas de véritable conception de Dieu, surtout d'un Dieu à l'image de l'être humain; elle croyait plutôt que Dieu était l'univers et qu'elle était donc une partie de Dieu. Dans ce cas, songea-t-elle, où classer Walter qui voyait, avec une clarté aveuglante, qu'il s'était lui-même créé? Cela signifiait-il que Walter était l'univers, que Walter était Dieu? Un Dieu qui s'était créé mais avait eu besoin de l'étincelle de vie qu'elle lui avait donnée?

Walter avait l'impression de perdre le contrôle sur une partie de lui-même, comme un serpent avalant sa propre queue, les mâchoires insatiables et les muscles qui les animaient digérant déjà les tissus ingérés, réduisant sa queue à néant. Mais cela n'avait aucun sens! Il ne savait ni quoi, ni pourquoi, ni où, ni comment. Il éprouvait une sensation proche de la douleur, mais il n'y avait pas de douleur. Une partie de lui-même tournait en rond, tournoyait et tourbillonnait, mais il ne pouvait la nommer, définir sa fonction ni décider d'une réaction. Et, comme toujours, les souvenirs de l'extase qu'il ne pouvait s'empêcher de rechercher, de répéter, montaient à la surface. Mais il pouvait nommer l'idée de l'extase: le Je-Walter. Lui, Walter, était au service du Je-Walter.

Exaspéré, il grogna et toucha son front douloureux, fermant les yeux, grinçant des dents.

— Walter! Walter! Qu'est-ce qui se passe? demanda Jess.

Il la fixa, les yeux embrumés et distraits.

— J'ai mal à la tête, répondit-il. J'ai cherché le mot «extase» dans le dictionnaire.

— C'est un mot intéressant. Pourquoi?

— C'est ce que je ressens quand je deviens le Je-Walter.

— Dis-moi d'abord ce que, selon toi, signifie extase.

— Tiré hors de moi-même dans un plaisir si énorme que je voudrais l'éprouver sans cesse.

— Est-ce une réaction à l'intérieur de ton corps?
D'une partie de ton corps?

— Non, elle appartient à l'esprit.

— Quand l'extase se produit-elle?

— Quand je deviens le Je-Walter.

Régresse-t-il ou progresse-t-il? se demanda Jess,
dépassée.

— Dis-moi en quoi consiste l'extase, qui est le Je-
Walter.

— Elle se produit quand je regarde l'étincelle de la
vie s'éteindre dans une paire d'yeux, répondit Walter
d'une voix exprimant un vague plaisir. Mais j'ai mis
longtemps à trouver la bonne façon.

— Quelle est la bonne façon?

— Assis ou couché sur la personne, je saisis le cou
entre les mains et je serre. Les yeux sont alors tout près,
je les vois très bien et je regarde l'étincelle de la vie
s'éteindre.

Il poursuivit précipitamment ses explications,
oubliant apparemment la présence de Jess.

— Je peux sortir d'ici et y revenir, j'ai volé une moto.
Oh, j'ai mal à la tête! Il dort, je mets les mains autour du
cou, je serre et la vie s'éteint. L'extase!

Le hurlement de Jess figea la cafétéria; tous les
visages se tournèrent vers le docteur Wainfleet qui,
debout, hurlait à la mort comme un chien, et vers Walter
Jenkins qui, resté assis, éloignait sa chaise d'elle.

— Non! Jess! Jess! cria-t-il.

Les hurlements se muèrent en plaintes stridentes;
Walter se leva d'un bond, tenant sa tête entre ses mains
puis, sans avoir regardé Jess, sortit en courant de la cafétéria et prit le couloir en direction de l'escalier de secours.

En bas, il oublia la présence de la porte, déboula
dans le hall d'entrée et se dirigea vers les portes vitrées.
Les cris alertèrent le petit groupe d'inspecteurs postés
dehors; ils dégainèrent leurs armes.

Il n'y eut aucun coup de feu. À cinq pas des portes, Walter se cambra soudain et émit un unique hurlement de souffrance qui fit trembler les murs. Une jambe encore levée, il bascula en avant et resta immobile sur le dallage.

Le Beretta à la main, Abe Goldberg se dirigea lentement, prudemment, vers le corps, cherchant à voir les yeux. Un seul était visible, regardant le pied droit d'Abe, fixe et la pupille dilatée. Abe se détendit un peu, s'agenouilla près de Walter et chercha le pouls à la carotide.

— Il est mort, mais nous nous en tiendrons aux instructions, dit Abe à Liam et aux autres. Menottez-le, poignets et chevilles. C'est un dément et je ne veux pas prendre de risques : il pourrait être en transe ou catatonique. Entravé, il ne sera plus dangereux.

Carmine arriva une minute plus tard, essoufflé, suivi par Hanrahan, et trouva le cadavre de Walter immobilisé conformément à ses instructions.

Les Castiglione se tenaient en haut de l'escalier principal parce qu'on leur avait interdit de descendre ; Carmine les rejoignit.

— Que s'est-il passé ? demanda-t-il.

— Aucune idée ! répondit sèchement Moira. Jess, comme toujours, bavardait avec son précieux Walter et soudain... je ne sais pas... elle a craqué, est devenue hystérique... Dieu seul sait ce qui s'est passé, et certainement pas moi ! Elle a poussé des cris bizarres, comme des plaintes animales. Elle était debout. Walter était resté assis, mais c'était apparemment à cause de lui qu'elle s'était mise dans cet état, parce qu'il a reculé sa chaise, une expression d'horreur sur le visage. Je crois qu'il l'a suppliée mais, s'il l'a fait, elle n'en a pas tenu compte. Puis il s'est levé d'un bond et il est parti en courant vers l'escalier de secours. Jess s'est évanouie. Nous l'avons transportée dans la pièce où elle dort quand elle travaille tard, c'est-à-dire presque tous les jours !

— Lui avez-vous donné un sédatif ?

— Non. Nous avons pensé qu'elle devrait peut-être répondre à des questions.

Et, de toute façon, tu la hais, pensa Carmine. Des tas de directeurs potentiels de l'IH dans l'immeuble.

Carmine se pencha par-dessus la rampe du palier.

— Abe ? Tu veux bien me rejoindre.

Une idée lui traversa l'esprit et il ajouta :

— Monsieur Hanrahan ? Merci. Votre coopération n'est plus nécessaire. Je vous téléphonerai demain et je vous raconterai tout.

Jess Wainfleet avait surmonté ce qui, dans les propos ou les actes de Walter, avait provoqué son hystérie, mais Carmine et Abe n'eurent aucun mal à deviner ce que c'était : le monstre avait confié à son docteur Frankenstein qu'il sortait de l'institut, rôdait dans la campagne et tuait pour le plaisir, pas par ignorance.

— Cela ne résout pas notre dilemme, dit Carmine à Abe devant la chambre de Jess. On la confronte tout de suite au reste ou on se concentre sur Walter ?

— On verra bien, conseilla Abe.

— D'accord.

Carmine frappa et fut invité à entrer. Elle avait changé de chemisier et celui qu'elle portait était d'une couleur qu'il ne lui avait pas vu porter – un gris neutre –, elle s'était recoiffée et maquillée. Mais les yeux qu'elle posa sur les deux hommes étaient ternes, dépourvus de chaleur et de tout autre sentiment. Ce n'étaient pas des yeux vaincus ; c'étaient des yeux méfiants.

— Je présume, docteur, dit Carmine avec gentillesse, que vous ne saviez pas ce que faisait Walter Jenkins.

— C'est exact, répondit-elle d'une voix dénuée de toute intonation. Je l'ignorais.

347

— Avez-vous été consternée de l'apprendre ? demanda Abe.

— Je préférerais anéantie, lieutenant.

— Il avait une Harley Davidson, sans doute volée à quelqu'un qui ne s'est pas aperçu de sa disparition, et il a tué plusieurs personnes de sang-froid. Presque tous ces meurtres semblent avoir été la conséquence d'une psychopathie homicide et accomplis pour le plaisir, si vous voulez bien pardonner cette expression, qui peut sembler facétieuse. Sa première victime n'aurait pas opposé de résistance mais, malheureusement, il a découvert qu'il aimait tuer. Ayant fait cette constatation, il ne pouvait plus revenir en arrière et a, en fait, cherché à tuer. Vous le supposiez guéri mais, en réalité, il n'y avait pas eu de guérison.

— Les faits confirment mon hypothèse, dit-elle avec raideur.

— Mais tous vos prétendus faits étaient négatifs, docteur. Vous n'étiez pas, et vous n'avez jamais été, en mesure de déduire une guérison de faits positifs. La première occasion positive s'est soldée par le premier meurtre. Vous ne pouvez pas échapper à cela.

— Je n'ai pas de raison d'échapper à quoi que ce soit, capitaine. Ce n'est pas ma faute si Walter Jenkins, guéri ou pas, a pu aller et venir sur les routes du comté d'Holloman en tuant des innocents ! C'est la faute du système, qui est très loin de prendre ses attributions au sérieux. Je veux dire que les mesures de sécurité visant à maintenir Walter Jenkins derrière les murs d'un établissement destiné aux fous meurtriers étaient totalement, absolument, inadaptées. Tous ceux qui ont lu mes articles savaient que le QI de Walter était extrêmement élevé et son aptitude au raisonnement supérieure à celle de la majorité des hommes libres.

Elle leva le menton, ses yeux brillèrent et elle poursuivit :

— J'ai été extrêmement choquée, aujourd'hui, quand j'ai appris que mon patient – criminel condamné dans sept États – a pu laisser libre cours à sa folie meurtrière grâce aux méthodes inadaptées du responsable de la sécurité de l'Institut d'Holloman : James Hanrahan, le directeur.

— Seriez-vous prête à répéter ces propos lors d'une audition officielle ? demanda Carmine, ébahi.

— Absolument ! répondit le docteur Wainfleet.

Fascinés, Carmine et Abe virent sur son visage qu'elle changeait de perspective ; un large sourire apparut.

— Maintenant, avec votre permission, je voudrais voir mon patient, Walter Jenkins.

Les deux hommes gardèrent le silence ; ils échangèrent un regard.

— J'insiste, ajouta le docteur Wainfleet, les dents serrées.

Une nouvelle fois, elle fut confrontée au silence.

— J'insiste !

— Docteur, dit Carmine, Walter Jenkins est mort.

Elle vacilla.

— Vous mentez !

— Docteur Wainfleet, pourquoi mentirais-je ? Walter Jenkins a dévalé l'escalier conduisant au hall d'entrée à toute vitesse, se tenant la tête entre les mains. Puis il a hurlé et s'est effondré. Quand le lieutenant Goldberg est arrivé près de lui, il était mort. Son corps a été transporté à la morgue du comté d'Holloman, où il sera autopsié. Nous ignorons la cause de sa mort.

Scandalisée, elle se raidit.

— Une autopsie ?

— Bien sûr, docteur. C'est la loi. Vous le savez.

— Vous ne pouvez pas ! Je vous l'interdis !

Carmine en eut assez.

— Madame, je ne supporte plus votre obstination, dit-il en se forçant au calme. Peut-être êtes-vous le grand chef de ce petit coin de l'État et du comté mais, dans le cadre de mes attributions, je suis votre supérieur. De même que le ministère de la Justice du Connecticut, auquel je m'adresserai si vous continuez de vous obstiner. Ce détenu officiellement considéré comme un fou criminel relève des autorités fédérales ainsi que de celles de l'État et la cause de son décès sera établie par le médecin légiste du comté d'Holloman. Il s'agit du docteur Gustavus Fennel. Si vous le souhaitez, vous pouvez lui demander l'autorisation d'assister à l'autopsie depuis la galerie et vous n'approcherez pas davantage du cadavre, en raison de votre relation avec lui de son vivant. C'est bien clair ?

Son visage avait blêmi, était devenu d'un blanc pur ; en conséquence, ses yeux étaient des obsidiennes… de la pierre, pas de la matière vivante.

— Merci, capitaine, c'est clair, répondit Jess Wainfleet. Je vous prie respectueusement de ne pas commencer l'autopsie avant mon arrivée et de m'autoriser à communiquer avec le docteur Fennel. Si cette autorisation est accordée, sa tâche sera plus facile.

— Dans ce cas, je vous suggère de vous libérer immédiatement. J'ai ordonné au docteur Fennel de commencer le plus tôt possible.

Ça ressemblait à une salle d'opération, mais ce n'en était pas vraiment une. Il n'y avait pas de risques de contamination et les seules mesures de stérilisation prises visaient à protéger les personnes présentes dans la salle. Walter Jenkins ne souffrait d'aucune infection ; en réalité, on estimait qu'il avait une santé de fer.

Son corps nu gisait sur une longue et large table en acier inoxydable se terminant, sous ses pieds, par un évier et une évacuation ; les bords comportaient une rigole et une arête afin d'éviter que les liquides ne coulent sur le plancher. On l'avait lavé et, en l'absence de plaies visibles, il semblait dormir, même si son visage exprimait une intense souffrance.

Hormis Gus Fennell et son assistant, deux autres personnes se trouvaient dans la salle d'autopsie : un technicien chargé d'étiqueter les prélèvements conformément aux instructions et Carmine Delmonico. Le docteur Jess Wainfleet et Abe Goldberg étaient sur la galerie. Une série de vitres manœuvrées par un système électrique permettait d'isoler la salle d'autopsie de cette galerie mais elles restèrent ouvertes, ce jour-là, pour que Jess Wainfleet puisse parler à Gus Fennell.

— Une requête, docteur Fennell, dit-elle avant le début des préliminaires. Pourrai-je avoir le cerveau quand vous aurez terminé?

Il leva vers elle son visage ordinaire, réfléchit et demanda :

— Pour quelle raison, docteur Wainfleet?

— Les opérations de micro-neurochirurgie que j'ai pratiquées sur le cerveau de cet homme ont duré deux cents heures en vingt périodes de dix heures. Je veux effectuer une étude anatomique et histologique complète de son cerveau pour déterminer ce qui, dans ma technique, peut être validé ou doit être abandonné, répondit Jess d'une voix ferme.

— Dans ce cas, vous pourrez avoir le cerveau quand j'en aurai terminé. Si je découvre la cause de la mort avant qu'il ne se révèle nécessaire de disséquer le cerveau, il vous sera remis intact.

Il sourit, n'ayant aucune raison de supposer qu'elle n'était pas une collègue ordinaire et ajouta :

— Si je dois ouvrir le cerveau, je m'efforcerai de réduire l'intrusion au minimum.

— Merci! dit Jess, sincèrement reconnaissante.

— C'est une autopsie très particulière, dit Fennell à l'intention du magnétophone, dont les bobines tournaient, en ceci qu'on ne peut s'autoriser aucun raccourci. Établir sans équivoque la cause de la mort est ma directive et cela entraîne la nécessité d'exclure les traces de surface, notamment les marques d'injection ou les égratignures…

Suivirent plusieurs heures d'examen systématique de la peau, du crâne, du lit des ongles, des canaux lacrymaux, des glandes salivaires… jusqu'au moment où Gus put exclure catégoriquement toute introduction d'un agent externe, sauf par la bouche. Vinrent ensuite l'examen des organes, la collecte des liquides et des tissus qui seraient transmis à Paul Bachman pour analyse, l'examen des artères à la recherche de souffles, de graisse ou d'embolies, puis des veines, des vaisseaux lymphatiques et des glandes exocrines et endocrines. Des caillots? Non. Rien, rien, rien.

Puis ce fut enfin le tour de la tête, le décollement du visage, qui dévoila le rictus du crâne et, finalement, la scie, qui coupa et permit de dégager la partie supérieure de la boîte crânienne.

— Ah! s'écria Gus. Hémorragie méningée!

— Un anévrisme? s'écria Jess Wainfleet. Impossible!

Le cerveau fut sorti, sa surface pourpre, noire, réduite en bouillie par endroits. Gus examina la face inférieure du cerveau, qu'il leva à bout de bras, avec une loupe.

Jess marmonna :

— J'ai fait toutes les analyses possibles! Toutes, c'est moi qui vous le dis! Pneumo-encéphalogrammes… artériographies des carotides droite et gauche… ses artères se remplissaient magnifiquement, les deux côtés formaient une arborescence parfaite!

Elle frappa ses genoux du poing et reprit :

— Il n'y avait pas d'anévrisme!

— Ma chère, il y en avait un, dit Gus avec douceur. Regardez vous-même. Vous voyez? Sur l'artère basilaire, à la jonction du cervelet et du pont de Varole… juste avant qu'elle ne bifurque dans les vertèbres, vous voyez ? Pas très net, mais visible. Le seul endroit où elle ne s'emplit presque jamais de façon satisfaisante, pourtant l'emplacement d'un anévrisme. Compte tenu de l'aspect des zones situées au sud du polygone de Willis, je dirais qu'il y a eu de faibles saignements avant la catastrophe proprement dite. La cause de la mort est évidente. Je n'aurai pas besoin du cerveau. Vous le voulez toujours, docteur Wainfleet ?

— Oui, répondit-elle d'une voix lasse. Et merci.

À 21 heures, dimanche soir, personne n'avait mangé depuis le déjeuner et John Silvestri exigea d'être tenu informé immédiatement. Le directeur réunit Carmine, Abe, Paul et Gus, puis les emmena dîner au Malvolio.

— La première chose dont j'ai besoin, c'est un bourbon-soda, dit Carmine.

— Pareil, dit Abe.

— Je suis abstinent, mais j'ai mérité un porto, dit Gus. Au moins, personne ne fume.

Dévoré par la curiosité, Luigi décida de s'occuper personnellement de cette table de gros bonnets, y prenant place quand on n'avait pas besoin de lui ailleurs ; camarade de classe de Silvestri à l'époque de Saint-Bernard (et cousin du directeur), jamais il ne dévoilerait ce qu'il avait entendu, même sous la torture, et tout le monde le savait.

Après deux merveilleuses gorgées de bourbon, Carmine prit la parole :

— Gus, commencez par expliquer le résultat de l'autopsie et pourquoi il a tellement contrarié Jess Wainfleet.

— Deux cents heures de neurochirurgie ! dit Gus d'une voix étranglée. Ça défie l'imagination ! Jess a effectué vingt interventions de dix heures sur Walter, sans doute dans l'espoir de modifier le câblage de son cerveau. On n'investit pas tout ce temps sans s'être

353

assuré que le cerveau du patient est physiquement parfait… ni tumeurs, ni cicatrices… ni anévrismes. Les anévrismes sont très difficiles à déceler parce qu'il faut effectuer une analyse risquée : l'artériographie. Qu'est-ce que c'est ? Une faiblesse de la paroi de l'artère, comme une bulle. Quand la pression artérielle reste stable, la bulle ne pose pas de problème. Mais si la pression augmente, un trou minuscule peut apparaître et elle fuit. Si l'augmentation est très forte, elle éclate et le sang se répand partout. Quand elle se trouve sur l'aorte ou dans le cerveau, c'est la mort assurée. Jess a fait des artériographies. Cela consiste à injecter une teinture dans la carotide et à suivre le trajet de cette teinture dans les artères du cerveau. Des deux côtés du cerveau. Elle était convaincue que Walter n'avait pas d'anévrismes… ils ne sont pas très fréquents et on n'en a généralement qu'un. Mais l'anévrisme de Walter se situait sur la seule artère du cerveau que la teinture n'emplit pas toujours complètement. C'est pour cette raison qu'il lui a échappé, conclut Gus, qui but une petite gorgée de porto et ajouta : Quel dommage !

— Pourquoi tenait-elle tellement à avoir son cerveau ? demanda Abe.

— Oh, grâce à un microtome, elle coupera des tranches si fines qu'un mouchoir en papier serait, comparativement, une brique, précisa Paul. Elle voudra mesurer l'effet de ses deux cents heures de microchirurgie. C'est une scientifique.

— Horrible, fit le directeur.

— Et ce n'est pas fini, dit Abe. Mais, avant d'expliquer, je vais commander à dîner et un autre verre.

Luigi se leva et agita une main pour qu'un serveur apporte les consommations.

— Commandez, messieurs. Tout est disponible, mais il n'y a pas de plat du jour.

354

Quand le repas fut terminé et les chocolats chauds commandés (le chocolat chaud de Luigi était formidable), l'emploi du temps du lendemain était établi. Paul analyserait les liquides et les tissus prélevés sur le cadavre de Walter, John Silvestri se retirerait dans son nid d'aigle, Gus reviendrait à des tâches moins urgentes et les deux inspecteurs retrouveraient Delia, Liam, Tony et Donny à 8 heures dans le bureau de Carmine.

Lundi 8 septembre 1969

Prisonnière de Rha et Rufus, qui détournèrent son esprit des affaires criminelles en lui apprenant à écrire des paroles de chanson drôles, des limericks et toutes sortes de vers comiques, Delia passa un merveilleux dimanche. C'était une bonne technique, car un simple segment de l'esprit ne suffisait pas : il fallait que la totalité de l'intellect participe. Et tout le monde riait, parfois jusqu'au fou rire.

Ainsi, les événements de la veille furent un véritable choc et elle fut très heureuse de ne pas y avoir participé ; elle n'aurait rien pu apporter et se serait beaucoup inquiétée.

— J'espère résoudre cette malheureuse affaire aujourd'hui, dit Carmine après avoir récapitulé les événements. Le docteur Wainfleet est une personne très rusée, capable de transformer en avantage une position en apparence indéfendable. Notre constitution joue en sa faveur. Lors de chaque entrevue, il faudra lui rappeler ses droits, c'est bien clair ? Delia, je regrette de t'imposer cela, mais la présence d'une femme est indispensable lors de tous les entretiens et elle est si intelligente que je ne peux recourir à une policière en uniforme. Je sais qu'elle pourrait tenter de se servir de toi, puisque tu es son amie, mais c'est inévitable. Je veux seulement être sûr qu'elle ne pourra pas crier au viol ou prétendre qu'on l'a frappée. Si tu as besoin de porter des pantoufles, n'hésite pas, d'accord?

— Merci, patron, mais les entailles n'étaient pas profondes. Si je porte des chaussettes épaisses et un pantalon, ça devrait aller.

— Alors en route.

— Pourquoi moi et pas Abe et son équipe? demanda Delia quand la Ford Fairlane s'engagea sur la 133!

— Tu es très diplomate! dit Carmine, admiratif. En fait, c'est lié à ton amitié avec Jess. Elle n'aime pas les hommes. Je ne veux pas dire qu'elle les hait. C'est très différent, beaucoup plus froid. Les hommes sont l'ennemi dans une situation de guerre et elle estime être dans le camp des anges. Elle est convaincue qu'elle régnerait sur le monde si elle n'était pas une femme et, par conséquent, désavantagée. J'ignore si la mégalomanie est une maladie mentale reconnue, mais elle est mégalomane. Ce qu'elle condamne chez les autres, elle l'excuse dans son cas parce que c'est son droit inaliénable à se placer au-dessus des lois qui s'appliquent au reste du monde. Le problème, c'est que ses crimes sont si bien dissimulés qu'on ne peut pas les lui attribuer.

— Je vois, dit Delia, qui comprenait. Il faut obtenir des aveux.

— Exactement.

— Mais comment?

— Je ne sais pas, mais il faudra jouer les cartes dont on disposera et être prêt à bluffer.

— Non, ne pensons pas à un jeu de cartes, c'est trop complexe. C'est une sonate pour piano et il faudra avoir de l'oreille.

— D'accord, Beethoven, c'est une sonate.

Fixant le cerveau de Walter Jenkins derrière la paroi en verre du bocal, Jess Wainfleet se disait que deux ou trois renouvellements de la solution de conservation suffiraient peut-être ; le liquide, dans le bocal, était encore rose, mais il était translucide. Elle enfila d'épais gants en caoutchouc et inclina le bocal au-dessus d'un seau, le vidant complètement, puis elle le remplit et attendit quelques instants. Un rose beaucoup plus pâle qui foncerait, mais pas autant que la solution précédente.

La base du cerveau se trouvait en haut, les vaisseaux sanguins et les enveloppes de tissus le couvrant n'étant plus que des filaments et des lambeaux. Et à cet endroit, dans la mesure où elle pouvait s'en assurer, se trouvait le polygone de Willis, formidable soupape de sûreté du cerveau capable, au cas où un côté de l'organe serait privé de sang, de l'alimenter grâce à des ponts minuscules. Il était très difficile de le distinguer en raison des dégâts causés par la rupture de l'anévrisme de l'artère basilaire, qui relie la face postérieure du polygone de Willis à la partie supérieure de la moelle épinière.

La pression artérielle de Walter avait dû crever le plafond. Quand l'anévrisme s'était rompu, le sang avait jailli avec force, une partie atteignant l'os, l'autre les tissus mous du cerveau au niveau du pont de Varole et du bulbe rachidien. Tous les noyaux cellulaires régulant le rythme cardiaque, la respiration et d'autres fonctions avaient été réduits en bouillie. Walter était mort en hurlant de douleur parce que c'est ainsi que meurent les victimes d'hémorragie méningée. L'origine de la douleur se situait dans les parois artérielles extérieures au cerveau.

Et elle était terriblement triste.

— Pourquoi, pour quelle raison ? souffla-t-elle.

Jamais son amant, même en imagination. C'était plutôt mon enfant, pensa-t-elle, ma plus grande création. Mais il n'avait pas grandi dans mon ventre... il n'y avait, chez Walter, rien de viscéral. C'était l'enfant de mon esprit, je l'ai porté pendant vingt longues interventions qui ont transformé un dément écumant en créature définie par la pensée. La mort de Walter, c'était la sienne. La formidable expérience avait été interrompue par une faiblesse dont elle ne soupçonnait pas l'existence. Un anévrisme!

Les vautours se rassemblaient : les Melos, les Castiglione, Jim Hanrahan... Pour échapper à l'expression sarcastique de leurs visages, elle leur avait téléphoné la veille au soir, avant minuit, pour leur parler de l'anévrisme non détecté de Walter, prenant bien soin d'expliquer que cela arrivait et n'était la faute de personne. Ceux qui étaient diplômés de médecine comprirent immédiatement le message et les autres surent rapidement à quoi s'en tenir. L'existence des portes secrètes de la muraille de l'Asile plaçait Jim Hanrahan dans une situation très délicate et personne, au sein de l'IH, n'avait assez de pouvoir pour s'en prendre à elle.

Le seul vrai problème était l'immuable, qui était radicalement immuable : le temps... les années... l'âge... peu importait le mot qu'on employait...

Je n'ai pas le temps de recommencer. J'ai presque cinquante ans et la mort de Walter est un poignet entaillé dans un bain chaud. Ma vigueur s'échappe comme le déluge de la mousson s'infiltre dans la terre desséchée.

Oh, pourquoi vivons-nous si notre existence est si courte, si horriblement brève ? Je suis trop âgée pour recommencer! Ma supernova s'est muée en coquille terne et vide. Je suis vaincue.

Puis une idée lui traversa l'esprit et elle téléphona à l'IH.

— Je ne viendrai pas aujourd'hui, annonça-t-elle à sa secrétaire, Jenny Marx, créature effacée qui avait depuis longtemps cédé la place à Walter Jenkins et ne poserait pas de problème. Si la police a besoin de me voir, dites-lui que je suis chez moi et prête à la recevoir.

Voilà! Réglé! Un anévrisme!

Comme presque tous les universitaires ayant choisi une existence solitaire, Jess Wainfleet avait organisé sa maison autour de la pièce qu'elle appelait sa bibliothèque, mais ses visiteurs ne voyaient jamais cette pièce. Elle les recevait dans la cuisine ou la salle à manger.

La bibliothèque comportait des étagères du plancher au plafond, sauf là où les fenêtres l'interdisaient, et elle était équipée d'une échelle à larges barreaux, pourvue d'une rampe et glissant sur un rail vissé sur le parquet ; elle était meublée d'un fauteuil, d'une table de travail avec sa chaise de bureau, de deux dessertes, de deux pupitres sur roulettes, l'atlas stéréotaxique du cerveau étant posé sur l'un d'entre eux. Une moquette noire couvrait le sol et le plafond était indistinct, en raison des néons, dans leurs enceintes de Plexiglas laiteux, qui éclairaient la pièce. La cuisine, une chambre, une salle de bains et la porte de la cave donnaient sur le couloir d'entrée.

Quand Carmine et Delia sonnèrent à la porte, Jess les conduisit dans la bibliothèque.

Deux nouveaux meubles s'y trouvaient : des chaises à dossier droit face à la chaise de bureau placée derrière la table de travail.

— Veuillez vous asseoir, dit-elle en s'installant sur la chaise de bureau.

Delia obéit ; Carmine fit d'abord un petit tour, poli et visiblement surpris.

— Tout le monde, de Voltaire à Thucydide, dit-il en souriant à son hôtesse, et vous avez fait relier vos *Scientific American* en cuir. Je l'ai fait jusqu'à mon mariage ; ensuite, je n'en avais plus les moyens.

— Les joies du mariage ont-elles compensé ce sacrifice, capitaine ?

Le visage de Carmine exprima un étonnement sincère.

— Absolument. Infiniment. J'ai encore les moyens de m'abonner et quand mes fils seront assez grands pour atteindre l'étagère où je range mes exemplaires, ils auront envie de les lire, pas de les déchirer.

— Un miracle! s'écria Jess.

— Pardon?

— Vous êtes un père attentionné… un luxe que je n'ai pas eu.

— De mon point de vue, un père attentionné est davantage une nécessité qu'un luxe.

— Que puis-je faire pour la police d'Holloman?

— Pourquoi as-tu pris leur tête? demanda Delia en posant sur la table de travail un magnétophone dont les bobines tournaient.

Cette fois, ce fut Jess qui fut ébahie.

— Quelle question! s'écria-t-elle, exaspérée. Je n'avais besoin que du cerveau de ces pitoyables créatures et il est beaucoup plus facile de l'extraire quand le crâne est séparé du corps.

— Margot Tennant a été la première, longtemps avant la venue de Walter Jenkins, dit Delia sur un ton neutre. Tu accepterais peut-être de nous expliquer ce qui lui est arrivé. Depuis le début. D'où venait-elle?

— Je répète que c'était une patiente privée, venue de l'étranger, confiée à mes soins par une famille épuisée financièrement et devenue émotionnellement incapable de se soucier de ce qu'elle deviendrait. Je répète que toutes les Ombres, comme tu les surnommes à juste titre, venaient de l'étranger, affirma Jess Wainfleet.

— Il nous serait très utile que tu nous indiques tes sources, Jess, et aussi que tu nous donnes des précisions sur Ernest Leto.

— Je n'en doute pas, mais c'est impossible. Les autorités modernes s'arrangent pour que les gens aient beaucoup de mal à se débarrasser de fardeaux insupportables, parce que les autorités modernes ignorent tout de la souffrance et des difficultés auxquelles on est confronté quand on s'occupe de cas désespérés.

Seuls les morceaux de papier les intéressent et on finit toujours par se torcher avec les morceaux de papier. Je connais la souffrance, je connais les difficultés. Je refuse par conséquent de participer au complot bureaucratique. Vous saurez ce que je déciderai de vous dire, rien de plus.

— Dans ce cas, voyons ce que vous décidez de nous dire, intervint Carmine. Vous avez obtenu Margot Tennant. Qu'avez-vous fait ensuite?

— Elle a été la première expérience d'une série de six consacrées à une technique neurochirurgicale : la lobotomie. Vous le savez parce que j'ai déjà décrit cette procédure en votre présence. Cependant, j'ai suivi les progrès de mes patientes pendant les six mois au cours desquels elles habitaient un appartement. Au terme de cette période, je plaçais dans le logement une photo d'elles, un catalyseur leur indiquant qu'elles devaient partir. Elles obéissaient, s'en allaient immédiatement et venaient ici. J'allais à l'appartement et je le vidais, sachant que j'avais six semaines de marge.

Jess alluma une cigarette et reprit :

— Je revenais ici et sacrifiais mon sujet avec ma solution fixative personnelle, grâce à des perfusions dans les deux carotides. La mort est absolument instantanée. Après le décès du sujet et après avoir laissé au fixatif le temps de se propager dans tous les tissus cérébraux, j'amputais la tête et j'extrayais le cerveau.

»Vous devez comprendre que je ne pouvais parvenir à aucune conclusion sans sacrifier mon cobaye. Mais, après avoir étudié les effets de mon intervention chirurgicale, j'ai appris tout ce que je devais savoir. Et j'avais raison. Six sujets suffisaient.

Jamais, au cours d'une audition, Delia n'avait été aussi près de vomir; sa bouche était sèche et elle sentit les prémices d'un haut-le-cœur qu'elle s'efforça de refouler. Elle y parvint mais n'eut pas l'impression d'avoir remporté une victoire : Jess Wainfleet était-elle humaine ? Détachée, impassible, impitoyable… Et je me suis amusée avec cette femme ! pensa-t-elle. Je l'appréciais !

— Comment vous êtes-vous débarrassée des corps ? demanda Carmine.

— J'ai acheté un énorme congélateur… il est toujours dans la cave. Après le succès fantastique de mes interventions sur Walter, je l'ai amené ici quatre fois et il a emporté les quatre premiers corps congelés. Cette tâche dépassait mes capacités physiques mais personne ne fouille ma voiture quand j'entre à l'IH. Je ne sais pas ce que Walter a fait des corps, y compris des deux que je lui ai confiés sans les avoir congelés et sur place, pour ainsi dire. Je suppose qu'il les a enterrés.

Carmine, lui aussi, avait du mal à assimiler ce paroxysme de froideur et une partie de lui-même plaignait Delia… Pauvre Delia, abusée, trahie ! Ça, ça faisait mal. Le reste était simplement révoltant.

— Reconnaissez-vous, docteur Wainfleet, vous être délibérément servie d'un détenu pour cacher vos activités personnelles ? demanda-t-il.

— Oui, oui ! s'écria-t-elle, provoquée.

— Les crânes ont disparu, fit remarquer Carmine.

— Je sais ! J'ai chargé Walter de les casser dans un étau puis de réduire les morceaux en poussière. Il me vénérait, ajouta-t-elle sur le ton de la confidence. Il me vénérait totalement !

— Docteur Wainfleet, je dois vous arrêter pour six meurtres avec préméditation. Tout ce que vous direz pourra être noté et utilisé contre vous devant un tribunal. Vous avez le droit de vous faire assister d'un avocat, dit Carmine.

Les menottes sortirent du vaste sac à main de Delia ; Jess Wainfleet tendit les mains sans commentaire, même quand celles-ci furent placées dans son dos puis menottées.

— Je ne croyais pas que tu céderais sans te battre, dit Delia.

— Si j'avais eu dix ans de moins, j'aurais profité de toutes les faiblesses du droit, répondit-elle le visage crispé. Je suis trop âgée pour recommencer, même si je disposais d'un autre Walter. Et je n'en ai pas. Walter était un oiseau rare.

— Le monde ne le regrettera pas, dit Carmine.

Et il ne vous regrettera pas davantage, docteur Wainfleet, ajouta-t-il intérieurement. Je me demande qui était plus monstrueux, Walter ou vous. Quoi qu'il ait été d'autre, Walter était un jouet… votre jouet. Vous vous êtes servie de son aptitude au meurtre pour cacher vos propres meurtres, puis vous l'avez condamné parce qu'il prenait plaisir à tuer.

À midi, tout était terminé.

Jessica Wainfleet était dans la seule cellule pour femme, qui avait vu tant de choses, en compagnie d'une policière en uniforme qui restait à son poste même quand la détenue allait aux toilettes. Il n'y aura pas de suicide pendant mon service, se promit le sergent Virgil Simms.

— Je n'en reviens pas! confia Silvestri à ses capitaines, alors qu'ils déjeunaient dans le nid d'aigle.

Ses yeux noirs et brillants allèrent de Carmine à Fernando, puis revinrent sur Carmine, sans la moindre étincelle d'humour, ce qui était presque incroyable, puis il reprit:

— Cette affaire a été effrayante et horrible du début à la fin, les gars… et, en plus, c'étaient deux affaires pour le prix d'une… plus ou moins. Comme disait ma tante Annunziata: les péchés de la chair sont ceux dont il est le plus difficile de se débarrasser. Je sais que ce n'est que le déjeuner et que normalement, à cette heure, l'alcool n'a pas sa place dans mon nid d'aigle mais aujourd'hui, messieurs, j'ai envie de vous offrir un bon cognac sorti tout droit de la botte de Napoléon.

Les capitaines acceptèrent volontiers cette rare manifestation de satisfaction.

— Et ce soir, annonça Silvestri en faisant tourner l'alcool dans son verre à pied, nous sommes tous invités à dîner à Busquash Manor, avec femmes et enfants, y compris les nouveau-nés. Les plus âgés verront un film en avant-première et les jeunes assisteront à un spectacle musical. Les bébés auront droit à des comptines.

— Voilà qui est civilisé, dit Fernando avec un sourire.

Il avait un garçon de dix ans, un autre de huit et une fille de cinq ans : trouver un baby-sitter était le plus souvent un cauchemar.

Les ombres d'Ivy et de Jess planaient encore, mais la soirée fut joyeuse à Busquash Manor. Les enfants furent conduits dans des environnements qui parvinrent à satisfaire les plus difficiles et les parents, libres pour une fois, purent profiter de boissons et de plats délicieux. Rufus joua du Chopin, Rha chanta des chants folkloriques russes d'une voix s'étalant du soprano à la basse, puis tous les invités, installés dans des fauteuils confortables, bavardèrent.

Carmine participa, mais resta à la marge. Un rare privilège pour lui, qui avait une famille nombreuse et très unie. Les frères Carantonio, songea-t-il, ont subtilement changé grâce, selon Delia, à l'unique bonne action de Jess Wainfleet. Cette dernière avait dit à Rufus qu'ils devaient renoncer à se sentir coupables des crimes de leur père et Rha et lui avaient accepté sa logique. Rufus, naturellement, flirtait avec Delia et Rha avait capturé un duo extraordinaire : Betty Goldberg et Gloria Silvestri. Si toute cette affaire avait eu une conséquence heureuse, c'était la solidité nouvelle de l'assise de Rha et Rufus.

L'estomac agréablement plein, Carmine se carra dans son fauteuil et écouta Silvestri disserter sur le sujet des spectacles pour enfants.

Sans doute s'était-il endormi et Silvestri avait-il eu le tact de s'éloigner pour le laisser somnoler en paix ; quand une main se posa sur son épaule, il sursauta.

— Téléphone, capitaine, dit Rha.

Carmine se leva et suivit Rha, dans les couloirs du manoir, jusqu'à une pièce vert jade et jaune citron, où le téléphone était décroché.

— Delmonico, aboya-t-il, contrarié d'avoir été réveillé.

— Carmine, écoute, dit une voix aimée, je ne discuterai pas ! Je me sens bien, je suis reposée, d'excellente humeur, grasse, et je m'ennuie à mourir. Frankie et Winston manquent terriblement aux garçons. Je rentre. Je prends l'avion ce soir. Je te téléphonerai de Kennedy.

Clic.

Battant des paupières, il sortit dans le couloir.

— Tout va bien ? demanda Rha, inquiet.

— Ma femme rentre par le vol de nuit.

— Ça, dit Rha, ça mérite un verre.

Cet ouvrage a été composé
par Atlant'Communication
au Bernard (Vendée)

Impression réalisée par

MARQUIS

Québec, Canada

en juin 2016
pour le compte des Éditions de l'Archipel
département éditorial
de la S.A.S. Écriture-Communication

Imprimé au Canada

Dépôt légal : juillet 2016